O vôo da Gaivota

Alanny Cristina

Somos associados da **Fundação Abrinq** pelos direitos da criança.
Nossos fornecedores uniram-se a nós e não utilizam mão de obra infantil ou trabalho irregular de adolescentes.

O vôo da gaivota

1-10-10-30.000

Direção editorial: **Flávio Machado**
Assistente editorial: **Renata Curi**
Capa: **Flávio Machado**
Projeto gráfico e editoração: **Ricardo Brito/Designdolivro.com**
Produtor gráfico: **Vitor Alcalde L. Machado**
Revisão: **Sabrina Cairo**

Dados Internacionais de Catalogação na Publicação (CIP)
(Câmara Brasileira do Livro, SP, Brasil)

Patrícia (Espírito).
O vôo da gaivota / Patrícia ; psicografia de Vera Lúcia Marinzeck de Carvalho. – São Paulo : Petit, 1996.

ISBN 978-85-7253-184-9

1. Espiritismo 2. Psicografia I. Carvalho, Vera Lúcia Marinzeck de. II. Título.

96-2032 CDD: 133.93

Impresso no Brasil, na primavera de 2010.

Prezado(a) leitor(a),

Caso encontre neste livro alguma parte que acredita que vai interessar ou mesmo ajudar outras pessoas e decida distribuí-la por meio da internet ou outro meio, nunca deixe de mencionar a fonte, pois assim estará preservando os direitos do autor e, consequentemente, contribuindo para uma ótima divulgação do livro.

O vôo da Gaivota

NARRATIVA ESPIRITUAL DE

Patrícia

PSICOGRAFADO DE

Vera Lúcia Marinzeck de Carvalho

petit editora

Rua Atuaí, 383/389 – Vila Esperança/Penha
CEP 03646-000 – São Paulo – SP
Fone: (0xx11) 2684-6000
www.petit.com.br | petit@petit.com.br

Livros da médium
VERA LÚCIA MARINZECK DE CARVALHO

Da própria médium:

- *Conforto Espiritual*
- *Conforto Espiritual 2*

Psicografados:

Com o Espírito Antônio Carlos

- *Reconciliação*
- *Cativos e Libertos*
- *Copos que Andam*
- *Filho Adotivo*
- *Reparando Erros de Vidas Passadas*
- *A Mansão da Pedra Torta*
- *Palco das Encarnações*
- *Histórias Maravilhosas da Espiritualidade*
- *Muitos São os Chamados*
- *Reflexos do Passado*
- *Aqueles Que Amam*
- *O Diário de Luizinho* (infantil)
- *Novamente Juntos*
- *A Casa do Penhasco*
- *O Mistério do Sobrado*
- *O Último Jantar*
- *O Jardim das Rosas*
- *O Sonâmbulo*
- *Sejamos Felizes*
- *O Céu Pode Esperar*
- *Por Que Comigo?*
- *A Gruta das Orquídeas*
- *O Castelo dos Sonhos*
- *O Ateu*

Com o Espírito Patrícia

- *Violetas na Janela*
- *A Casa do Escritor*
- *Vivendo no Mundo dos Espíritos*
- *O Voo da Gaivota*

Com o Espírito Rosângela

- *Nós, os Jovens*
- *A Aventura de Rafael* (infantil)
- *Aborrecente, Não. Sou Adolescente!*
- *O Sonho de Patrícia* (infantil)
- *Ser ou Não Ser Adulto*
- *O Velho do Livro* (infantil)
- *O Difícil Caminho das Drogas*
- *Flores de Maria*

Com o Espírito Jussara

- *Cabocla*
- *Sonhos de Liberdade*

Com espíritos diversos

- *Valeu a Pena!*
- *O Que Encontrei do Outro Lado da Vida*
- *Deficiente Mental: Por Que Fui Um?*
- *Morri! E Agora?*
- *Ah, Se Eu Pudesse Voltar no Tempo!*

Livros em outros idiomas

- *Violets on the Window*
- *Violetas en la Ventana*
- *Violoj sur Fenestro*
- *Reconciliación*
- *Deficiente Mental: ¿Por Que Fui Uno?*
- *Viviendo en el Mundo de los Espíritus*
- *Fiori di Maria*

A você, amigo leitor, dedico esta obra com imensa ternura.

Também o faço a desencarnados e, principalmente, a encarnados que são úteis por sua capacidade e têm como meta o progresso no aprendizado.

Estendo-me aos anônimos, desconhecidos dos encarnados, mas conhecidos do plano maior, que fazem o bem por amor, sem sequer se importar com nomes célebres.

Patrícia
SÃO SEBASTIÃO DO PARAÍSO, MG

Aos meus queridos amigos:

Recebo muitos pedidos para continuar trabalhando na literatura. Embora eu fique emocionada com tanto carinho, peço aos meus leitores que me perdoem por não escrever mais. Tive como tarefa fazer quatro livros[1], narrar o que vi, o que encontrei e o que senti no plano espiritual. Concluídos esses livros fui realizar meu sonho, pois quando estava encarnada, estudava, lecionava e queria continuar fazendo isso.

Atualmente moro numa colônia de estudo e não vou ao plano físico a não ser em raros momentos, quando vou é somente para rever meus familiares. Meu trabalho não inclui visitar centros espíritas, nem ditar mensagens, escrever livros ou prefaciá-los.

Amo muito vocês que me amam, que gostam do que escrevi e tenho certeza de que me compreenderão. Da sempre amiga amorosa,

Patrícia

---

1. Os quatro livros de Patrícia: *Violetas na janela*, *Vivendo no mundo dos espíritos*, *A casa do escritor* e *O vôo da gaivota*. Todos editados pela Petit Editora.

Palavras de um amigo

Patrícia, nossa jovem escritora, que nos tem presenteado com sua literatura simples, sincera, que nos traz bons e profundos ensinamentos, vem novamente nos brindar com mais este livro.

Fala-nos da caminhada em que assume novas e diferentes tarefas, do seu desprendimento e desapego.

Patrícia trabalha e estuda no plano espiritual, mas aceitou mais esta tarefa de escrever aos encarnados, na intenção de alertá-los quanto ao engano de cultuar personagens famosos. A Doutrina Espírita não está nas mãos de poucos, sejam encarnados ou desencarnados. São muitos os espíritos que trabalham para o bem da humanidade.

A nossa alegre escritora, na sua humildade, se acha pequena, mas com vontade de aprender, e não quer que a cultuem e que lhe dêem maior valor do que se acha merecedora.

O enredo deste livro é muito interessante. Participando do socorro a um desencarnado toxicômano, ela nos narra importantes fatos que trazem muitos esclarecimentos sobre o prejuízo causado pelos tóxicos, o grande mal da atualidade. O desenrolar atraente desta história faz deste livro mais um marco na literatura espírita.

Antônio Carlos

Sumário

Introdução

Encarnada, por muitas vezes olhava maravilhada as gaivotas voando. Encantava-me com seus vôos, que me transmitiam a sensação de liberdade. São tão livres! À tarde, andando pela praia, acompanhava suas movimentações pelos ares. Livres e felizes, faziam acrobacias, oferecendo um espetáculo de rara beleza.

O espaço imenso é o ambiente preferido das gaivotas. Mas elas não podem deixar de pousar na areia da praia para completar a alimentação necessária à manutenção do seu corpo. Mesmo pressentindo a possibilidade de encontrar predadores inimigos, essa corajosa ave não se intimida, embora muito vigiante, pousa na praia. Se falhar na sua vigilância, infeliz terá sido sua descida, pois será presa fácil de algum inimigo natural. Se atenta e vigiante, feliz será sua descida. Pegará o que precisa e novamente alçará vôo, ficando na areia, até a próxima onda, apenas a marca de seus delicados passos, indicando que ali passou uma gaivota realizando com prazer e alegria a função de viver e participar, com a vida, do anseio de ser e existir.

Sabendo que venho raramente ao plano físico, naquele dia Elisa me comparou com uma gaivota:

– Gaivota, por que desce à Terra? Procura alimento?

Não respondi de imediato. Olhei para a amiga que me comparou como tão belo pássaro. Seus olhos negros, meigos e bonitos brilhavam. Sorriu. Seu sorriso maravilhoso contagiava aqueles que a rodeavam e deixava à vista as fileiras de dentes perfeitos. Elisa é uma negra linda; a beleza dos seus sentimentos contagia e embeleza ainda mais seu perispírito.

Fiquei a pensar no que me levava a voltar à Terra. O que estaria fazendo ali? Ajuda? Tarefa? Trabalho? O bem que fazemos é um crédito, uma necessidade ou um alimento?

Volitei[2] e vi que a gaivota deixou marcas dos seus pezinhos no chão arenoso. Voltei o pensamento ao passado recente e me certifiquei de que, ao tentar ajudar os que ficaram na Terra, acabei por fazer muitos afetos. O bem realizado deixaria marcas?

---

2. Volitar, na literatura espírita, é a denominação do ato de os espíritos desencarnados se movimentarem no espaço, quando o fazem sem que os pés toquem o chão. Nos livros espíritas, principalmente nos do Espírito André Luiz, há incontáveis exemplos nesse sentido. (Nota da Autora Espiritual)

Assumindo uma tarefa

Encarnados, nossas ações estão condicionadas a um fim pessoal, a aquisição monetária ou um diploma que nos habilitará a exercer funções bem remuneradas entre nossos companheiros de caminhada. Aqui, no plano espiritual, para aqueles que compreendem e vivem a unidade do universo, trabalhar ou estudar não significa oportunidade de ganho pessoal, mas sim ocasião propícia para não ficar à margem da evolução. A beleza da existência está na sua dinâmica atividade. Ela nunca é monótona. A vida se parece com imenso rio que, apesar de estar no mesmo lugar, nunca é o mesmo, renova-se a cada segundo. Nossa personalidade é, por natureza, ociosa. Se não acordarmos para uma renovação na nossa maneira de ser, correremos o risco de ver o rio da vida passar e de ficar à sua margem, perdendo a oportunidade de ir junto com aqueles que com ele caminham rumo ao infinito. Aceitar novas incumbências de trabalho, de maiores responsabilidades, é motivo de alegria a todos nós que desejamos participar com Deus da manutenção e do progresso de todos os seres humanos. Fui chamada a lecionar num curso de reconhecimento do plano espiritual, no qual a professora titular,

Marcela, se ausentara porque havia também aceitado incumbência de trabalhos superiores. Apesar de feliz por ter sido lembrada e radiante por me sentir útil, não pude deixar de ter momentos de preocupação, pois estariam vários espíritos sob minha responsabilidade.

Como em outras vezes, fui em busca de conselhos de meus amigos. Ao ver Maurício, dirigi-me alegre ao seu encontro.

Meu amigo sorriu. Como é agradável vê-lo assim. Sempre me lembro de seu doce e confiante sorriso. Respondeu aos meus anseios, tranqüilo, transferindo-me belos ensinamentos.

– Patrícia, como começa o aprendizado de um professor universitário na Terra? Nos primeiros anos escolares, aprende as primeiras letras. Estudioso, cursa todas as séries exigidas. Um dia, a escola terrena dá por encerrados seus estudos e o classifica apto a lecionar – às vezes até na própria escola em que se preparou. Se for sensato, reconhecerá, com certeza, que conhece apenas "o razoável" do assunto em que se especializou e, então, continuará estudando a vida toda. Mas esse conhecimento adquirido é patrimônio seu, conseguido por seu esforço. Querendo lecionar, pode e deve fazê-lo, porque alguns nem têm esse saber que você considera moderado. E felizes os que passam aos outros seus conhecimentos. Muitos se indagam: terei capacidade de lecionar? Tendo conhecimento da matéria em questão, têm capacidade, sim. Aqui também é assim. Todos temos que aprender para saber. Que tristeza seria sentir que não há mais nada para aprender. O aluno não deve ficar muito tempo na mesma série. Seu estudo deve render até que passe de aluno a mestre. Tenho acompanhado seus estudos: aprende com amor e já está apta a ensinar o que adquiriu.

– Mas, Maurício – insisti –, e se não estiver?

– Está! O que pensa você que é um instrutor aqui no plano espiritual? É somente um espírito dedicado, estudioso, que começou seu aprendizado como todos. Não se deve ser avaro de conhecimentos, se julgar incapaz nem ser presunçoso com o que julga saber. Necessário e indispensável é o bom senso; por ele temos a exata medida de nosso cabedal, sem, entretanto, chegar à vaidade. Depois, Patrícia, ninguém quer uma sumidade para ensinar, mas sim aqueles que transmitem com amor os conhecimentos que possuem. Se a chamaram, é porque a julgaram apta. Aqui não existe o "jeitinho" que leva muitos a ter cargos imerecidos. Depois, os cursos vêm prontos à sua mão. É verdade que terá de responder a muitas questões. Confio em você. Aceite e tire bom proveito dessa experiência.

Também fui conversar com vovó Amaziles. Gosto muito de visitá-la e a suas amigas, de suavizar a saudade que sinto da casa em que moram e que foi minha primeira acomodação depois que desencarnei. Após os abraços, falei da minha dúvida.

– Patrícia – respondeu vovó –, esse curso é muito importante. Nele se aprende muito do plano espiritual, na teoria e na prática. Aquisição teórica ou intelectual são apenas arquivos de informações e conhecimentos. As excursões feitas durante o curso são a vivência do fato. Com compreensão, todo aquele que viveu sabe como tomar a melhor atitude diante de cada problema. A intenção do curso é de que todos que o freqüentem tenham essa compreensão. Pois somente a vivência desses fatos ou conhecimentos é transmitida às nossas células perispirituais e, conseqüentemente, às células físicas. E, quando reencarnarmos, essas vivências aflorarão em nossa mente como dom nato ou como mente inconsciente. Aceite, você é capaz! Você tem estudado tanto! Coloque em prática o que aprendeu e ainda aprende.

De Antônio Carlos, ouvi:

– Não fazer, por julgar-se incapaz, não é aceito como desculpa nem aqui no plano espiritual, nem encarnado. Se não é, torne-se. Todos somos capazes. Principalmente se não nos é exigido o impossível. Agiu certo, de modo prudente, consultando os amigos. Quando nos sentimos inseguros, devemos pedir opiniões a amigos que consideramos e por quem somos considerados. Com as sugestões recebidas, devemos então optar pelo que é melhor para nós mesmos e para os outros. Não é certo fazer o que não somos capazes no momento. Às vezes, imprudentemente, prejudicamos a nós e aos outros, ao fazer algo por ambição, poder e vaidade. Não é o seu caso. Aceite e lembre-se: aprendemos muito mais quando transmitimos conhecimentos.

Também me aconselhei com papai e dele recebi preciosa lição.

– Filha, a vida sabe melhor o que é bom a cada um de nós. Estamos sempre sendo convidados a assumir alguma tarefa. Para mim, o melhor lugar é aquele em que somos mais úteis. Ao esquecermos de nós mesmos, vivendo entregues ao bem alheio, criamos condições para que Deus possa agir por meio da nossa humilde personalidade. E, nunca se esqueça, tudo o que fizer, faça bem-feito.

E ali estava eu, numa sala de estudo, dando uma aula sobre as colônias, sentindo-me perfeitamente à vontade.

A sala de aula era muito agradável. Talvez não tivesse, para os outros, a mesma beleza vista por mim. "Lugar de ensino deve ser um lugar diferente. O local onde se aprende deve ser respeitado como um templo", disse uma vez um amigo. Concordava com ele. Todas as escolas deveriam ser educandários, que preparam para a vida útil. A classe era pequena, tinha uma lousa, mesinhas confortáveis e duas grandes janelas com vista para o jardim que contornava a escola. O que a tornava tão agradável para mim era que ali nos reuníamos para o estudo. E aprender ensinando me fascina.

– Por que esta colônia tem o nome de Vida Nova? – perguntou Terezinha.

– Todas as colônias, postos de socorro, casas de auxílio têm uma designação pela qual são conhecidas. É como na Terra, todos os lugares têm nome. Quando esta colônia foi fundada, um dos seus idealizadores lhe deu esse nome esperando que todos que viessem para cá tivessem realmente um reinício de esperança e mudanças para melhor, o que os levaria a uma vida nova. Daí o nome.

Os vinte e dois alunos prestaram muita atenção e depois voltaram para as suas tarefas: descrever a colônia que os abrigava.

A Colônia Vida Nova fica no plano espiritual de uma cidade brasileira, pitoresca e de porte médio. É linda! Que interessante é o amor incondicional. Quanto mais uma mãe olha seu filho, mais o acha bonito, não importa quantas vezes o faça. Assim acontece comigo. Todas as vezes que chego a uma colônia, esta é para mim maravilhosa. Emociono-me e alegro-me. Como é agradável estar no convívio de uma cidade no plano espiritual.

A aula transcorria tranqüilamente.

Ouvindo uma história

As dissertações ficaram muito boas. Após a leitura de algumas, pelos próprios alunos, concluímos que nem todos têm a mesma impressão do plano espiritual. Albertina até me indagou:

– Patrícia, como pode haver tantos modos de ver, sentir e ter sensações diferentes, diante de um mesmo objeto ou lugar?

– Realmente – respondi. – Podem existir muitas formas de sentir os acontecimentos pelos quais somos envolvidos. Estou me lembrando agora de algo que ilustra bem esse fato. Há algum tempo, ouvi uma historinha interessante. "Uma florzinha branca e mimosa floresceu à beira de uma estrada. Por esse caminho passavam muitas pessoas. Algumas, sem sequer vê-la. Uma mulher, ao defrontar-se com ela, disse: 'Veja, uma flor à beira da estrada! Ela é medicinal, muito boa para dores. É bom saber que aqui tem, quando precisar, virei buscar'. Um poeta que cantava as alegrias e tristezas, as belezas do mundo, também passou pela estrada e, ao ver a flor, parou e exclamou comovido: 'Que linda flor! É digna de enfeitar os mais lindos cabelos de uma mulher apaixonada! Mas, infelizmente, no momento não estou amando, senão a levaria para enfeitar minha amada!' Em seguida passou pela estrada uma jovem que, ao ver a delicada flor, parou para admirá-la. 'Que florzinha mais encantadora! Que perfeição em seus contornos! Como é bonito ver uma flor a enfeitar uma estrada, suavizando a visão talvez tão cansada e preocupada dos que passam por aqui.' Com um gesto meigo, beijou a flor e seguiu seu caminho. Passou por ali também um materialista que, ao ver a flor, falou revoltado e furioso: 'Flor imbecil, por que veio florir nesta estrada poeirenta? Seu branco não combina com a sujeira do lugar. É uma inútil!' Chutou-a e foi embora. Um senhor cujos cabelos o tempo havia branqueado, ao ver a flor ali solitária, à beira da estrada, exclamou: 'Como a obra de Deus é perfeita! Como o Senhor do Universo é bondoso conosco, dando-nos belezas na natureza para nos alegrar! Seja bendita, florzinha branca! Obrigado por você existir e nos alegrar!' Sabiamente continuou seu caminho. E a singela flor continuou sendo a mesma para todos." Só que, conforme a compreensão, o interesse, o estado de espírito, viam-na de maneiras diversas.

"Todos esses personagens, ao verem a flor, reagiram em conformidade com seu condicionamento. A mulher, preocupada com enfermidades físicas, viu na flor seus dotes curativos. Para o poeta, a flor foi a causa ou o motivo para aflorarem em sua mente os devaneios mentais. O senil, já desiludido com as ilusões mundanas, ansioso por unir-se a Deus, viu ali a manifestação Daquele que tanto procurava.

"Se falarmos a respeito disso com um mestre espiritual, ele nos dirá que o belo ou o feio que possamos vir a ver é conseqüência de nossa escolha pessoal. A vida não faz discriminações entre suas manifestações. O bem e o mal estão restritos ao âmbito hominal, assim como o belo e o feio. Cosmicamente, eles não existem, pois nada há em que não haja a onipresença divina. Cada ser ou criatura tem sua razão de ser na cadeia das relações em que a vida se manifesta. Toda manifestação tem os dotes de que necessita para desempenhar sua função. É muito importante que possamos aprender a ver as coisas como são e não como queremos que sejam.

"As colônias, Albertina, são lugares que abrigam muitos, temporariamente, como no plano físico. E, dependendo de muitos fatores, cada qual as vê como consegue ou quer. Esse fato também acontece com os encarnados. Muitos se deslumbram diante de um jardim florido, da visão de um rio, de montanhas, outros nem os vêem, e para alguns tudo isso é indiferente. Acho as colônias encantadoras. Quando estava encarnada, maravilhava-me com os lugares belos da Terra. Achava lindo o mar, gostava de olhar o céu, as flores, deslumbrava-me e deslumbro-me ainda com tantas belezas. Nossa Terra é bela!"

Descreverei, para melhor ilustrar esse fato, uma redação que foi feita sobre o assunto. Quase todos a fizeram. Vamos comentar a que achei mais interessante.

Que coisa fantástica é a vida e, por mais que a observemos, parece-nos sempre nova. Quando escutamos a história da vida de uma pessoa, ouvimos a nossa própria, pois ela nos traz notícias de um ser humano, portanto, a história da própria humanidade. Mas, normalmente, não ouvimos muito as pessoas, pois quase sempre vivemos fechados em nosso mundo interior de tal forma que, mesmo aparentemente lhes dando atenção, não chegamos a entendê-las. Para compreender uma história, é necessário viver as emoções de quem narra os acontecimentos, seu estado psíquico, de alegria, esperança, angústia, rancor, mágoa, gratidão ou qualquer outro estado emocional. Escutando com atenção a história de Genoveva, uma pessoa comum, como a maioria dos encarnados ou desencarnados, teremos a oportunidade de entender o porquê de muitas vezes fazermos de nossas existências uma verdadeira tragédia, da qual desfrutamos pequenos momentos de alegria e um tempo sem conta de desespero, frustrações, angústias e dores. A personagem é uma manifestação divina. Amando a presença de Deus, que é o autor de todas as manifestações em cada criatura, teremos compaixão de todos os seres humanos que no momento representam, como atores, no palco da vida. Imbuídos desses sentimentos, podemos ver a enormidade de nossa ignorância. Como ela começou não importa, o que interessa é seu fim. Isso está em nossas mãos realizar. Portanto, não vamos aplaudir ou censurar os erros ou os acertos de uma pessoa, mas compreender o que a humanidade tem feito com o privilégio de viver, cientes daquilo que somos: seres humanos.

Genoveva começa contando sua desencarnação. Transcrevo-a, porque chegamos à conclusão de que está muito relacionada à nossa maneira de viver encarnados, à nossa desencarnação e à nossa vivência aqui, no plano espiritual. A própria Genoveva leu sua redação para toda a classe.

"Desencarnei jovem", começou Genoveva, "bem, não tão jovem. Tinha trinta e sete anos. Amava a vida, tinha lá meus problemas como todo mundo, mas estava satisfeita. Casada, tinha dois filhos adolescentes, vivia feliz no meu lar. Um dia, como fazia sempre, saí para comprar roupas. Estava indecisa entre duas saias. Distraída, atravessei a rua, quando um carro, dirigido por um jovem embriagado, me atropelou. Ele corria além do permitido e eu estava entretida: não deu para evitar o acidente. Desencarnei no ato. Se as pessoas que viram ficaram abaladas e confusas, imaginem eu. Senti-me jogada no chão e escutei meus ossos quebrarem. Não senti dor, fiquei atordoada. Sentei-me com dificuldade na calçada. Não conseguia ver direito e, então, perdi os sentidos. Acordei num lugar escuro, úmido, com cheiro nada agradável. Sentei-me e esfreguei os olhos. Tive a certeza de que estava acordada. Mas onde? Vi, então, uma senhora a uns dois metros de mim, que me observava calada. Era bem feia, estava suja, cabelos brancos espetados: achei-a horrível. Ela ficou quieta, enquanto eu a olhava detalhadamente. Concluí, como sempre fazia, que nem todos eram bonitos como eu. Resolvi indagar-lhe:

"'A senhora sabe por que estou aqui neste lugar estranho?'

"'Não é estranho', respondeu ela, séria, 'é um lugar como outro qualquer'.

"'Mas como vim parar aqui? Não me lembro...', indaguei com delicadeza, tentando ser gentil com aquela estranha mulher.

"'Uma turma das que andam por aqui a trouxe', disse ela, após um instante em silêncio. 'Escutei-os dizer que a acharam sem sentido, após o acidente. Como não havia ninguém ao seu lado, pegaram-na e deixaram-na aí.'

"'O acidente!', exclamei. 'Lembro-me bem! O carro daquele maluco! Mas não era para eu estar num hospital?'

"'Se não tivesse morrido, acho que sim', respondeu a senhora com sua voz rouca, o que para mim, no momento, era muito desagradável.

"'O que a senhora está me dizendo? Se não tivesse morrido? Por quê? Morri?'

"'Que acha? Claro que morreu!', respondeu, dando um sorriso cínico.

"'Não e não! Não morri!', gritei.

"'Morreu! Morreu e morreu!', gritou ela mais do que eu. 'O carro passou em cima de você, e seu corpo morreu. Mas, como ninguém morre de fato, aqui estamos, vivas em espírito.'

"'Faz tempo que estou aqui?', perguntei, assustada.

"'Um bom tempo. Estava aí deitada sem sentidos.'

"'Mas que lugar é este?', indaguei desesperada.

"'Pelo que vê, não é muito bom', respondeu a senhora após uns minutos calada. 'Você não deve ter sido boa coisa, senão teria sido levada para outro lugar.'

"'Como se atreve?, falei, sentida.

"'Ora, ora, falo como quero. Você é morta! Morta!'

"'Não e não!'

"Repetia, já duvidando. Chorei muito, revoltei-me, dei murros no chão até que cansei. A mulher saiu de perto de mim. Dormi. Acordei e senti-me pior, estava com sede e fome e sentindo-me suja, desarrumada, de um jeito que detestava ficar. Pensei no acidente e tive ódio do imprudente motorista e, então, senti meu corpo doer. Percebi que era só pensar no acidente para ter dores, esforcei-me para não pensar mais. Resolvi saber onde estava. Arrastando-me, locomovi-me alguns metros, estava numa pequena abertura de uma rocha. Perto, achei um filete d'água que, com nojo, tomei, amenizando a minha sede. Vi que outros que estavam ali a tomavam e comiam pequenas ervas. Comi também. Não me atrevia a ir mais longe e, quando saía, voltava sempre rápido para a abertura. Aquela senhora igualmente se abrigava ali, só que saía e demorava a voltar, pois andava pelo Umbral. Às vezes conversava comigo, era a única pessoa com quem eu falava. Sentia-me terrivelmente só."

Faço uma parada na narrativa de Genoveva para explicar alguns detalhes. Muitos não vivem como parte integrante do universo, agem como entes separados da vida. A lagarta nos dá um bom exemplo de como agir. Como lagarta, realiza com eficiência sua função, vive para se empanturrar de folhas, adquirindo energia suficiente para que possa acontecer sua metamorfose. Muitos encarnados esbanjam energias insensatamente, de tal forma que, no momento da desencarnação, estão tão defasados que o espírito não consegue abandonar a matéria. Não devemos negar as funções do viver, mas sim estar conscientes de que somos transeuntes; não fazer da existência um acúmulo de sensações e prazeres como se isso fosse a finalidade única para a qual reencarnamos. Identifico Genoveva com muitos de nós. Nossa narradora se identificou com o que representava, um elemento feminino cheio de dotes e beleza física diante do sexo oposto, sentindo-se segura e confiante, pois tinha mais que as outras. Nada lhe interessava a não ser ela mesma. Tudo o mais, até o marido e os filhos, era apenas apêndice do seu "status". Meditando, conseguimos olhar o universo como um todo orgânico, vendo a unidade de Deus. Assim compreendemos Sua onipresença em tudo e em todos, entendendo, então, que para a natureza não há nem bonito nem feio, mas simplesmente um conjunto de manifestações ou indivíduos que juntos compõem o universo manifestado. Vemos, assim, que o bonito e o feio fazem parte de nossa preferência pessoal. Se conseguimos ver isso como um fato, libertamo-nos do apego, dos desejos e das sensações de sermos melhores que os outros. O início da verdadeira humildade é não se sentir melhor que ninguém. Entre milhares de desencarnações que ocorrem diariamente, cada desencarnado tem uma sensação diferente da passagem do estado físico para o espiritual. Mesmo em acidentes parecidos com o de Genoveva, cada qual a sente de um modo. A desencarnação é um fato comum e natural, mas que se diferencia de uma pessoa para outra. Genoveva foi desligada bruscamente com o choque. Ao perder os sentidos, ficou em perispírito deitada na calçada, já que seu corpo físico logo em seguida foi levado para o necrotério. Como não tinha ninguém do bem, isto é, trabalhadores ou socorristas, para a velar e socorrer, os desencarnados que vagavam a pegaram. Levaram-na, após vampirizar seus fluidos vitais, e a deixaram lá no Umbral. Se Genoveva tivesse adquirido afetos espirituais, por meio de sua vivência física, teria sido levada para um socorro. No exercício da fraternidade incondicional, que é o fazer sem desejar nada em troca, nem mesmo recompensa da parte de Deus, emanamos boas vibrações. Com vibrações assim, atraímos para junto de nós bons espíritos, como também elas impedem o assédio dos maus à nossa volta. Tenho visto muitos acontecimentos em que desencarnados maus pegam recém-desencarnados imprudentes e os fazem de escravos ou os levam para suas cidades. Estes, porém, sugaram de Genoveva suas energias e a deixaram num canto do Umbral. Voltemos à sua narração.

"Não sabia há quanto tempo estava ali, naquele lugar horroroso. Só mais tarde vim a saber que foram seis meses, que para mim pareceram mais de seis anos. Sentia, às vezes, meus filhos me chamarem. Respondia alto:

"'Vou, filho, vou!'

"Mas não ia. Não sabia como ir e nem tinha forças para me locomover. Sentia que oravam por mim, nesses instantes, ficava mais calma. Comecei então a me lembrar muito de dona Rita, minha ex-vizinha. Recordei que ela era aposentada e viúva e que seu filho, que morava longe, não lhe dava atenção. Passava por muitas necessidades. Eu lhe dava muitas coisas, inclusive comida pronta, ora o almoço, ora o jantar, comprava-lhe remédios, dava-lhe carinho. Ia vê-la quase todos os dias e, agora, ela orava muito por mim. Escutava-a dizer:

"'Genoveva, peça ajuda a Deus. Ele é nosso Pai e nos ama. Peça perdão! Queira ajuda!'

"Fiquei a pensar no que escutava, 'peça ajuda, peça perdão'. Mas eu estava revoltada, não queria ter morrido. Era bonita, cheia de vida e saúde. Agora estava sofrendo. E não queria continuar, tinha que mudar aquele estado, só que não sabia como. As orações de dona Rita foram acabando com minha revolta, acalmei-me e comecei a meditar. Nunca pensei que a morte viesse para mim, só para os outros. Ainda mais que me achava jovem para morrer, não queria a morte nem na velhice. Então percebi que por ali passavam outras pessoas, eram diferentes, limpas e com semblante tranqüilo. Já haviam tentado conversar comigo, porém, não lhes dera atenção. Talvez vocês achem incoerente essa minha atitude, a sujeira me incomodava, achava aquele lugar horrível e assim mesmo não dava atenção para aquelas pessoas limpas e saudáveis. Mas, naquele momento, não me sentia bem perto delas; não queria o que me ofereciam, a ajuda espiritual, mas sim o que havia perdido com a vida física. Sentia-me inferior a elas, e isso me magoava. Também estava envergonhada por estar em estado tão deprimente. É que, quando encarnada, me sentia como se fosse rainha e agora era um farrapo feminino. Mas depois achei que elas poderiam me ajudar. Quando as vi de novo, chamei-as, pensando firme nos dizeres da minha ex-vizinha: 'Peça ajuda! Peça perdão!'

"'Senhores, por favor, me dêem atenção!'

"Aproximaram-se e, perto deles, senti como eram felizes. Olhei-os emocionada.

"'O que quer?', indagou um deles.

"'Ajuda, perdão...', respondi, envergonhada.

"'Venha conosco.'"

Novamente interrompo a narração de Genoveva para algumas explicações. Ao pedir perdão, demonstrou que reconhecia os erros cometidos e que desejava mudar para melhor. Deus não se ofende conosco, ama-nos muito. O que precisamos é da renovação interior, para que participemos da renovação da humanidade. Normalmente, quando os familiares chamam os desencarnados, estes os atendem, indo para perto deles se não tiverem conhecimentos da vida no plano espiritual. E Genoveva não os tinha. São muitos os que saem dos postos de socorro para atender a esses chamados. O desconforto ocasiona ao desencarnado o desejo de voltar ao estado anterior, isto é, a vivência que tinha quando encarnado. A vontade forte o leva para onde quer, quase sempre ao antigo lar ou para perto de seus afetos. Os recém-socorridos que estão abrigados nas colônias maiores não saem, porque elas ficam mais longe da crosta e não é tão fácil sair sem permissão. Mas muitos desencarnados, para atender a insistentes chamados, pedem para ir, mesmo sabendo o risco que correm ao voltar sem estar preparados. Desencarnados que vagam pelo Umbral costumam também atender a esses chamados. Mas nem todos voltam, como no caso de Genoveva. Primeiro, os chamados não foram tão insistentes. Segundo, ela teve medo de sair do lugar em que estava. Depois, Genoveva não amava a ninguém mais do que a ela mesma. Também porque ela se sentia enfraquecida, sem forças psíquicas. Quanto à ajuda que recebeu de dona Rita, foi uma reação a uma de suas ações. Como meu pai sempre diz: "O bem que fazemos, a nós mesmos fazemos". E ele se lembra sempre dos dizeres do Nazareno, que é como gosta de se referir a Jesus, nosso Grande Mestre: "Granjear amigos com as riquezas da iniqüidade, para que, quando vierdes a precisar, vos recebam nos tabernáculos eternos" (Lucas, XVI:9)[3]. Quando fazemos o bem, fazemos amigos. Se um deles nos for grato, ele nos ajudará quando necessitarmos. Genoveva fez algumas boas ações. E dona Rita, grata, não a esqueceu. Orou com sinceridade e fé para ela. Oração sincera não fica sem resposta. Genoveva recebeu o carinho de sua ex-vizinha da forma que precisava no momento. Ela recebia seus fluidos de ânimo e conforto, embora sua ex-vizinha fizesse orações decoradas que lhe ensinara a religião que seguia. Orações envolvem o beneficiado com energias benfazejas, de modo a ajudar no que necessita. E para Genoveva eram para que se arrependesse, para que pedisse perdão e perdoasse, que chamasse por ajuda, mudando, assim, seu padrão vibratório e possibilitando o socorro. E foi isso o que ela fez.

3. As citações do *Evangelho* contidas neste livro foram tiradas da *Bíblia* – Tradução Vulgata. (N.A.E.)

Continuemos com a interessante narrativa de Genoveva:

"Fui amparada com delicadeza. Um senhor e uma moça me levaram para uma casa enorme, um posto de socorro no Umbral. A moça me ajudou a tomar banho. Deliciei-me. Com roupas limpas, tomei um prato de sopa quente, que achei muito saborosa. Depois me acomodei num leito perfumado e dormi tranqüila. Não estava doente, não sentia dores, estava só desorientada e com fraqueza. Recuperei-me logo. E fui transferida para esta colônia.

"'Você vai para a Colônia Vida Nova. Verá como ela é linda.'

"Ouvi muitos comentários parecidos. E fiquei curiosa para vê-la. Fui levada à colônia com outros que também iam ver uma cidade no plano espiritual pela primeira vez. Lá nos separamos, e fui conduzida para uma casa, onde fiquei hospedada. Que decepção! Não vi nada das maravilhas de que ouvi. A casa, sem arranjos e enfeites, era simples demais. Só tinha o necessário.

"'Que beleza de jardim!'

"'Que flores lindas!'

"Tentava prestar atenção e descobrir onde estava a beleza de que ouvia. O jardim para mim parecia com outro qualquer da Terra. Só que talvez mais cuidado e respeitado. As flores eram flores como sempre foram. Havia algumas diferentes, mas eram plantas... Estava apática. Tentava ser gentil com as pessoas que moravam comigo, porque era tratada com extrema delicadeza. Carinhosamente me levaram para conhecer a colônia. Nada me entusiasmou. Achei-a extremamente sem atrativos, as belezas e sensações das quais gostava não eram cultivadas. Havia muitas mulheres bonitas, mas elas agiam como se esse fato não lhes importasse. Para mim, a minha beleza era um patrimônio, e gostava de ser assim. Quando encarnada, sentia-me superior à maioria das mulheres. A colônia era um lugar como outro qualquer. Bem, como outro qualquer, não! Para ser sincera, perto do lugar em que fiquei, no Umbral, na abertura da rocha, ali era o paraíso. Os novos amigos muito me aconselharam. Eles me consideravam como se fosse amiga deles, mas eu não, para mim eram somente pessoas boas que tentavam me ajudar. Tudo fizeram para me tirar da apatia. Fui convidada a fazer pequenas tarefas. Não era preguiçosa, era muito fútil e vaidosa, mas não ociosa. Aceitei, porque achei que deveria ocupar meu tempo. Fui trabalhar na biblioteca. Maura, uma senhora alegre e extrovertida, me orientou no começo.

"'Genoveva, querida, coloque estes livros em ordem alfabética.'

"Fazia tudo direitinho.

"'Muito bem!', incentivava ela. 'Você tem trabalhado com vontade. Você não é curiosa? Não tem interesse no conteúdo destes livros? Não gosta de ler? Não a vejo nem folheá-los.'

"Acabei por pegar um livro. Abri e li uma página. Era um livro que os encarnados têm também o privilégio de conseguir para leitura. Levei-o emprestado para casa.

"Minha apatia foi desaparecendo aos poucos com a ajuda e a alegria dos meus amigos – agora sim, considero-os como amigos – e de lições ouvidas e lidas. Com estudo e atenção fui compreendendo que meu corpo e tudo o que me rodeava não existiam para meu prazer e sensações, mas sim como parte de um todo que é a manifestação de Deus. Então aconteceu o que não esperava, antes, vendo, eu não via; ouvindo, eu não ouvia. Agora vejo e ouço o que antes me passava despercebido. Comecei a esquecer de mim, para prestar atenção à minha volta. Tempos depois tentei ver tudo novamente para encontrar as belezas tão admiradas. Amo muito esta colônia, mas beleza para mim, por muito tempo, foi outra coisa: vestidos novos da moda, luxo e beleza física. Só a compreensão nos faz ver a beleza nas coisas simples. Aprendo a vê-las. Estudei e estudo, trabalho e tenho paz, agora estou bem.

"Depois de um tempo por aqui, pedi permissão para visitar meus familiares, pedidos estes feitos por quase todos os que vêm para cá. Alguns dias após ter solicitado, o pessoal do departamento que cuida de atender a esses rogos chamou-me para entrevista.

"'Tenho saudades dos meus familiares', disse, 'quero vê-los e saber como estão.'

"Meu pedido foi aceito e, ao marcar dia e hora, lembrei-me de dona Rita, e pedi outro favor.

"'Será que não posso ir só um pouquinho à casa de minha ex-vizinha?'

"'Pode', responderam."

Vamos parar um pouquinho com a narrativa para elucidar.

Nessas primeiras visitas, os desencarnados seguem algumas normas da casa onde estão abrigados e que nem sempre são as mesmas para todos. Elas têm o objetivo de preservar o equilíbrio do novato em sua nova maneira de viver. Para cada um é determinado um tempo, conforme as necessidades do visitante. Mas é costume, nas primeiras vezes, irem com um companheiro experiente, que nem sempre fica junto durante a visita, mas que os acompanha para trazê-los de volta à casa em que estão abrigados.

Voltemos à narrativa.

"Emocionei-me ao ver meu esposo e meus dois filhos. Percebi que os amava de forma egoísta. Tanto que, ao desencarnar, só pensei em mim. Não julguei que eles sofreriam pela nossa separação. Os três estavam muito unidos. Arrumaram uma empregada e um tentava ajudar o outro, dando forças. Fiquei por horas esforçando-me para seguir os ensinamentos e recomendações que recebi, ficar alegre, orar por eles e não interferir no momento de eles agirem. Quase na hora de ir embora, fui ver dona Rita e, para meu espanto, ela me sentiu; era sensitiva e percebeu minha presença. Não que tenha me visto, mas pensou em mim de maneira terna.

"'Genoveva, que Deus a proteja onde esteja. Que seja feliz! Sou-lhe tão grata! Obrigada!'

"Orou e me disse coisas carinhosas com as quais me animei. Soube, também, que meu esposo continuou lhe dando, em minha intenção, todo mês, uma quantia em dinheiro. Ele é maravilhoso, meus filhos também.

"Na hora de voltar, esperei meu acompanhante para retornarmos à colônia. Abracei-o e chorei. Afagou-me somente. Meu choro era diferente. Tinha sido muito feliz encarnada e queria voltar a ser... Mudei, tornei-me mais alegre e entusiasmada."

Genoveva terminou. Como sempre, após a leitura, havia perguntas. Essas redações não são obrigatórias, nem a sua leitura. Faz quem quer, podendo também o aluno falar sobre o assunto, ficando à vontade. Mas, dessa vez, foi Genoveva quem indagou:

– Patrícia, quando fui ver dona Rita, quando ela me agradeceu, saíram dela raios lindos, coloridos, que vieram até mim. Foi muito agradável. Percebi que aquela sensação de carinho que recebia dela, já tinha recebido outras vezes, principalmente quando estava no Umbral. Também agradeci a dona Rita, estava ali para isso. E vi que, ao fazê-lo, também saíram de mim esses raios, que lhe foram igualmente muito agradáveis. Que você me diz sobre isso?

– Quando estamos carentes – respondi –, é que mais sentimos as vibrações de carinho, como você no Umbral. Dona Rita orava por você, desejando-lhe que estivesse bem. O ato de agradecer é muito bonito. O agradecimento sincero sai da alma e envolve a pessoa que agradece com raios de suave colorido, que depois vão para aquela a quem se está agradecendo, beneficiando a ambas. Muitos pensam que bons e harmoniosos fluidos só acontecem em esferas elevadas e que só espíritos superiores são portadores de tais vibrações. É que ainda não perceberam que, por Deus, fomos dotados, em estado potencial, com a capacidade de amar e de sermos fraternos, cabendo-nos somente atualizar esse estado de vida. O estado psíquico de gratidão é uma faculdade do ser humano. Somos filhos do amor. Mas não devemos nos importar com agradecimentos e, sim compreender o que realmente somos, para que, ultrapassando o egoísmo, cheguemos ao estado de fraternidade, em que a gratidão seja uma situação natural de viver. Beneficiamos a nós mesmos quando cultivamos o sentimento sincero da gratidão.

Ninguém fez mais perguntas e fomos para um pequeno intervalo. Fiquei a meditar. Muitos temem a desencarnação por não ter o preparo para essa continuação de vida. Muitos sofrem com essa mudança, que nos é imposta, para a qual não se tem escolha. Outros a acham maravilhosa, pois, pela lei da afinidade, gostam muito do lugar para onde foram atraídos. A natureza não dá saltos, nada é excepcional, e a beleza está na simplicidade. Muito se tem falado da continuação da vida depois da morte física, cabe a cada um fazer seu preparo, sem descuidar do presente. Pois é no momento atual que construímos nosso futuro. Devemos viver bem e no bem, sempre. A desencarnação pode ocorrer a qualquer momento. Que ela nos surpreenda, então, de tal modo que possamos estar aptos a continuar a viver bem e felizes.

Colóquio interessante

Numa aula especial, trocamos idéias sobre diversos assuntos do interesse da maioria. Lena, nossa querida colega, alegre como sempre, indagou:

– Patrícia, por que uns se deslumbram tanto com as colônias e outros não?

– Nada deve ser em excesso – expliquei. – O equilíbrio deve existir sempre. Colônias servem de lar a muitos desencarnados, mas temporariamente. Devemos amar, respeitar e dar valor a todas as formas de lar. Muitos, pela vibração, se afinam mais com estes lugares de paz e harmonia, que, para outros, são monótonos e sem atrativos. Quando aprendemos a ver Deus em tudo e dentro de nós, qualquer lugar é maravilhoso, não existem lugares ruins. Se estamos satisfeitos conosco, seremos felizes onde estivermos; se insatisfeitos, nada nos parecerá suficientemente bom.

Josefino perguntou para elucidar-se:

– Patrícia, as colônias progridem?

– Sim, e muito. As colônias estão sempre progredindo pelo trabalho de seus moradores. Estão sempre se modificando para melhorar a vivência temporária de todos os que aqui vêm.

– Elas aumentam de tamanho? Quem as constrói? – indagou Josefino novamente.

– Normalmente – respondi –, as colônias são criadas pequenas, pelos seus fundadores. Vão sendo ampliadas conforme a necessidade. Seus fundadores são sempre desencarnados que amam o bem e o próximo. Muitas vezes, após a fundação, permanecem nelas trabalhando, para o bem comum. Cada colônia tem os seus fundadores; são orientados por espíritos superiores, que trabalham como construtores no plano espiritual.

– Patrícia, nunca tive uma profissão, nem quando encarnado, nem quando vagava desencarnado – disse Josefino. – Aqui aprendi muito e, após o curso, vou estudar enfermagem.

– Fico contente por você, Josefino. Conhecimentos só nos fazem bem e, quanto mais sabemos, mais podemos ser úteis.

– Patrícia – replicou Marília –, continuaremos a exercer aqui a profissão que tínhamos quando encarnados? Fui advogada. Poderei trabalhar com a advocacia? Quando encarnada preocupei-me tanto com isso!

– Marília, profissões devem ser temporárias. Encarnados, nós as temos também para a sobrevivência. Aqui devemos ser úteis, aprendendo as muitas formas de sê-lo. Os conhecimentos que teve ao estudar advocacia e ao exercê-la fizeram com que desenvolvesse sua inteligência; os conhecimentos que nos esforçamos para obter nos pertencem. Os encarnados não devem preocupar-se com o que farão no plano espiritual, se exercitarão sua profissão, ou inquietar-se se não tiverem uma. Quando queremos, achamos sempre um modo de sermos úteis e trabalhar. Aqui é uma continuação da vida, mas muda-se muito, muitas coisas que fazíamos quando encarnados não há como e por que fazê-las no plano espiritual. Aqui, nas colônias, fazemos rodízio de muitas tarefas para aprender e também para escolher a de que mais gostamos para nos dedicar a ela. Você, Marília, poderá fazer muitas tarefas e muito lucrará com o aprendizado.

– E no Umbral? – perguntou Marília novamente. – Trabalham, por lá? Os desencarnados exercem a profissão que tinham quando encarnados?

– Os que sofrem no Umbral – elucidei – não fazem nada, a não ser os que são obrigados, como escravos. Os moradores, principalmente das cidades umbralinas, trabalham, só que de modo muito diferente dos desencarnados bons que servem para o bem comum. No Umbral, tudo é feito com egoísmo, vaidade e para o mal. Consideram estar trabalhando, quando estão vingando, obsediando e destruindo. Lá muitos têm conhecimentos, mas os usam de forma errada. Quanto à profissão que tinham quando encarnados, quase sempre não têm como exercê-las, já que a vida física difere muito da que vivemos no plano espiritual.

– Patrícia – disse Marília –, quando eu ainda estava encarnada, um amigo meu desencarnou e, na ocasião, fiquei muito impressionada. Comecei a sentir muitas dores, como ele as sentia. Meu esposo me levou a um centro espírita e lá me falaram que ele não estava comigo como julgávamos, mas sim num hospital no plano espiritual. Fui aconselhada a não pensar nele e melhorei. Lembrando-me agora desse fato, gostaria de entender o que se passou.

– Vou lhe responder o que pode ter ocorrido. Porém, não se pode dar uma resposta para algo sem ter analisado bem o que aconteceu. Para cada fato há muitas explicações. Esse seu amigo desencarnado não estava perto de você, mas, ao pensar muito nele, você se ligou mentalmente a ele. Quando nos ligamos mentalmente, o que pode acontecer é uma transmissão de vibrações, podendo ocorrer até uma transfusão de energias. Por isso, somos incentivados pelos instrutores a pensar em coisas boas e a nos ligar a algo elevado ou a espíritos bons, pois, ao fazermos isso, absorvemos suas vibrações. Aquele que tem mais, dá ao que tem menos. Ao pensarmos coisas ruins, ligamo-nos a espíritos afins e deles recebemos as más vibrações, quando não, somos por eles vampirizados, isso se estivermos encarnados. Podemos também permutar vibrações de desarmonia e angústias. Você, encarnada na época e pensando forte, se ligou ao seu amigo desencarnado, que, mesmo socorrido num hospital, estava ainda enfermo, e assim ocorreu a troca de fluidos. Ao não pensar mais nele tão insistentemente, desligou-se e melhorou. Devemos orar por todos, mas nessas orações não devemos atrair para nós nada que o outro esteja sentindo, mas sim enviar à pessoa a quem oramos bons fluidos, ânimo, paz e alegria.

– Patrícia, por que há tantos desequilíbrios? São muitos os desencarnados, perturbados, e também vemos encarnados com cérebro danificado, portando doenças mentais. Esse assunto me intriga – disse Olavo.

– Você, Olavo, deu a designação certa: desequilíbrio – falei. – Encarnados, quando se alimentam demasiado, desequilibram o aparelho digestivo, e a má digestão certamente os incomodará. Do mesmo modo, podemos nos equilibrar e desequilibrar pelos nossos atos. Ações boas nos equilibram, harmonizando-nos com a perfeição. Ações más danificam o perfeito, desequilibram, trazendo sempre a doença e o sofrimento como causa desse desequilíbrio. E quando sofremos sem nos revoltar acabamos por entender que foram nossos atos negativos que motivaram nosso sofrimento. Ao mudarmos nossa maneira de viver, teremos aprendido mais uma lição. Se não aprendermos pelo amor, acabaremos aprendendo pela dor. A mente e o corpo não são criados por nós, apenas os desenvolvemos. Tanto a mente como o corpo anseiam pela harmonia, que compõe a natureza. Essa harmonia só é possível quando não há interesse pessoal e quando todos trabalham com um único objetivo, o do bem comum. Agindo egoisticamente, nós nos separamos espontaneamente do movimento da vida. É como se o feto recusasse o sangue da mãe que o sustenta. A mente e o corpo, privados dos fluidos cósmicos, pelo egoísmo, entram em estado de perturbação. O remorso destrutivo desequilibra bastante. Muitos, ao desencarnarem, percebem o tanto que erraram, perturbando-se demasiado e, sem um preparo especializado das colônias, uma compreensão, ao reencarnar passam para o corpo esse desajuste. Essas deficiências também podem ocorrer quando abusam do corpo saudável, danificando-o com drogas ou matando-o, e eles podem então ser privados em outra encarnação de um corpo perfeito. Também o desequilíbrio mental pode ser causado por abuso da inteligência, prejudicando os outros. As anomalias físicas não existem como punição de Deus, mas sim como conseqüência do nosso remorso destrutivo, de uma vivência com fins próprios, e não como participantes da humanidade. Reconhecer que erramos é fundamental, punirmo-nos, por incrível que pareça, é uma atitude de egoísmo. Que seria mais agradável a Deus: ser um aleijado, um peso para a sociedade, ou reconhecer nossos desacertos e preparar-nos convenientemente para ser um daqueles que constroem e enobrecem os seres humanos? Certamente a segunda hipótese.

Helena pediu para falar e, atendida, deu-nos uma preciosa lição.

– Encarnada, tive uma deficiência mental. Meu cérebro não funcionava normalmente. Doenças? Foram várias, e a medicina tinha muitas explicações. Tomei muitos medicamentos. Desencarnei após sofrer muito. Que fiz para ter vivido assim? Esse fato veio a me incomodar, depois de eu ter melhorado no hospital desta colônia. As lembranças do passado vieram fácil à minha mente, quando encarnada, também as tinha e não as entendia, vinham como sensações desagradáveis a me incomodar. Meus erros foram muitos, marcando-me profundamente, recordações que meu espírito transmitia ao meu cérebro físico, de forma incerta, levando-me a me perturbar mais. Não quero e não vou falar dos erros do passado. Vou contar a vocês a minha experiência como doente mental. Não generalizo, narro a minha experiência particular. Encarnei, por afinidade, numa família de classe média, tendo assim assistência material e também afetiva. Desde criança, já era considerada estranha e esquisita. Quando entrava em crise, falava coisas desconexas, dizendo ser outra pessoa, ter outro nome, ser alguém desconhecido. Sentia realmente assim: ser duas. Na adolescência, piorei muito e fui internada em hospitais, onde sofria muito com a separação dos meus e com os medicamentos. Ora agia como uma pessoa, ora agia como outra. Havia também períodos de melhora, era nesses que reconhecia ser doente e os outros, normais. Queria me curar, envergonhava-me dos vexames, irritava-me e sofria com as chacotas e risos dos outros. Não queria dizer besteiras, não queria ser ridícula. Não era agressiva, a não ser quando me irritava, e aí xingava os outros. Era católica, ia muito à igreja quando estava calma. Quando estava nervosa, minha mãe não me deixava ir, porque não parava quieta, incomodando as pessoas. Gostava de ver Nossa Senhora Aparecida, a quem chamava de Parecidinha. Não rezava de forma decorada, mas minha contemplação era minha oração. Familiares e conhecidos, para me chatear, mexer comigo, diziam que iam bater na imagem de Nossa Senhora, e então eu chorava desesperada. Só parava quando alguém me garantia que não bateriam na minha Santinha. Fugia muito de casa para passear pelas ruas, andando de um lado a outro; quando me cansava, voltava para casa. Dei muitos vexames e sofri por isso, não queria ser daquele jeito. Para meu orgulho era um enorme ridículo. Aprendi muito nessa encarnação; desencarnei doente, com muitas dores, e uma equipe de socorristas que trabalhava em nome de Maria, veio me socorrer. Sarei após um bom e longo tratamento, no hospital da colônia, e digo-lhes que também perdi o orgulho, que foi minha pior doença.

Completei com a explicação:

– Quando o desequilíbrio mental é muito grande, pode-se perder a capacidade de ser uma pessoa sadia. A recuperação só se faz com o auxílio de outros espíritos e de reencarnações, nas quais se recebe dos pais um cérebro saudável, que pode ser danificado com o desequilíbrio. O equilíbrio vem pouco a pouco, como a água limpa em caixa suja, que, renovada, acaba por limpar todo o ambiente. Pela bondade de Deus, que concede a reencarnação, se consegue o reequilíbrio. São muitas as causas que levam os encarnados a ter doenças mentais, e suas sensações diferem de uma pessoa para outra. Tenho escutado muitas narrativas diferentes de pessoas que, encarnadas, tiveram deficiências mentais. Não existem duas experiências iguais, mas normalmente são recuperações difíceis. Pela dor aprende-se o que se poderia muito bem ter aprendido pelo amor. Temos, para meditar, a narrativa de Helena. Não devemos ironizar o doente, porque poderia ser um de nós a passar por essa experiência de recuperação.

Não tendo mais comentários, a aula terminou com muito proveito para todos.

Amor e desapego

Paula tudo escutava e ficava pensativa. Não tinha muito tempo de desencarnada. Saindo de suas reflexões, indagou:

– Será que um dia irei gostar da vida de desencarnada? Sinto muita falta de tudo o que era meu.

Carlos Alberto demonstrou vontade de responder à colega e, notando isso, dei-lhe permissão para falar.

– Paula, também já me senti assim. Fiquei revoltado ao desencarnar. Não aceitava, pois fui tirado da vida física cheio de vitalidade, sonhos, planos; estava casado e com duas filhinhas para criar. Pensei muito: por que eu? Com tantos querendo morrer e continuando encarnados, e eu, que gostava tanto da vida física, desencarnei. Minha avó, com muita paciência, tentava me confortar. Dizia-me sempre:

"'Carlos Alberto, aqui você não terá a competição de um trabalho estafante, não ficará doente, não sentirá frio ou calor. A vida aqui é tão boa!'

"'Gosto do trabalho competitivo, aprecio a luta pela sobrevivência, gosto do frio e nada mais agradável que sentir calor, e as doencinhas quebram a rotina', respondia, sincero.

"Com o tempo, acabei conformado com o inevitável. Após muitos anos, entendi o porquê de ter me sentido desse modo. Foi por não estar preparado, por não ter informações verdadeiras da desencarnação. Amava muito e de maneira incorreta a vida material, para entender a vida espiritual. Foi quando me tornei útil que passei a amar a vida, sem me importar se estava encarnado ou desencarnado. Paula, por que você não aprende a amar? Todas as fases de nossas existências, no plano físico ou espiritual, nos são úteis."

Achei muito válida a opinião de Carlos Alberto. Indaguei a Paula, querendo ajudá-la, como também para elucidar a turma sobre essa questão de interesse de todos e que não estava no plano de aula.

– Paula, tenho notado que você se queixa muito. Agia assim quando encarnada?

– Acho que sim. Tinha reumatismo, que me incomodava muito, morava com meu filho e não me dava bem com a nora...

– Paula – interrompi –, muitos de nós costumamos reclamar por não aceitar o que temos e o que somos. Quando encarnada, você se queixava de muitas coisas e não mudou ao desencarnar. Ninguém muda de imediato. Para nos transformarmos, necessitamos de muita compreensão. Temos sempre muitas possibilidades de ser felizes, só que quase sempre não as percebemos. Muitas vezes, prefere-se desejar algo que não se tem, na ilusão de ser ou ter. Colocamos muito nos atos externos ou em terceiros a nossa tão falada felicidade. E, na maioria das vezes, ao conseguir o que almejamos, a euforia passa logo, e voltamos a desejar outras coisas. A tão sonhada felicidade está dentro de nós, não importa onde estejamos e o que façamos; os atos externos não devem influir em nossa paz interior. Muitos acham que só serão felizes desencarnados. Outros, que só a vida encarnada lhes trará alegrias. Ao colocar fatos externos como condições para sermos felizes, não o somos. Como também não devemos esperar que outros resolvam para nós nossas dificuldades. Enquanto não solucionarmos nossos conflitos de ter e ser, seremos insatisfeitos em qualquer lugar que estivermos. A felicidade duradoura está na paz conquistada, na harmonia, no equilíbrio, na alegria de ser útil, no bem e no caminhar para o progresso. Creio, Paula, que irá gostar da vida desencarnada quando sua felicidade não depender de nada ou de ninguém; quando não esperar recompensas, retorno; não exigir nada; quando você amar a si mesma, à vida e a todos os que a rodeiam.

– Patrícia, por que não falamos um pouco sobre o amor? – disse Heloísa. – Sobre o amor e o desapego.

O assunto era deveras fascinante, tentei elucidar a turma:

– Amar, mesmo que seja de forma egoísta, todos os seres humanos o fazem, nem que seja a si mesmos. Amar de forma verdadeira, sem egoísmo e posse, demonstra o que se aprende. Amando verdadeiramente, anulamos erros e irradiamos alegrias em nossa volta.

"Amar e desapegar-se dos seres que amamos não é fácil. Encarnados, quando aprendem a se desprender do que lhes é caro, chegam a ter sensações de dor, porque sufocam a ilusão de ter. Amar a tudo, dando valor, mas sabendo que nos é emprestado. E por quem? Pelo nosso Criador. Com objeto emprestado, cuidado dobrado. Sim, realmente, tudo nos é emprestado, já que não somos donos de nada material, não possuímos nada. Nosso amor pelas coisas deve ser incondicional, usar o que nos é permitido, sem abusar. Dar valor à casa que nos serve de lar, às roupas que vestem nosso corpo, ao local em que trabalhamos, onde recebemos o dinheiro para o sustento material, enfim, a todos os objetos que nos são úteis. Porém, teremos um dia que deixar tudo para outros, e que o deixemos da melhor forma possível, para que eles possam desfrutar dos objetos emprestados tanto quanto nós. Até o corpo físico temos que devolver à natureza. E como essa devolução é difícil para muitos!

"Até aí, parece fácil, embora saibamos que muitos, possuídos pelo desejo de ter, se esquecem desse fato, apegam-se às coisas, aos objetos, julgando ser deles, e quando desencarnam não querem deixá-los e a eles ficam presos. Há uma parte mais difícil, que é amar nossos entes queridos sem apego. Quase sempre nos julgamos insubstituíveis junto daqueles que amamos, que ninguém os ama mais que nós e que somos indispensáveis na vida deles. Apegamo-nos assim a estes, esquecendo que eles também são amados por Deus e que somos companheiros de viagem, cabendo a cada um caminhar com seus próprios passos. E muitas vezes, nessas caminhadas, somos levados a nos distanciar um do outro, mas afetos sinceros não se separam. Podem estar ausentes, não separados. Deixar que nossos afetos sigam sozinhos, sem nós, é algo que devemos entender. É o desapego. Ao desencarnarmos, ausentamo-nos do convívio de nossos entes queridos e, se não entendermos isso, consideraremos essa ausência como separação definitiva. Precisamos aprender a amar com desapego, ampliar o número de nossos afetos, sem a ilusão da posse. Se formos chamados a nos ausentar, pela desencarnação, continuemos a valorizá-los, respeitando-os, ajudando-os. Estaremos no caminho do desapego, mas continuaremos a amá-los da mesma forma."

Terminei de falar e lembrei-me de Luiz, de sua história, que poderia bem ilustrar o assunto. Convidei-o a falar de si para toda a classe. Sabendo que sua narrativa seria importante para todos nós, Luiz começou a falar:

– Minha vida transcorria com normalidade. Minha família e eu vivíamos numa propriedade rural, ganhávamos o pão com trabalho honesto. Apesar de muitas dificuldades, éramos felizes, aprendemos com nossos pais a confiar em Deus e a trabalhar. Estava só com cinqüenta anos quando desencarnei. Quando me dei conta, sem saber quanto tempo havia passado, estava num ambiente agradável e fraterno. Passados uns dias, senti em meu interior uma preocupação com a minha família, e isso aumentava a cada instante.

"Quando o médico que nos atendia chegou para sua visita diária, externei minhas preocupações, que se transformavam numa grande angústia quase insuportável. Com muita atenção e carinho, ele me esclareceu que eu havia morrido, desencarnado, e que estava num posto de socorro, e o que sentia era percepção psíquica do estado mental por que passava minha família naquele momento difícil. Sentia daquele modo porque era como se vivesse cada um dos pensamentos e angústias da minha esposa companheira e de meus filhos. Explicou-me também que todo sentimento muito forte, em relação a uma ou mais pessoas, nos une mentalmente a elas, e que estamos ligados pelo amor ou pelo ódio. Eu estava ligado aos meus por afeto. Ensinou-me também que eu, no momento, não podia fazer nada por eles a não ser orar, pedindo a Deus que lhes concedesse paz, amor, harmonia e a aceitação do ocorrido, pois a morte de um ente querido é quase sempre muito dolorida. É um fato que acontece em todas as famílias, não por estarmos sendo punidos, mas sim por circunstâncias naturais do ciclo da vida. E, para que haja vida, é necessário o nascimento e a morte. Deveríamos aceitar o fato assim como ele é, e não como queríamos que fosse.

"Aquele ensino dirigido a mim, com palavras tão carinhosas, não foi suficiente para aplacar minha angústia e minha preocupação, que aumentaram por saber que estava morto, desencarnado. Minha decepção e minha frustração eram terríveis, pois fui, durante toda a vida física, muito religioso e 'temente' a Deus. Obedecia sem questionar, como lei, a catequese de minha religião e acreditava nas palavras daquele que se dizia digno da possibilidade de doar bens divinos. 'E agora?', pensava, aflito. 'Estou morto e não estou no Céu, em paraíso nenhum! Não conheci Jesus Cristo!' Mas, ponderava a mim mesmo, estava sendo bem tratado num local muito limpo e com carinho. O enfermeiro de plantão, Antônio, do qual me tornei amigo, dava-me toda a assistência e nada me faltava. Mas tudo aquilo não foi suficiente para aplacar minha decepção e o desejo de estar junto dos meus.

"Pensei muito, encontrei tudo muito diferente do que imaginava. Mas, se existisse Céu como acreditava, as pessoas que fossem para lá teriam, para ser felizes, que perder a individualidade. Porque, para mim, nenhum lugar seria um paraíso, separado dos meus. Achava que tudo o que tinha desfrutado, quando encarnado, era meu: casa, sítio e família. Os bens materiais, adquiri pelo trabalho honesto, mas eles não me importavam, ainda mais que os deixei para os que amava.

"Chamei o enfermeiro e perguntei se poderia falar com o responsável por aquele hospital. Logo ele voltou com a resposta de que, como eu estava bem, iria ter alta no dia seguinte e nessa ocasião o diretor falaria comigo. Não consigo descrever como senti lento o tempo que esperei até o momento da minha liberação do hospital.

"O que agravou ainda mais meu estado emocional foi o conflito de meus pensamentos, a preocupação com a família. Eu estava morto, não estava preparado para o mundo que encontrei. Não sabia onde estava, nem o que iria fazer nesta nova vida. Sentia os familiares em dificuldades e não tinha mais o corpo físico. Como ajudá-los?

"Foi em meio a todo esse conflito e perguntas sem respostas que chegou Antônio, com roupas novas nas mãos, entregou-as a mim e pediu que me trocasse, pois o diretor do hospital estava à minha espera para a entrevista tão desejada.

"Aquelas palavras caíram como bomba em cima de mim, pois até então eu estava sendo bem atendido. As minhas dificuldades eram somente os conflitos dos meus pensamentos. Depois dessa entrevista, seria liberado, e para onde iria? Iria fazer o quê? O que um morto faz? Onde realmente estava? Foi com uma sensação indescritível de desamparo que me pus a caminho, com Antônio.

"Mas qual não foi minha surpresa quando fui recebido pelo diretor. Se me sentia desamparado por Deus, ao ver aquela pessoa bondosa e atenciosa senti logo o amor que emanava dela. O sentimento do desamparo desaparecia à medida que conversávamos, chegando a ponto de não me sentir mais decepcionado por não ter me encontrado com Jesus Cristo, pois encontrava ali um representante Dele.

"Com muito amor, o diretor foi me explicando tudo e delineando a minha recente maneira de viver, com a minha nova acomodação e afazeres. Passado um tempo, acostumei-me, assumi a nova vida e gostei muito do local em que vivia. Era deveras bom, lugar de muita harmonia e fraternidade. Mas continuava a sentir minha família em dificuldades.

"Explicaram-me que, com o tempo, minha família se acomodaria com a nova situação. Com o passar do tempo, sentia minha companheira mais conformada com a falta, porém ela estava angustiada e o motivo não era a minha desencarnação, mas uma de minhas filhas.

"Não estava suportando senti-los com dificuldades, comecei a ter remorso e este foi aumentando. Que esposo, que pai era eu? Enquanto eles sofriam, eu vivia num lugar extraordinariamente bom. Fui falar com meu superior e confessei minhas preocupações. Ouvi dele conselhos e explicações. Eu não tinha conhecimentos suficientes para ajudá-los. Mas, apesar de todas as recomendações, não mudei de atitude, achei que, se nada pudesse fazer por eles, iria sofrer junto. Não queria ter aquela vida maravilhosa e saber que eles sofriam. Queria ser solidário com eles: se chorassem, queria abraçá-los e chorar também; se eram perseguidos, que me perseguissem; se machucados, que eu sentisse a dor de suas feridas.

"Pedi, insisti para voltar ao lar. Diante de minha resolução, meu superior autorizou a volta. Nossos desejos são sempre respeitados, quis voltar e o fiz. Apesar das explicações e recomendações, achei que estivesse preparado. Não estava. As dificuldades foram muito maiores do que esperava[4].

"Chegando em casa, deparei com dois mal-encarados, desencarnados perturbados de maldade. Ao me verem, perguntaram-me se viera ver os familiares sofrerem. Eles obsediavam uma de minhas filhas e estavam prejudicando, infernizando todos os meus entes queridos. Quis impor a minha autoridade, pois era o chefe daquela família, dono daquela propriedade. Quis expulsá-los, porém eles se recusaram a sair. Isso me levou a ficar nervoso e era o que eles precisavam para que eu me perturbasse, ao contato com a vibração do ambiente. Senti primeiro uma violenta dor de cabeça e logo em seguida uma agonia, como se tivesse desencarnado naquele instante. Perturbei-me por algum tempo, mas não sei precisar quanto, e esse meu estado só piorou a situação dos meus. Voltei ao equilíbrio numa reunião espírita, na qual me senti unido a uma pessoa, e havia outra conversando comigo,

---

4. É normal querermos ajudar os que amamos. Mas só ajudamos quando preparados, e esse preparo não tem tempo determinado. Dependendo de muitos fatores, é rápido para uns e demorado para outros. Podemos ajudar com conhecimentos e segurança quando os orientadores do local que nos abriga nos julgam capazes. Mas, mesmo assim, nossa ajuda é limitada, pois cada qual tem a lição que lhe cabe fazer. (N.A.E.)

explicando-me que eu precisava de auxílio e que Deus, por meio de seus próprios filhos, estava me socorrendo.

"'Preciso ajudar os meus', respondi.

"'Para auxiliar é preciso saber', esclareceu o orientador encarnado dessa reunião. 'Não se preocupe, os seus também estão sendo ajudados, como também os agressores de sua família. Se não se quiser ter inimigos, é necessário torná-los amigos. Estamos providenciando para que isso seja um fato.'

"Senti-me melhor, e o orientador me convidou:

"'Amigo, queira o socorro oferecido, vá viver uma vida digna de um desencarnado. Será que é este o tipo de vida, vagando, que seus familiares querem para você?'

"'Não', falei, 'eles me querem bem, pensam que estou no Céu e que sou feliz.'

"'Por que você não faz o que eles querem? Por que não aprende a amar com desapego? O amigo não está esquecendo que eles são, como você, filhos de Deus? Se você foi chamado a viver de outro modo, é porque findou seu tempo como encarnado. E não é egoísmo a felicidade que vai desfrutar numa casa de auxílio no plano espiritual, se a conseguiu por merecimento e afinidade. Faça o que tem que ser feito. No momento é viver num abrigo para desencarnados, estudar e trabalhar, sendo útil como foi quando encarnado. Vai, amigo, fazer o que lhe é devido. Não se envergonhe de ser feliz, porque, ao estarmos bem, irradiamos alegrias que beneficiam os outros.'

"Mais tarde, já adaptado na colônia, é que vim a saber que minha outra filha namorava o filho de um senhor, dirigente de um centro espírita, e o rapaz, vendo o que acontecia em minha casa, pediu ajuda ao seu genitor e esse auxílio não se fez demorar. Fomos todos orientados naquela reunião, os dois que os atormentavam e eu. Com nosso afastamento, a situação melhorou muito. Minha esposa pensou ter alcançado uma graça que pedira a uma santa e a uma senhora desencarnada na cidade, tida como milagrosa, pois quando encarnada fora muito boa. Soube, mais tarde, que essa senhora não pôde na época ajudá-los. E eles nem ficaram sabendo que receberam tanto de desconhecidos, de um centro espírita.

"Hoje, estou bem, visito-os sempre e tento ajudá-los dentro dos meus limites. Uma família grande sempre tem problemas, mas não me desespero quando não tenho como auxiliá-los."

Luiz deu por finda sua narrativa, deixando-nos silenciosos. Talvez porque todos nós já tivéssemos passado por problemas parecidos e estivéssemos dispostos a aprender a amar sem apego.

Após a aula, meditei sobre o assunto. Muitos encarnados me têm pedido ajuda, talvez por achar que posso muito ou pelo que escrevi. Porém nada sou, pouco posso. Esforço-me para aprender, trabalho, almejo caminhar no bem, rumo ao progresso. Devido às minhas tarefas, não posso atender a esses pedidos, porém não ficam sem resposta. A personalidade não deve ser cultuada. Os bons atendem em nome da fé, da sinceridade, sem se importar de quem vem o pedido. Muitos, desconhecidos dos encarnados, mas ativos no plano espiritual, atendem a essas solicitações. São obreiros, samaritanos, humildes trabalhadores dos centros espíritas, desencarnados amigos e protetores dos que pedem. Fazem por amor, pelo prazer de servir.

Deve-se pedir a Deus, a Jesus, ao anjo protetor, que os bons desencarnados atendam e ajudem no possível.

Concluí meus pensamentos com a certeza de que amo muito e de que minha família aumenta, quero amar toda a humanidade. Mas tenho pelos meus imenso e infinito carinho, só que com desapego. Amo-os sem posse. É o que todos nós devemos fazer: amar com desapego.

Um pedido diferente

Ao sair da classe, fui informada que havia uma visita para mim e me aguardava no jardim em frente da escola. Ao aproximar-me do local, veio ao meu encontro uma moça extremamente agradável.

– Patrícia! Sou Elisa! Gostaria de conversar com você.

– Oi, Elisa, como está? Sentemos aqui.

Convidei-a e sentamos num banco embaixo de uma frondosa árvore. Minha recém-conhecida falou de modo delicado:

– Patrícia, vim lhe pedir uma ajuda muito especial. Na Casa do Escritor, me informaram que a acharia aqui. Antes fui procurá-la num centro espírita, em que ouvi falar que você se manifestava. E lá me decepcionei, não era você.

Sorri, compreendendo.

– Elisa, isso tem ocorrido. Amo os centros espíritas e muito mais a Doutrina, que já abraçara encarnada. Após meus estudos de reconhecimento do plano espiritual, em que fui a alguns centros espíritas para conhecer e estudar, não tenho ido mais. Quando vou à Terra, apenas vejo meus familiares e, quando dá, visito somente o centro espírita que meus familiares freqüentam, para estar com eles e rever amigos. Isso porque optei por estudar e trabalhar com desencarnados em colônias.

– Achei que você estivesse ditando mensagens por outros médiuns – falou Elisa.

– Tudo o que faço e o que farei é com muito amor – repliquei. – Não é meu trabalho desenvolver médiuns, pois é tarefa que exige muito preparo e paciência. Também não tenho como incumbência ser protetora de ninguém, nem escrevo por outros médiuns, a não ser por minha tia Vera. Isso porque nós duas nos preparamos durante anos, quando estávamos desencarnadas, para esse trabalho. Reencarnamos e tivemos, encarnadas, grande afinidade, conseguia transmitir a ela o que pensava[5]. Programando nosso trabalho, nós o executamos, esforçando-nos para que saia o melhor possível. Tenho recebido muitas manifestações de carinho por esses livros, e meu afeto por todos é sincero e profundo. Gostaria de estar perto de todos que desejam minha presença, mas é impossível, meu trabalho é nas colônias e não posso estar em muitos lugares ao mesmo tempo[6].

– Você vai muito visitar seus pais? Comunica-se no centro espírita que eles freqüentam?

– Estou com eles sempre que é possível[7]. Meus familiares e eu somos espíritos afins, unidos por um afeto puro e desinteressado. Nas reuniões que eles freqüentam, não se valoriza o nome do comunicante, mas sim o bem que sua presença ou comunicação proporciona aos que estão presentes, sejam encarnados ou desencarnados. Quem organiza a

---

5. Fato presenciado pelos familiares. (N.A.E.)

6. Eu, Patrícia, autora dos livros *Violetas na Janela*, *Vivendo no Mundo dos Espíritos*, *A Casa do Escritor* e este, *O Vôo da Gaivota*, afirmo que não me manifestei nem tenho me manifestado em nenhum lugar ou centro espírita nem por nenhum outro médium, seja pela psicografia ou pela psicofonia. Recomendo muita cautela a esse respeito. Para que entendam bem o processo, sugiro que leiam e meditem sobre o capítulo "O Engano" do livro *Histórias Maravilhosas da Espiritualidade*, de Antônio Carlos. (N.A.E.)

7. Agora que trabalhamos neste livro, como sempre com muito carinho, vou só nos horários certos para ditar à tia Vera. Continuo a estudar e a lecionar nas colônias de estudo. Por opção, volto à Terra só para este trabalho. (N.A.E.)

parte espiritual é o nosso grande amigo Artur e seus colaboradores, que são uma quantidade enorme de "Josés", "Anas", "Joaquins", "Marias", "Antônios" e muitos outros nomes comuns esquecidos dos homens, mas conhecidos de Deus. Meu pai nunca me invocou nem dei comunicação de forma espontânea. Reconheço que, nessas reuniões, sou aprendiz e que até meu pai, encarnado, sabe muito mais do que eu. E, quando lá vou, o faço para escutar e aprender. Mas você veio pedir ajuda. De que se trata?

– Sei que os trabalhadores da Colônia Casa do Escritor têm atendido, em seu nome, inúmeras pessoas. Sei também que ao pedirmos nem sempre seremos atendidos por aqueles a quem fizemos as rogativas, pois muitas vezes são outros espíritos que nos socorrem. Entretanto, me foi permitido vir até você. Moro na Colônia Perseverança, trabalho como enfermeira em um dos hospitais, mas estou de licença para cuidar de um assunto particular. Porém, analisando bem o problema que quero resolver, compreendi que não tenho como fazê-lo sozinha. Conversei com um socorrista do Umbral, e ele me informou que, para esse tipo de trabalho, seria aconselhável pedir ajuda a um centro espírita, a uma pessoa que possua preparo especializado para a tarefa. Ouvi, surpresa, ele me dizer que seu pai poderia me ajudar. Em vez de ir ao centro espírita onde ele trabalha, vim primeiro até você. Se me ajudar e interceder por mim junto a eles, o grupo do qual seu pai faz parte certamente me ajudará.

– Com certeza – respondi rindo. – O que não fazem os pais pelos filhos? Você é esperta...

Achando que me devia mais explicações, Elisa continuou a falar:

– Fui, quando encarnada, muito doente. Logo que desencarnei, socorreram-me. Recuperei-me rápido e amei estar desencarnada e a colônia para onde fui levada. Era ainda jovem, vinte e três anos, e deixei na Terra meus pais e dois irmãos, que muito me amam e que me ajudaram muito com suas orações. Estava contente, estudava e trabalhava. Foi então que algo começou a me inquietar, sentia grande necessidade de recordar minha encarnação anterior, estava ligada a acontecimentos que, talvez, tivesse que solucionar, por isso sentia muita vontade de lembrar. Fui, então, procurar ajuda no departamento próprio e pedi para recordar meu passado. Estudando meu pedido, o pessoal especializado me atendeu e recordei. Compreendi que minha preocupação era com um espírito a quem sou muito ligada, inquietava-me por ele, só que não sabia onde estava e quis encontrá-lo. Após algumas pesquisas, tomei conhecimento de que Walter está desencarnado e em um local do Umbral. Sinto culpa por ele ter caído no erro e estou muito triste por ele estar lá.

Elisa enxugou algumas lágrimas, aquietando-se por alguns segundos; respeitei seu silêncio, aguardei, e logo ela continuou:

– Walter está no Umbral, numa fortaleza, e o chefe do local é muito perigoso.

– Ele pediu ajuda? – indaguei.

– Não, ele não tem condições para isso. Se tivesse pedido, um socorrista já o teria tirado de lá. Ele está muito iludido, completamente perturbado. Sofre, esquece-se do Pai Maior e julga-se também esquecido.

– Socorrer alguém sem que ele queira é difícil – falei.

– É por isso que venho pedir para você me ajudar. Se o tirarmos de lá e o levarmos ao centro espírita, para receber orientação, por uma incorporação, ele irá querer o socorro – disse Elisa, esperançosa.

– Elisa, por que Walter está perturbado?

– Resgate, Patrícia, mas também pelos tóxicos. Sei que é uma ajuda difícil. Drogados dão muito trabalho, ainda mais os que não querem socorro. Mas eu o amo tanto!

Seus olhos meigos encheram-se novamente de lágrimas. Sorri, animando-a, e pedi:

– Conte-me tudo.

– Sabendo onde Walter está, fui à colônia a que aquela região do Umbral está vinculada[8]. Pedi a eles informações, e para assistir por

8. O Umbral é separado, para melhor haver socorro, por regiões que estão vinculadas a uma colônia. Ex.: uma cidade de encarnados tem seu Umbral, postos de socorro e colônia. As regiões, como as cidades do Umbral, têm nomes e essas designações são muito repetidas. (N.A.E.)

"vídeo"[9], para conhecer o lugar. Entristeci-me mais ainda. O local é horrível. Chama-se Túnel Negro, é numa construção e tem só um portão de entrada. O chefe desse lugar chama-se Natan e, juntamente com outros desencarnados afins, ou seja, um bando, faz experiências com os toxicômanos desencarnados que vão para lá. Muitos ali sofrem horrores. Indaguei aos instrutores como faria para libertá-lo daquele lugar, e eles me disseram que, num ambiente trevoso daquela espécie, seria necessário algum espírito ou espíritos que tivessem conhecimentos de como manipular forças primárias. E um encarnado o faria com mais facilidade, pois, apesar de os desencarnados serem bons, teriam suas limitações, já que não mais possuem vibrações primárias[10]. Também não bastaria só tirá-lo daquele lugar ruim, porque, liberto, não se poderia trazê-lo para um socorro que não quer, estando revoltado, abobalhado e perturbado como se encontra. Não poderia deixá-lo vagando no Umbral, porque seria novamente enturmado com seus afins e talvez ficasse em condições piores ou caísse em outras armadilhas que só lhe trariam sofrimentos, e poderia também vagar entre os encarnados, procurando seus afins, prejudicando-se mais. Para ajudá-lo a querer regenerar-se, aconselharam-me que teria que orientá-lo, fazendo com que entendesse que estava errado. Mas, no estado em que se encontra, não irá me escutar. Tendo o choque da incorporação, receberá do médium e dos orientadores, encarnados e desencarnados, que sustentam a reunião, o equilíbrio de energias psíquicas de que necessita. Receberá mais se o médium for equilibrado e compreenderá seu estado de desencarnado e, recebendo uma boa orientação, poderá querer o

9. A palavra "vídeo" foi usada apenas como identificação, para que o leitor tenha uma idéia aproximada do que é o aparelho. (N.A.E.)

10. Vibrações ou energias primárias são mais materiais, as quais espíritos ligados à matéria possuem e encarnados também, por terem o corpo físico. Espíritos bons e esclarecidos normalmente não as possuem, pois estão mais voltados para o plano espiritual, mas podem comandar os que as têm. Elisa se referiu a quem lhe deu informações, a ela e a mim, já contando com minha ajuda. Para auxiliar espíritos trevosos é necessário saber, e nós duas não havíamos aprendido. E quem manipula as forças primárias são os que já se libertaram dos condicionamentos do mundo físico e a natureza obedece às suas ordens. (N.A.E.)

socorro; e assim eu o ajudarei[11]. Como vê, seu pai se encaixa bem na ajuda de que preciso.

Fez uma pausa e continuou:

– Walter desencarnou jovem, completamente dominado pelo tóxico. Foi assassinado após uma briga com outro companheiro de vício e está tão perturbado que nem sabe o que lhe aconteceu. Patrícia, você não pode pedir por mim esse favor a seu pai?

– O chefe não irá gostar se tirarmos Walter de lá – eu disse.

– É... Não irá gostar – respondeu Elisa, preocupada.

– Você e eu não podemos – expliquei –, não temos conhecimentos nem sabemos como enfrentar esse chefe e seus seguidores. Para enfrentar desencarnados trevosos, não basta ser bom, é preciso saber como manipular o elemento primário que compõe a estrutura física da Terra. Essa força é uma só, e os bons a usam para o bem; os maus, para dominar, destruir e se impor. Esse chefe possui tais conhecimentos, é inteligente, precisamos de alguém que o enfrente à altura. Vou levá-la até meu pai, certamente ele e seus companheiros desencarnados poderão ajudá-la. Meu pai, antes de reencarnar, trabalhou muitos anos como socorrista no Umbral e conhece a região umbralina muito bem. E agora, encarnado, ele vai muito lá prestar socorro, quando está desligado do corpo físico pelo sono. Com certeza irá conosco tirar seu amado do Túnel Negro. Como a equipe que trabalha no centro espírita também é laboriosa e dedicada, ela nos acompanhará, ajudando-nos nesse socorro.

– Patrícia, foi difícil para mim entender que um encarnado pode ajudar desencarnados que necessitam. Antes pensava que um encarnado só iria ajudar orientando no centro espírita em reuniões de desobsessão. Achava que só os desencarnados fossem ao Umbral.

– Claro que não – respondi. – Muitos desencarnados trabalham socorrendo e ajudando, no Umbral. Como também muitos encarnados, desligados do corpo físico pelo sono, vão ao Umbral e às suas cidades

11. Para muitos desencarnados, chegar perto de um médium orientado no bem, receber seus fluidos, é como receber um choque que os faz despertar do seu torpor. (N.A.E.)

para confabular com espíritos afins suas maldades, brigas, vinganças, e também vão muito às suas festas.

– Eles não têm medo? – perguntou Elisa, assustando-se.

– Não. Todos nós, não importa se estamos vivendo num corpo físico ou não, quando queremos e sabemos, somos muito úteis trabalhando em socorro, no Umbral. Aqueles que sabem fazer devem fazê-lo, pois lá temos muitas oportunidades de praticar o bem. Quem sabe é porque aprendeu, e os conhecimentos são tesouros adquiridos. Não é certo pensar que só desencarnados têm como ajudar no campo espiritual. Muitos encarnados também podem, e o fazem. Devemos pensar que os desencarnados que no momento ajudam com eficiência serão os encarnados de amanhã. E, dos que estão no plano físico, muitos foram os que socorreram com êxito anteriormente. Meu pai, nesta encarnação, é um homem comum, com todos os problemas de uma pessoa vinculada às necessidades da sociedade, mas também trabalha espiritualmente. Vai muito ao Umbral, embora seu tempo seja limitado pelo corpo físico. Ele é conhecido pelos maus, na região umbralina onde trabalha, como "feiticeiro". Talvez porque, durante centenas de anos, tenha trabalhado no Umbral, onde adquiriu muitos conhecimentos.

– Patrícia, Natan, o chefe do Túnel Negro, é rancoroso. Conosco ele não poderá fazer nada, estaremos fora do espaço de sua ira, mas, e seu pai? Certamente esse chefe do mal ficará sabendo que foi o sr. José Carlos quem nos ajudou. Estando seu pai encarnado, Natan poderá atingi-lo.

– Meu pai ama de forma especial esses desencarnados que temporariamente estão no caminho do mal. E, quanto mais espíritos trevosos o pressionam, mais ele se lembra do passado, aperfeiçoando-se pouco a pouco na forma de lidar e ajudá-los. Com ele trabalha uma equipe de desencarnados afins, que o ajudará. São todos companheiros de trabalho, tenho certeza de que a ajuda será bem maior do que você pensa.

Elisa sorriu, esperançosa. Tendo que voltar aos meus afazeres, despedimo-nos.

Nesse período em que trabalhei na Colônia Vida Nova, tinha muito tempo livre e fui com ela aventurar-me na ajuda, que, para mim, foi um trabalho diferente.

No horário marcado, encontrei-me com Elisa e volitamos até meu lar terreno. Lar é sempre o lugar onde somos amados, e eu sou muito amada. Ali era minha ex-casa terrena, mas será sempre o meu lar. Na sala, chamei por meu pai, e ele, desprendido do corpo carnal, veio ao meu encontro.

– Papai...

– Patrícia, minha filha!

Abraçamo-nos. E, vendo que tínhamos visita, sorriu cumprimentando-a.

– Papai, esta é Elisa. Necessita de sua ajuda.

– Sim...

Contei-lhe tudo.

– Vou ajudá-la. Patrícia, procure saber de todos os detalhes sobre esse lugar e, amanhã à noite, iremos lá, para que possamos planejar como libertar Walter. Agora, necessito continuar um trabalho...

– Amanhã mesmo traremos Walter? – perguntou Elisa.

– Não – respondeu meu pai. – Amanhã conhecerei o local e prepararei o posto de socorro que temos no centro espírita, para receber os que traremos do Túnel Negro, como também me comunicarei com meus companheiros desencarnados que trabalham conosco, para que eles também venham nos ajudar.

– Mas não vamos socorrer um só, o Walter? – Elisa perguntou novamente.

– Como ir lá e libertar um só? – disse meu pai. – E os outros? Como deixá-los? Se vamos socorrer, traremos todos os que querem ser libertados daquele lugar e os que estão, como Walter, incapacitados de decidir.

– Elisa – eu disse –, quando temos ocasião de socorrer, devemos sempre fazê-lo, tanto com os que sofrem como com os que se perderam no caminho do erro.

– Sr. José Carlos – Elisa falou novamente com sinceridade –, Natan, o chefe, é mau e...

– Mas é nosso irmão – respondeu meu pai. – Amanhã estejam aqui neste horário.

Despedimo-nos de meu pai. Na colônia, despedi-me de Elisa, pois tinha uma reunião na escola. Combinamos nos encontrar logo de manhã para irmos ao Umbral. Iríamos às proximidades do Túnel Negro para obter informações e conhecer o local.

– Ainda bem que vamos durante o dia! – exclamou Elisa.

– É – respondi rindo –, mas à noite voltaremos.

Fui à reunião, na qual os instrutores do curso trocaram idéias sobre o resultado obtido. Essas trocas de informação são muito úteis, os instrutores aproveitam muito. Depois, fui até o orientador-geral da Colônia Vida Nova, onde estava temporariamente trabalhando, e pedi autorização para fazer um outro trabalho, nos horários que tinha de folga, o que foi prontamente autorizado. Esse outro trabalho seria a ajuda prometida a Elisa. O orientador-geral, do qual falei, é o responsável pela colônia. É chamado de muitos outros nomes, tais como: governador, instrutor etc. Trabalhando por pouco tempo ou por períodos indeterminados em um lugar, deve-se seguir as normas da casa, e tudo o que for fazer, além do programado, deve ser comunicado ou deve-se pedir permissão.

No dia seguinte, encontrei-me com Elisa e partimos para a interessante tarefa.

O mandante do crime

Como havíamos combinado, pela manhã, Elisa e eu fomos ao redor do Túnel Negro. O local que iríamos observar ficava num vale enorme e muito sujo. Nós duas conhecíamos o Umbral, pois tínhamos ido lá em época de estudo e para alguns trabalhos. Mas sempre temos algo para conhecer todas as vezes que vamos a uma das suas áreas. A zona umbralina difere muito de uma região para outra. E nunca havíamos estado naquela localidade. Elisa, como já tinha estado ali, me guiou. Nenhum desencarnado que tenha algum conhecimento do plano espiritual se perde no Umbral. Pode não achar o que procura e, se por acaso acontecer de não saber onde está, é só pensar na casa em que trabalha, a que está vinculado, para receber ajuda de um socorrista ou entrar em sintonia com ela e, em instantes, acha o caminho de volta. Pode também receber orientação do local em que se encontra.

Como era dia, o local tinha claridade, embora escassa, como um entardecer na Terra. Naquela região há muitas pedras com mais ou menos um a dois metros de diâmetro, a maioria cinza-escuro. O lugar tinha pouca vegetação, com algumas árvores pequenas e tortas, pelo vento forte que costuma varrer o lugar. Alguns filetes d'água corriam pelo chão, de cor marrom e, às vezes, era somente barro.

Logo que chegamos às proximidades do Túnel Negro, vimos ao longe uma grande e sólida construção. Não encontramos nenhum desencarnado por perto, por ali não vagava ninguém. Isso era mau sinal, significava que o local era temido; de lugares assim, sofredores e moradores que não pertencem ao bando nem passam perto.

O Túnel Negro está localizado no Umbral, na parte fácil de visitar, ou seja, no local mais ameno. Muitos dos socorristas, para se locomoverem melhor pela região umbralina e terem facilitados seus trabalhos, classificam-no de três modos: lugares amenos, medianos e profundos, de difícil acesso, onde estão os abismos, os buracos e onde existem quase só trevas. Nós nos acautelamos. Tudo estava muito silencioso, embora, às vezes, ouvíssemos gritos alucinantes ou gargalhadas perturbadoras. Não posso deixar de pensar que, se quando encarnada visse o Umbral, pensaria estar vivendo um filme de extremo horror. Entretanto, é uma das moradas de meu Pai e onde tantos irmãos fizeram moradia. Alguns ali sofrem, outros reinam, existem aqueles que de lá gostam; estes se iludem, pois são todos infelizes. A criatura só pode ser infeliz quando se distancia do seu Criador.

Uma trilha, um caminho, ligava o Túnel Negro a uma cidade dos encarnados. Era de terra batida, contornando as pedras maiores. Íamos em ziguezague.

Qualquer um no Umbral nos veria, por vibrarmos diferente, mas, se quiséssemos, não seríamos vistas. Os socorristas, quando trabalham na zona umbralina, se tornam visíveis aos seus moradores, porque, sendo vistos, podem ser solicitados, facilitando os socorros. E, em visitas ao Umbral, temos sempre muitas oportunidades de ajudar e aprender.

De repente, ouvimos vozes e, para melhor observar o grupo que passava, ficamos atrás de uma pedra maior perto da trilha. Como eles estavam distraídos, não nos viram. Não queríamos que percebessem nossa presença. O bando passou pela trilha, eram seis, todos de aspecto ruim, armados, com roupas de couro e de tecido grosso e alguns enfeitados com colares. As mulheres estavam muito maquiadas. Gargalhavam e falavam alto. Passavam rumo à cidade dos encarnados.

Bem perto de nós, dois deles, um casal, distanciaram-se do grupo, pararam para conversar. E nós os escutamos confabular:

– Nenê – disse o homem –, vamos ver se o garoto toma a primeira dose. Você sabe que é importante para mim vingar-me do pai dele. Orgulhoso, arrogante, sentirá, vendo o único filho homem viciar-se e se tornar um nada, um inútil como a maioria dos viciados.

– Você não gosta mesmo de viciados – falou, rindo, a mulher.

– São uns fracos, uns bobos! – replicou ele. – Preste atenção, você tem que fazer com que alguma das mocinhas viciadas se aproxime do garoto e o namore. E daí, apaixonado, ele estará a um passo de se drogar.

– O garoto ora muito e não se afina com as meninas que se drogam. Está sendo difícil...

– Não se queixe, trabalhe – disse ele, autoritário. – Fiz um grande favor a você e me deve este.

– Estou tentando...

Foram embora. Elisa não pôde deixar de comentar:

– Será que irão conseguir? Tomara que não!

– Como ela disse, é difícil forçar alguém que não se afina com as drogas a usá-las – respondi. – E, se o garoto costuma orar, acredito que não irão conseguir. Os encarnados devem estar sempre atentos a todas as tentações e seguir sempre o bom caminho, que é seguro e não traz o arrependimento que nos machuca tanto.

– É certo ele se vingar de alguém querendo atingir seu filho? – indagou Elisa.

– Vingança nenhuma é certa ou justa. O melhor é sermos sempre bons e ficarmos longe do alcance destes desencarnados, que ainda querem vingança. E, como vimos, não será fácil eles se vingarem daquele indivíduo atingindo o filho. Mas, se o filho se afinasse com as drogas, não precisaria nem de incentivos. Depois, quem ora com sinceridade tem sempre alguém bom a ajudá-lo e protegê-lo.

– Uá... á... – gritou alguém, com voz soturna, atrás de nós.

Elisa e eu nos voltamos calmamente e ouvimos outro grito:

– Ai!...

Defrontamo-nos com um desencarnado todo sujo, com os cabelos espetados e com as roupas em farrapos.

– Satanás três vezes! – disse ele, repetindo a frase depressa. – Que susto! Quis assustar, e vocês me assustaram. Vocês são horrorosas! Moças, estou só brincando, não me peguem.

Estava realmente assustado. Elisa me indagou:

– Patrícia, o que está acontecendo?

– Acho que ele tem o costume de assustar pelo Umbral.

– É isso aí! – falou-nos, olhando com medo. – Sou o rei dos sustos. Hoje me dei mal...

– Assustou-se conosco? – perguntou Elisa.

– Como não? É difícil ver duas senhoras assim...

Pensou em dizer "feias", mas não disse. Saiu correndo. Rimos. Elisa comentou:

– Quem assusta, um dia acaba assustado.

– Ele se confundiu – falei. – Vendo-nos, achou que tinha tudo para passar um belo susto. Conversávamos distraídas atrás da pedra e, ao nos ver de perto, ele se decepcionou. Normalmente, brincalhões não costumam brincar com socorristas, temem-nos por não querer, no momento, sair de onde estão e sabem que eles podem pôr fim às suas brincadeiras de mau gosto. Confuso, assustou-se.

Saímos de trás da pedra e voltamos à trilha, logo chegamos às proximidades do Túnel Negro. Escondemo-nos perto e ficamos observando. Não demorou muito e dois sujeitos esquisitos, parecidos com os do grupo que tínhamos visto, entraram na fortaleza sem problemas. Aproximamo-nos atentas, precavendo-nos, estávamos observando e não queríamos alertá-los. Porém, se algo saísse errado, eles não nos pegariam; temos alguns recursos para nos sair bem nessas situações, como nos tornar invisíveis, volitar rápido e alguns outros que não devem ser mencionados no momento, para que não venham a ser do conhecimento de desencarnados moradores do Umbral.

Ficamos perto do muro. O Túnel Negro é todo cercado por esse muro largo, muito alto, de talvez uns 20 metros de altura. Ele é marrom-escuro. A fortaleza só tem um portão e, na frente dele, havia dois vigias, mas pelo que vimos não estavam atentos, conversavam e, às vezes, entravam. Conseguimos ver que logo após o portão havia uma sala onde uma mulher, atendente, dava informações e recebia a todos que chegavam.

Não fomos lá para entrar, cautelosamente observamos tudo. Deu também para ver que no meio da construção havia uma torre bem alta, certamente o local de observação.

O movimento era bem pequeno, talvez pelo horário e também porque o Túnel Negro não é um local de muitas visitas, é mais restrito aos moradores e viciados.

Depois de termos visto tudo o que nos interessava, saímos sem sermos notadas. Não voltamos pela trilha, íamos perto dela, a alguns metros ao lado.

– Patrícia – falou Elisa –, vai ser difícil!

– Que nada, ânimo! Tiraremos Walter de lá.

Foi quando escutamos:

– Ei, sua branquela! Ei, neguinha! Podem me ajudar?

– Quê? – Elisa indagou.

– Por favor – corrigiu a voz –, as senhoras podem me ajudar?

No Umbral, escutam-se muitas coisas desagradáveis e às vezes obscenas, para as quais não se deve dar importância. Era uma voz que nos parecia de alguém que sofria, que fez minha companheira responder. Voltamos para o local de onde vinha a voz e deparamos com um homem sentado no chão.

– O senhor está nos pedindo ajuda? – indaguei.

– Queiram me desculpar, pensei que não iam me ouvir ou atender.

– Está desculpado – disse Elisa. – Mas o que quer?

– São espíritos bons? Pela aparência e roupas só podem ser. Estou preso aqui e quero sair.

Nós o examinamos. Era um homem de uns sessenta anos, devia ter essa idade quando desencarnou. Estava sujo, descabelado, machucado. Permanecia sentado, porque estava acorrentado pela perna direita a uma estaca no solo.

Seria para nós bem fácil libertá-lo, pois a corrente, como tudo o que existe no plano espiritual, é do mesmo material do qual o nosso perispírito é composto. Poderíamos arrebentar a corrente com nossa força mental, porém devemos analisar sempre antes de fazer uma ajuda desse tipo, porque não basta só libertar, temos de prestar atenção para não prejudicar mais ainda o desencarnado preso. Se o libertássemos, para onde iria? Que faria? Seria aprisionado novamente? Nesse caso, seria pior, ele sofreria mais ainda.

– Quem o prendeu? – Elisa indagou.

Olhei-o fixamente e convidei-o mentalmente a não mentir. Se o fizesse, eu saberia, como também, lendo seus pensamentos, perceberia a verdade. Fazemos isso facilmente com desencarnados fracos e com os que sofrem. Com os moradores do Umbral, com os que são maus e fortes, é bem mais difícil. Para fazer isso com desencarnados trevosos tem que se treinar muito e saber usar bem essa habilidade.

O homem nos olhou bem, suspirou, enxugou algumas lágrimas e respondeu:

– Meu genro, ou melhor, meu ex-genro... Quando encarnado, fomos sogro e genro... Chamo-me Jacy e estou há tempos preso aqui.

– Não sai para nada? – perguntou Elisa.

– Não, meu genro vem sempre aqui, ora me bate, ora me traz o que comer e água. Ele é violento e mau.

– Por que ele o prendeu? – indaguei.

– É uma longa história. Soltem-me e vamos para um lugar seguro, que conto a vocês.

Elisa me olhou e me disse mentalmente:

"Vamos libertá-lo e, se não pudermos socorrê-lo, o deixaremos em outra área do Umbral. Por favor, Patrícia!", rogou, vendo que eu hesitava.

– Vamos soltá-lo – concordei.

Arrebentamos facilmente a corrente. A perna dele estava inchada, ajudamo-lo a ficar de pé, mas ele gemia de dor. Apoiou-se em nós, e retornamos à trilha rumo à cidade dos encarnados. Logo chegamos e nos sentamos na relva, num terreno vago, e Jacy, como prometera, contou sua história.

– Encarnado, fui um homem rico, não milionário, mas tinha muitas posses. Tinha cinco filhos, e uma das minhas filhas foi casada com esse genro que me prendeu. Ele tratava muito mal minha menina, batia nela e tinha muitas amantes, gastava tudo o que possuía. Querendo ficar livre de tal peste, mandei matá-lo, paguei bem caro a um assassino, que o matou com um tiro. Ninguém descobriu, nem ficou sabendo que eu fora o mandante. Mas ele, depois de desencarnar, ficou sabendo e esperou que eu também desencarnasse, para me maltratar. Já lhe pedi perdão, mas ele não me perdoa...

– Pediu de coração? – Elisa indagou.

– Sim, mas logo que desencarnei sentia que, se voltasse ao passado, mandaria fazer tudo novamente. Depois, com o tempo, lá sozinho e preso, fiquei a pensar e entendi que estava errado. Não tinha o direito de tirar a vida física de ninguém.

– De fato, Jacy, não temos o direito de cortar a existência, num corpo físico, de ninguém. Agora você está livre, e o convido para se voltar ao bem, pedir perdão a Deus e recomeçar a vida, fazendo o bem a si mesmo e a outros irmãos. Aceita?

– Vamos levá-lo a um lugar onde será hospitalizado e sarará de todos os seus machucados – falou Elisa delicadamente.

– Esse lugar é bonito? – perguntou ele. – Ouvi dizer que onde os bons moram é fantástico.

– Sim – repliquei –, é maravilhoso para aqueles que querem mudar, mas desinteressante para quem cultiva os prazeres materiais. Você irá para um posto de socorro aqui perto.

– Obrigado – falou com sinceridade.

Nós o levamos para um posto de socorro da região, localizado perto do Umbral. Tocamos a campainha, apesar de esses postos de socorro terem sempre vigias e locais de observação, podendo-se ver quem se aproxima e, pelas vibrações, saber também quem é. Os portões dos postos normalmente são trancados, mas poderiam, só pela vibração, ser abertos, não se necessitando bater ou tocar a sineta que existe em alguns. Mas esse bater é costume no plano espiritual. Parado no portão ou porta, o visitante é mais bem observado. Em muitos postos, quando o portão é aberto, defrontamo-nos com um hall, ou sala, onde são normalmente atendidos quem os visitam. Em casos de emergência, quem está para chegar a essas casas de auxílio pede mentalmente, e o portão se abre ao se estar perto. Como também, em alguns casos, os trabalhadores da casa vão encontrar-se com quem pede ajuda, para auxiliar. Esse bater é mais uma forma educada de visitar uma casa.

O portão foi aberto e fomos convidados a entrar. Explicamos para a senhora que nos atendeu o porquê de nossa presença e pedimos abrigo para Jacy. Fomos prontamente atendidas e, já no pátio, Jacy nos indagou:

– Vocês não iam me levar para um lugar lindo? Aqui é tão simples!

Entendi-o. Lugares bonitos se diferenciam pelo gosto. Para muitos, lugares lindos são de luxo e ostentação. Para outros, os que se afinam com a simplicidade, a maior beleza é a vibração de harmonia emitida por seus sustentadores. Para Elisa e eu, o posto é muito bonito, com canteiros floridos a enfeitar o pátio. Árvores arredondadas de um verde muito agradável estão entre os canteiros e bancos rústicos convidam as pessoas a se sentar. O prédio, em formato de "U", de três andares, é majestoso e tem janelas grandes, e em quase todas há flores no beiral.

– O quê?! – falou Elisa, espantada. – Não acha aqui bonito?

– Pensei que fosse diferente – respondeu Jacy.

Deixamos Jacy acomodado numa enfermaria e voltamos aos nossos afazeres. Dias depois, fomos visitá-lo e nos informaram que Jacy saiu sem licença e foi para sua ex-casa terrena. Agradecemos e partimos.

– Patrícia, vamos procurar Jacy?

– Elisa, ele fez sua escolha.

– Vamos ver o que ele está fazendo. Talvez esteja precisando de ajuda. E se o genro o pegou novamente?

– Está bem, vamos – respondi.

Foi fácil achá-lo. Quando ele nos contou sua história, deu todos os detalhes e até mostrou a casa onde morou. Nós o encontramos triste, a chorar na sala de sua ex-casa terrestre. Ali tinha sido sua casa, mas não um lar. Lar é união de moradores com afeto. Lar, para nós, desencarnados, é todo lugar onde somos amados. Ao nos ver, chorou mais alto. Ele sofria realmente.

– Sou tão infeliz! Saí daquele lugar de luz e paz e vim para casa. Só encontrei erros e problemas.

– E por que saiu? – quis saber Elisa.

– Quis vê-los, tinha saudades.

– Deveria ter esperado. Quando pudesse, teria permissão para vê-los – falou minha amiga.

– E agora, o que faço? Tenho medo! Quero voltar e não sei. Será que vocês não me levariam de volta? Por favor, ajudem-me de novo! Sei que não mereço, sou um mandante de crime. Mas vocês são tão boazinhas!

– Podemos levá-lo – disse séria –, mas se prometer que será obediente, comportado, e, logo que possível, deverá passar de servido a servidor. E tem mais: ser agradecido.

– Prometo fazer isso tudo.

Levamo-lo de volta.

Como é triste cometer erros e ter a consciência a nos cobrar, quando não, são os que prejudicamos a fazê-lo. Consciência tranqüila e sem erros é nossa tranqüilidade, porque a dor do remorso é terrível. Quem faz o mal é insensato.

Vendo-me pensativa, Elisa disse:

– Patrícia, é para alertar as pessoas que você estuda tanto e deseja ensinar?

– É, por isso e por muitas outras coisas também. Porque, Elisa, aquele que sabe tem mais chances de acertar. Conhecer é fazer com sabedoria. Somos livres por tudo o que sabemos e escravos do que não sabemos. Não devemos compactuar com o erro, mas amar a presença de Deus no pecador. Esclarecendo, educando, enfraquecemos o erro e fortalecemos no bem os que erram.

– Patrícia, admiro você!

Sorrimos. Viver tentando acertar é maravilhoso.

Túnel negro

Na noite seguinte, fomos, Elisa e eu, encontrar com meu pai. Minha amiga foi logo lhe passando os dados do Túnel Negro, com informações que obteve no posto de socorro do Umbral nas imediações do local onde Walter estava.

– Obtive os dados com o orientador do Posto de Socorro Caminheiros de Jesus – explicou Elisa.

Colônias ou postos de auxílio têm quase sempre a previsão exata de quantos desencarnados vagam pelo Umbral e de quantos moradores existem em suas cidades umbralinas, isso no seu espaço espiritual. É para facilitar socorros e orientar socorristas. Assim, tínhamos nas mãos um mapa do local, com as medidas de todos os compartimentos do Túnel Negro. Seu chefe era mesmo o Natan. Estavam anotados quantos colaboradores ele tinha, quantos escravos e abrigados, como também todos os detalhes importantes da fortaleza por dentro. Meu pai leu todos os dados e entregou a folha a Elisa. E nos convidou:

– Vamos!

Volitamos até o Umbral, depois fomos andando. Observamos tudo. Perto do Túnel, paramos e examinamos bem o local. Ficamos ali poucos minutos e voltamos.

– Amanhã voltaremos – disse meu pai –, só que um pouco mais tarde, e de lá tiraremos os que quiserem sair. Agora, vou ao posto, junto ao centro espírita, para organizar tudo.

Estávamos caminhando, Elisa e eu mais próximas, e meu pai a uns dois metros de distância, quando ouvimos:

– Café com leite! Uma branca, outra negra! Leite com café!

O desencarnado que falou riu alto, gostando do que dizia. Elisa o observou e dirigiu-se a meu pai.

– Sr. José Carlos, por que tanto preconceito? Ontem mesmo, por aqui, nos chamaram de "branquela" e "negrinha".

– Muitos ainda dão valor ao exterior de tudo, até das pessoas. Preconceito racial tem sido a causa de muitas desavenças terrenas. Longe estão de entender o que a pessoa é realmente, vendo somente o exterior, criticam tentando ofender. Esse indivíduo quis ofender tanto uma como a outra. Tivemos e teremos com certeza muitas existências, pertencendo a muitas raças. A cor da pele muda conforme nossa necessidade de aprendizado, ou por reencarnarmos em determinado local da nossa Terra. Podemos ter sido, ou poderemos ser, vermelhos, amarelos, negros e brancos. Aqui no Umbral também há preconceitos, e muitos. Existirão preconceitos até que entendam que é temporário a pessoa "vestir" um corpo branco ou amarelo. Nosso espírito é e será o mesmo. Devemos tirar lições dos diferentes modos de ser externamente, para nosso aprendizado e progresso.

Meu pai fez pequena pausa e concluiu:

– Muitos têm medo de olhar para dentro de si mesmos, pois ali só irão encontrar inferioridade e o grande vazio do nada. Pois, sem a comunhão com a vida, quase sempre o preconceito racial vem à tona. Por isso, não gostam de olhar aqueles que julgam ser melhores que eles, pois, ao vê-los, confirmam sua própria pobreza. Eis a razão da maledicência. Ao denegrir a imagem do próximo, sentem-se melhores que os alvos de suas críticas. Ainda não conseguem ver, sentir todos como irmãos.

– Eu, se quisesse – disse Elisa –, poderia, agora que revisto um corpo perispiritual, ser diferente. Modificá-lo e ser branca ou com feições orientais, mas a cor não me faz diferença. Amo todas as raças e sou agora como fui em minha última encarnação.

– Para os que compreendem, o exterior não faz diferença – disse, rindo, meu pai. – Uma de minhas encarnações que recordo com carinho foi na Índia, em que fui bem escuro, quase negro.

Pensei: já recordei muitas de minhas existências. Também já vesti um corpo físico negro e isso não me fez diferença, pois tive nessa encarnação alegrias, tristezas e problemas comuns de encarnada, como em todas as outras encarnações. Amei ser negra! Meu pai tem razão, tudo é temporário, tudo passa e nós ficamos com o proveito que obtemos cada vez que revestimos um corpo físico.

Despedimo-nos. Cada um voltou aos seus afazeres. Eu voltei à Colônia Vida Nova, Elisa, ao hospital da Colônia Perseverança e meu pai, ao posto do centro espírita. No outro dia, nos encontramos com um grupo de vinte desencarnados, trabalhadores da equipe do centro espírita, que acompanhavam meu pai. Conhecia quase todos. Cumprimentamo-nos alegres e rumamos para o Túnel Negro. Sabíamos que Natan estava sempre ausente à noite, ia com freqüência para perto dos viciados encarnados. Dizia que pesquisava o efeito das drogas nos corpos físicos. Saía com seus colaboradores diretos.

Logo chegamos. Íamos entrar meu pai, Elisa e eu, além de cinco da equipe, o resto nos esperaria perto. O Túnel Negro por fora se parecia mais com um castelo, desses antigos, europeus, de cor cinza e com algumas janelas pequenas. Natan não confinava seus moradores. Ali eles entravam e saíam quando queriam. Havia prisões, mas só para os que o desobedeciam. Mesmo os que ali estavam, e que eram usados para experiências, entravam conscientes do que ia acontecer, e muitos viciados procuravam o Túnel Negro em busca de drogas para uso próprio. É claro que, para conseguir o que desejavam, tinham que se submeter às regras da casa.

A entrada do "hospital", assim eles gostavam de chamar o lugar, era vigiada. Natan não admitia falhas, e seus ajudantes o temiam. Os drogados desencarnados e também os encarnados desprendidos pelo sono físico entravam ali facilmente. Muitos encarnados transitam pelo Umbral: trabalhadores do bem, para ajudar, outros à procura de seus objetos de prazer. Os encarnados viciados são bem-vindos em muitos lugares parecidos com o Túnel Negro, isso porque lá recebem incentivos para continuar no vício e também orientação para viciar outros. São instruídos para continuar no erro e fazer o que eles querem. Pensam, esses encarnados, que eles são amigos e acabam como fantoches nas mãos deles. Os drogados vão sempre ao Túnel Negro em busca das sensações que o tóxico lhes proporciona, e Natan, por aquela área do Umbral, tinha fama de alimentá-los com o objeto de seus desejos.

Ficamos rentes à parede externa, perto da porta da frente. Os guardas estavam, no momento, do outro lado. Meu pai, representando um viciado, entrou na saleta como se procurasse drogas. Veio atendê-lo uma enfermeira, ou atendente, uma desencarnada que anotava tudo o que se passava por ali. Acostumada a receber encarnados, atendeu-o normalmente sem desconfiar de nada.

– Quero falar com o dr. Natan – disse meu pai.

– Ele não está no momento – respondeu a mulher.

– Chame-o para mim – insistiu papai.

– Não posso importuná-lo e não sei onde ele está. Você vai ter que aguardar.

– Vá chamá-lo, moça – falou meu pai –, trouxe um material que há tempos ele procura.

A mulher virou-se e entrou por uma porta, indo à outra sala. Rapidamente papai nos deu sinal para entrar. Passamos da sala para um corredor e por muitas outras salas ou cômodos. Ali não havia enfeites como costumamos ver nas cidades umbralinas. Existiam muitos corredores e, para iluminar a casa por dentro, havia archotes nas paredes. Havia também alguns quadros com desenhos alucinantes, que tiravam a monotonia do cinza de suas paredes. Vi poucas cadeiras, ali parecia só haver o essencial. Como comentamos, após a casa havia área de lazer e acomodações particulares de seus moradores, eram cômodos parecidos uns com os outros. As prisões eram celas pequenas e individuais.

Até que entramos numa grande sala e nos separamos; meu pai entrou no laboratório, olhou tudo sem mexer em nada. Este era bem equipado, demonstrando que Natan e sua equipe eram estudiosos. As salas em que entramos eram chamadas de "enfermarias". Sabíamos que numa delas estava Walter. Aquelas enfermarias em nada lembravam as da colônia de socorro, ou mesmo as que existem em hospitais terrenos. Ficavam perto do laboratório. Tomados de assalto, os guardas que estavam dentro da casa não reagiram, foram imobilizados pela força mental de nossos amigos.

Quando entramos na enfermaria, a visão que tivemos foi tão patética quanto horripilante. Não havia leitos, só uma espécie de cabides nas paredes e com vários desencarnados como que dependurados, como se fossem roupas velhas. Elisa e eu ficamos abobalhadas diante de tão triste visão. Minha amiga sufocou um grito quando viu Walter entre eles... Correu ao encontro dele, tirou-o de lá e ele caiu em seus braços. Meu pai veio até nós e, em fração de segundos, foi tirando todos e colocando-os diante da porta, para que nós duas os encaminhássemos para a saída. Não conseguíamos movê-los. Apavorada, indaguei a meu pai:

– Que faço?

– Empurre-os!

No corredor havia carrinhos, talvez para transportá-los. Colocamos todos dentro, pois não conseguiam andar, e os levamos para fora. Quando passamos pela saleta da entrada, um alarme tocou forte e estridente, parecendo uma buzina alta. A fortaleza foi vasculhada por nós, e todos os que quiseram sair foram tirados de lá. Fizemos um cordão dando as mãos e fomos empurrando até o vale, perto do Túnel Negro, onde os outros da equipe nos esperavam. Alguns dos desencarnados que estavam presos foram amparados. O castigo era ficar sem o hipnotismo; achando-se privados da droga, estavam desesperados. Tínhamos pressa, os guardas imobilizados logo voltariam ao normal. Eles poderiam vir atrás de nós ou chamar por Natan, não queríamos um confronto agora com o chefe. Desejávamos socorrer todos os que queriam ajuda. Os socorridos estavam assustados, alguns não sabiam direito o que estava acontecendo, olhavam-nos com medo. Meu genitor falou para eles:

– Aqui estamos em nome de Jesus para ajudar os que querem. Levaremos vocês a um local de socorro, onde serão tratados com bondade e curados de seus males. Os viciados receberão tratamento especial e ajuda para se livrar do vício. Estamos convidando todos a nos acompanhar, tiramos vocês de lá, mas levaremos só os que querem ir. Vamos prosseguir. Os que não quiserem ir conosco podem voltar. Levaremos os que não estão em condições de decidir.

Muitos voltaram, inclusive alguns que estavam presos. Trinta desencarnados ficaram conosco, e fomos para o posto do centro espírita. Já nos esperava a equipe médica, com os enfermeiros, e nos pusemos a trabalhar. Seriam feitos os primeiros socorros em muitos deles. Walter e seus companheiros, que estavam dependurados, permaneciam inconscientes. Estavam completamente dependentes das sensações das drogas administradas pelo hipnotismo de Natan.

Desencarnados viciados iam ao Túnel Negro em busca das drogas, mas Natan hipnotizava-os, fazendo-os sentir como se estivessem desfrutando o objeto do seu desejo, fosse maconha, cocaína, heroína etc. Hipnotizados, esses imprudentes desencarnados serviam para as experiências desse médico, que lhes sugava os fluidos vitais, para si e seus companheiros. Os viciados pensavam que tomavam as drogas, como também todos os que vagavam por ali. Julgavam que lá havia tóxicos. Natan não tinha nenhuma droga no Túnel Negro. E suas experiências eram cruéis.

Os desencarnados se alucinam e se degeneram muito mais com tóxicos que os encarnados. Deformam seu perispírito, e é muito triste vê-los. Todos estavam muito magros, pálidos, sem energias psíquicas, abobalhados e com o pensamento fixo nas drogas. Walter era louro, de cabelos curtos, olhos fundos e vidrados, lábios roxos. Elisa o reconheceu mais por senti-lo do que visualmente. Isso acontece muito no plano espiritual, uma pessoa sabe, sente quem é a outra, a quem reconhece, já que o perispírito muda muito.

Todos os inconscientes e semi-inconscientes foram medicados e colocados nos leitos. Os outros também tiveram os primeiros cuidados. Alguns dos colaboradores que serviam a Natan ali estavam desconfiados. Eles não eram viciados. Trocaram de roupa e ficaram conversando com os trabalhadores desencarnados do centro espírita, que, gentilmente, elucidaram suas dúvidas.

Meu pai trabalhou ajudando por duas horas e, depois, voltou ao corpo físico. Muitos dos socorridos que não necessitavam passar por uma incorporação foram levados do posto. Os viciados conscientes foram encaminhados para hospitais no plano espiritual próprios para eles. Alguns foram para suas colônias de origem. Os servidores de Natan que pediram ajuda foram levados para a colônia na Escola de Regeneração para adaptarem-se à nova vida que lhes fora oferecida. Ficaram no posto do centro espírita só os que precisavam passar por uma incorporação. Esses teriam a consciência retomada e, pela transfusão psíquica, poderiam escolher se queriam ou não a ajuda oferecida. Muitos desses desencarnados estavam com o perispírito deformado pelo vício, pelos castigos e pelas experiências.

Os socorridos foram levados rapidamente para as colônias por dois motivos: para começar imediatamente o tratamento de que necessitavam e iniciar o aprendizado que os libertaria daquela subjugação. Também porque sabíamos que se Natan os chamasse, acostumados a obedecê-lo, voltariam ao Túnel Negro. Nas colônias essa volta é muito difícil, por estarem mais longe da crosta e fora do alcance das mentes trevosas. Os que precisavam ficar no posto foram acomodados em quartos isolados; aqueles que ainda não tinham consciência de sua situação ficaram em leitos, amarrados, não podendo sair.

Agora, teríamos de esperar o dia certo em que encarnados e desencarnados se reuniriam para o trabalho de equipe, quando os nossos socorridos seriam orientados pela incorporação, junto aos médiuns da casa.

Elisa ficou no posto, cuidando de Walter e de todos os que ali estavam, ajudando os trabalhadores desencarnados da casa. Voltei aos meus afazeres nas salas de aula do curso que ajudava a administrar, esperando, ansiosa, o desenrolar dos acontecimentos.

Na sala de aula

Enquanto esperava a doutrinação de Walter, dediquei ainda mais tempo ao meu trabalho. Estava me dando bem como instrutora do curso de reconhecimento do plano espiritual. Estava gostando muito de lecionar. Numa das aulas, Norio, o japonês, me fez algumas perguntas que não estavam no currículo. Percebi com satisfação que estava apta a responder, e isso me tranqüilizou.

No plano espiritual, principalmente onde se pratica o bem, vamos perdendo o costume de reparar na aparência física dos outros. Na classe onde trabalhava havia idosos, negros, brancos e, como temos muitos orientais nas terras brasileiras, é claro que também os temos no plano espiritual. Norio é uma pessoa muito agradável, risonha, com inteligentes olhos puxados. Quando encarnado, já era chamado "Norio, o japonês" e continuou sendo depois de desencarnado, orgulhando-se muito do tratamento carinhoso.

– Patrícia – replicou Norio –, admiro muito Allan Kardec, como também a equipe que o ajudou a escrever os livros que nos legou. Onde eles estão? No momento estão encarnados ou desencarnados?

– Norio, poucos sabem sobre isso no plano espiritual. Eu não sei. Só sabem os desencarnados mais elevados, os estudiosos e os que têm como trabalho a orientação da Terra. Nós, a maioria, não sabemos deles nem do paradeiro de espíritos considerados santos ou que foram importantes, de alguma forma, encarnados. Isso por precaução, porque, se todos os desencarnados souberem, logo os encarnados saberão. E, como há muitos imprudentes, se falarmos que estão encarnados, rapidamente centenas de "Allans Kardecs" irão surgir, como também cada um de sua valiosa equipe. Se dissermos que estão desencarnados, poderão acontecer muitas supostas manifestações, por via mediúnica, em lugares em que não há a devida cautela, com mensagens assinadas por pessoas famosas. Assim sendo, só posso responder que eles continuam firmes nos seus propósitos, rumo ao progresso, preocupados com todos os espíritos que trabalham para sua evolução, em ajudar com bondade a todos. Se estão encarnados, nem pensam no que foram no passado, porque isso não preocupa os espíritos bons. Se desencarnados, muitas vezes se escondem em pseudônimos, porque reconhecem que não fizeram mais do que lhes competia fazer[12].

– Patrícia, estou aprendendo a volitar, mas ainda não o faço com rapidez, será que aprenderei? – perguntou Norio novamente.

– Certamente – respondi. – Aprendemos primeiro a volitar devagar para depois fazê-lo rápido. A última forma que aprendemos é a de fazê-lo com a rapidez do pensamento. O curso de volitação nas colônias é aberto a todos, e aprende quem o deseja.

– Muitos encarnados se desprendem de seu corpo e volitam. É porque já sabiam? São danadinhos... – disse Norio.

– Aquele que sabe faz! Se quando desencarnados sabiam, ao encarnar recordam-se facilmente e, quando desprendidos do corpo carnal, seja conscientemente, seja pelo sono físico, o fazem. Mas encarnados também podem aprender, se alguém os ensinar.

---

12. Esta resposta aqui registrada, eu a dei sob orientação da equipe da Colônia Casa do Escritor. (N.A.E.)

– Patrícia, quem tem medo de altura como faz para volitar? – indagou Norio, todo sério.

Rimos.

– Se desencarnado – elucidei-o –, deve procurar o porquê do medo e superá-lo. Quando se está encarnado, usam-se alguns truques. No corpo carnal o medo de altura é mais forte, porque as pessoas sabem que, se caírem, irão no mínimo se machucar. Desencarnados não correm esse risco. Minha mãe está encarnada, é acrofóbica e volita. Costuma ir a muitos lugares. No começo, tinha cautela e não olhava para baixo, agora o faz mais facilmente e certamente um dia irá superar esse trauma, que tem por um acontecimento de outra existência.

– Patrícia – disse Ernani –, tenho uma prima que é espírita e sua filha mais velha, Lilian, desencarnou. Ela está bem e feliz aqui no plano espiritual, mas seus pais querem ter outro filho e que Lilian volte a encarnar. Ontem nos encontramos, e ela está num dilema: encarnar ou não.

– Se os pais querem ter outro filho, tudo bem, mas não devem proceder como seus primos, que querem o retorno da filha. Existe essa possibilidade; em alguns casos, desencarnados podem reencarnar em curto espaço de tempo entre familiares e, às vezes, com os mesmos pais. Mas cada caso deve ser estudado com atenção. Os encarnados não devem fazer desse desejo algo que incomode o desencarnado, não devem ser egoístas. E o desencarnado, não tendo planos de reencarnar logo, não deve fazê-lo só porque os pais querem. Aconselhe Lilian a conversar com um orientador e pedir ajuda para resolver esse problema. E, se ela se achar sem condições de retornar à carne, não deve fazê-lo agora.

O assunto da aula passou a ser obsessão.

Geralda nos contou que teve uma existência física muito difícil. Órfã, casou-se jovem e sofreu muito com o marido, que bebia. Querendo se ver livre do esposo, planejou e o assassinou, e ninguém ficou sabendo. Trabalhou muito e criou seus cinco filhos. Mas o esposo, querendo vingar-se, obsediou-a por anos, até que os filhos moços procuraram o Espiritismo, que a ajudou. Falou emocionada do muito que sofreu, mas que pela obsessão conheceu o Espiritismo, que veio elucidá-la e auxiliá-la bastante.

Marcílio teve uma experiência diferente, desencarnou em acidente no trabalho e descobriu, então, que a esposa o traía com seu sobrinho. Com raiva, passou a obsediá-la e não deixou ninguém se aproximar dela com intenção amorosa. Com a vida conturbada, a esposa foi a um lugar, onde pagou para ficar livre da influência negativa, no caso, ele. Desencarnados que lá trabalhavam pegaram-no e o levaram preso para um lugar do Umbral. Marcílio ficou muito tempo prisioneiro e fez amizade com um outro desencarnado que também estava preso. Esse amigo contou-lhe por que estava cativo. Desencarnara, deixando a esposa com seis filhos e, preocupado com eles, voltou a sua antiga casa terrena, sem saber que os prejudicava. A esposa, sem entender bem, procurou ajuda erradamente, e ele foi preso. Devemos buscar auxílio só em lugares bons, em que se faz caridade, principalmente quando se trata de entes queridos desencarnados. Socorristas ajudaram esse seu amigo, levando-o para um lugar melhor. Tempos depois ele voltou e o socorreu. Marcílio disse-nos que foi uma experiência muito triste não ter perdoado e ficar obsediando. Esqueceu de si para infernizar a esposa e sofreu muito.

Concluímos que é muito triste tanto obsediar como ser obsediado. Aquele que obsedia perde tempo precioso, pára no seu caminho, para atormentar os outros. Devemos viver de tal modo que não mereçamos raiva e ódio de ninguém. Mas se, pelo passado, alguém nos cobrar, devemos ajudá-lo e não aceitar sofrer pelo que fizemos. Porque permitir que o outro nos faça mal é o mesmo que continuar prejudicando-o. Deve o obsediado orar, ter uma vida decente e procurar num centro espírita o auxílio para si e para o outro. Todos devem ser tratados como irmãos e como gostariam que fossem tratados. O obsessor e o obsediado merecem o mesmo respeito.

Muitos foram os comentários sobre a obsessão. Albertina nos narrou:

– Tenho um tio que é uma pessoa muito difícil. Vive irritado, enfermo e, nas suas crises, atormenta toda a família. Muitos diziam que estava obsediado. Até a família, embora descrente, foi em busca de auxílio. Mas nada. Ele melhorava um pouco e logo voltava ao seu mau humor. Logo que desencarnei, pensei também que meu tio era obsediado. Mas, para minha surpresa, ao visitá-lo, não vi nenhum desencarnado com ele. Querendo aprender, indaguei ao meu orientador, que, para elucidar-me, foi comigo vê-lo.

"'Albertina', disse o orientador, 'esse senhor não é obsediado. Ele não se educou, é uma pessoa nervosa e conseqüentemente doente. Quem não aprende a controlar-se quase sempre se torna enfermo. É pessimista, egoísta, gerando assim muitos fluidos negativos, que o tornarão mais irritado ainda. Ele é uma pessoa difícil e que nada faz para se melhorar. Nem tudo o que acontece aos encarnados é culpa dos desencarnados. E nem sempre situações difíceis acontecem por obsessões. Estas existem, mas deve ser analisado se não é o encarnado que sofre por suas próprias ações, por sua maneira errada de ser e agir. Como também se não é físico o que ele sente, ou se é como no caso de seu tio, que é pessoa difícil'."

Realmente, concluímos que muitos encarnados colocam a culpa nos outros, porque é mais fácil do que reconhecer seus próprios erros.

– Patrícia – perguntou Marília –, um encarnado pode obsediar um desencarnado?

– Pode. Se o encarnado chamar o desencarnado, chorando desesperado por ele, não se conformando com sua desencarnação, pode atrapalhá-lo. Se esse desencarnado estiver abrigado numa colônia, sentirá esses chamamentos, que o incomodarão. Se estiver vagando, quase sempre virá e ficará perto do encarnado, numa troca doentia de fluidos. Os encarnados devem ajudar os desencarnados a que amam, devem ser otimistas, orar por eles, desejando que estejam bem e felizes e que aceitem a desencarnação. O amor deve sempre nos levar a querer o melhor para o ser amado.

– Bendito seja o amor! – exclamou Terezinha, rindo.

Finalizamos a aula.

Desencarnações

Nosso grupo de estudo foi com os outros dois instrutores ver, na prática, e tentar ajudar algumas desencarnações. Já havíamos estudado, na teoria, as muitas formas de deixar o corpo físico. Agora iríamos ver, para aprender sobre o desligamento de algumas pessoas.

Avisados de que estava havendo um tiroteio entre grupos rivais, fomos imediatamente para lá. Ao chegarmos, ainda trocavam tiros, e algumas pessoas corriam com medo. Os assassinos fugiram, deixando caídos dois feridos: um, na perna; outro, no abdome, na mão e na perna. Três vieram a desencarnar.

Rápido, também, vieram ajudar quatro socorristas que trabalhavam na região e um bando de desencarnados trevosos. Estes chegaram tocando tambores e fazendo barulho.

– Por que essa algazarra? – indagou Terezinha.

Alberto, um outro instrutor, respondia a todos, esclarecendo.

– Grupos assim, de desencarnados que vagam, estão sempre à cata de novidades e confusões. Deliciam-se com brigas, chegam até a apostar e torcer por um desfecho macabro. Temos visto alguns batucando, andando por aí. Certamente estes têm essa preferência, como outros grupos têm outras. São muitos os que gostam de algazarra.

Alguns do bando trevoso nos viram, outros nos sentiram. Pararam perto e esperaram, porém continuaram a batucada. Alguns gritaram, dirigindo-se a nós:

– Ei, vocês do Cristo, andem logo!

– Peguem os que são de vocês e se mandem!

– Queremos os nossos!

Voltamos nossa atenção e cuidados para os feridos. O que tinha levado três tiros estava mal e perdia muito sangue. O dono do bar onde aconteceu o tiroteio chamou a polícia e a ambulância. O socorro para os feridos veio rápido e os dois foram levados ao hospital. Cleusa, que foi médica quando encarnada, acompanhou-os, fazendo tudo que estava ao seu alcance para ajudá-los.

Os três que tiveram o corpo físico morto estavam confusos e sofriam.

– Este – disse um dos socorristas – é bom moço, trabalhador, correto, e atiraram nele só porque conversava com este outro, seu primo, que era traficante.

Observamos melhor os três: eram todos jovens, adolescentes. O apontado pelo socorrista, via-se, pela sua aura, que era boa pessoa. O que vimos nos outros dois não foi nada agradável. A aura deles estava suja, pastosa e tinha tonalidade escura.

– Este – disse o outro socorrista, esclarecendo nossa turma – já assassinou três pessoas, é traficante e sádico. Tem dezessete anos. E o outro é viciado em drogas e ladrão de carros.

Estes dois debatiam-se, em espírito, já que os corpos mortos estavam inertes. Rodeamos os garotos e oramos. Depois, aproximamo-nos do que era bom. Um dos socorristas lhe falou bondosamente:

– Jairo, você está ferido, vamos ajudá-lo. Calma! Fique tranqüilo!

O garoto acalmou-se, e o processo de desligamento foi rápido. Alberto esclareceu ao grupo:

– Logo a polícia estará aqui e levará os cadáveres. Precisamos desligar Jairo depressa para levá-lo daqui, evitando assim cenas desagradáveis a este jovem.

Jairo, em perispírito, adormeceu tranqüilo, e logo os socorristas experientes o desligaram, levando-o para um posto de auxílio, ali perto. Seu cadáver ficou com muitos ferimentos, mas seu rosto demonstrava tranqüilidade. O socorrista que ficou dispersou os fluidos vitais de seus restos mortais, para evitar que fossem sugados[13].

Quando o socorrista acabou, afastamo-nos alguns metros, nada mais tínhamos a fazer. Agora, era a vez do outro grupo. Ficamos observando em silêncio, e a cena trágica nos chocou.

Eles se aproximaram dos outros dois, e vimos um deles, um desencarnado, especialista em desligamento, ficar bem próximo dos jovens mortos. Ele falou, rindo, talvez imitando com deboche os socorristas:

– Calma aí, Negrão! Fique tranqüilo, Tonho! Tiro vocês daí! Estão mortinhos! Ou melhor, mortões.

Alguns pararam a batucada para olhar melhor, outros continuaram. Com rapidez, o desencarnado, demonstrando que sabia fazer e bem-feito, desligou os dois sem nenhuma delicadeza, jogando-os para o meio do bando, que os segurou, rindo e fazendo piadas. Estavam abobalhados, assustados e com medo. O grupo avançou sobre os restos mortais dos dois, já que o socorrista vigiava os do que fora socorrido. Como feras, vampirizaram os fluidos vitais, lambendo o sangue que escorria pelo chão.

Alguns encarnados rodearam o local, olhando curiosos. Foi quando uma senhora se aproximou chorando. Era a mãe de Jairo. Nós a rodeamos, tentando confortá-la.

---

13. É uma cena deprimente ver seres humanos vampirizando e outro ser vampirizado. Socorro na desencarnação depende só do merecimento. Espíritos que vagam necessitam muito de fluidos e, como não conseguem absorvê-los naturalmente, os roubam, vampirizando-os dos recém-desencarnados e encarnados. Quando isso acontece, o desencarnado sente esvaírem suas forças, suas energias psíquicas. As energias físicas voltam à natureza, são sugadas as energias psíquicas ou mentais. Assim, quando os socorristas fazem isso, eles retêm para o corpo perispiritual as energias que o recém-desencarnado necessita e fazem retornar mais rápido as que são da natureza. (N.A.E.)

– Jairo estará melhor agora! – disse Albertina.

Uma mulher que acompanhava a mãe de Jairo sentiu a expressão forte e comovida de Albertina e disse, abraçando a amiga:

– Neuzinha, não se desespere, Jairo estará melhor agora, longe desta vida ruim!

– Estará! – disse a mãe, comovida. – Ele era tão bom que só pode estar bem.

Veio outra senhora chorando desesperada. Era a mãe de um outro.

– Meu filho, avisei tanto que não era para se meter com esses bandidos.

Afagamo-las, confortando. Sofriam muitíssimo.

Os desencarnados do bando continuaram até que se saciaram. Depois se afastaram alguns metros e ficaram observando, talvez porque também estávamos. Lourival, da nossa turma, querendo aprender, indagou ao socorrista que estava ali olhando tudo tranqüilo:

– O senhor não se entristece com essas cenas?

– Certamente, mas faz dez anos que trabalho no posto de serviço aqui perto e, infelizmente, essas cenas são comuns por aqui.

– E os outros dois – quis saber Marília –, o que acontecerá com eles?

– Não foi possível socorrê-los porque insensatamente se afinam com o outro grupo. Pelo que tenho visto, logo estarão a farrear com o bando, ou planejando se vingar dos seus assassinos.

– E o Jairo? – perguntou Lourival. – Aceitará o socorro oferecido?

– Acredito que sim – replicou o socorrista pacientemente. – Jairo é um bom garoto, afina-se com o bem, irá gostar do nosso posto. Mas ele é livre, poderá sair se quiser.

A polícia chegou e começou o seu trabalho. O bando ria, xingava ora os policiais, ora os bandidos. Mas não se aproximara. Quando os cadáveres foram levados, o socorrista despediu-se de nós. O bando também se afastou, fazendo muito barulho, levando os dois, amparados e quase inconscientes, sem entender o que acontecia.

Afastamo-nos silenciosos, vimos a desencarnação de três jovens, de modo violento e doloroso.

Deixo claro que nem todos os que são assassinos têm a mesma maneira de desencarnar. Às vezes, quando há um tiroteio com desencarnação, o bando trevoso não comparece, nem os socorristas. Tenho visto alguns terem uma morte violenta e o desligamento ser compulsório, rápido, e o desencarnado ficar perto do corpo morto, sem entender o que ocorreu. E, em outros casos, o desligamento acontecer tempos depois. O socorro depende muito do merecimento, como no caso de Jairo, ou de muitos fatores, como o desencarnado pedir ajuda a alguém ligado a ele, seja encarnado seja desencarnado. Claro que, depois dos primeiros socorros, ele ficará abrigado, se quiser.

Fomos ver outro desligamento. Dirigimo-nos a um cemitério e lá visitamos um velório, na sala sete, onde éramos esperados. Fomos assistir ao desligamento de uma mulher, seu corpo físico completava cinco horas de paralisação de suas funções vitais. Estava num caixão lacrado e sua desencarnação fora em decorrência da Aids. Dois socorristas esperavam para começar o processo de desligamento. Logo após nos termos acomodado, eles se puseram a trabalhar. Havia poucos encarnados no velório e o enterro iria ser logo.

– Esta mulher – explicou um dos socorristas – teve uma vida degenerada. Mas, ao descobrir que estava doente, foi em busca de cura num centro espírita. Não teve a cura do corpo, mas a Doutrina muito fez por ela. Passou a ler bons livros espíritas, a ir ao centro espírita em dias de palestras e mudou sua vida, modificou-se interiormente para melhor. Aceitou a doença e, nos últimos tempos, orava muito para ter socorro quando desencarnasse. Por isso, aqui estamos. Ela dorme e não está sentindo nada. Antes de ter seu corpo morto, deram-lhe medicamento para dormir, e desencarnou adormecida.

Alguns dos alunos, já esclarecidos, foram ajudá-los, e em pouco menos de uma hora ela estava desligada. Dormia tranqüila.

– Pronto – disse o socorrista –, agora vamos levá-la para um hospital no plano espiritual, onde se recuperará.

Ao lado da sala do velório, estavam fazendo muito barulho. Muitos encarnados choravam desesperados. Aproveitando a oportunidade de aprender, fomos lá ver o que ocorria.

De fato, vários encarnados ali presentes choravam sofrendo muito. Estavam velando o corpo de um adolescente. Um dos socorristas nos acompanhou. Ele trabalhava com muitos outros, naquele cemitério. Elucidou-nos:

– Este garoto ia fazer dezesseis anos. Suicidou-se dando um tiro no ouvido. Foi levado ferido para o hospital, onde ficou seis dias em coma, acabando por desencarnar.

Ouvimos muitos comentários de encarnados.

– Dizem que foi por causa da namorada.

– Falam que se matou por ser homossexual.

E foram muitas as fofocas maldosas. Não se devem fazer comentários negativos de ninguém, principalmente num velório, e devemos nos comportar como gostaríamos que procedessem no nosso.

Mas o que nos levou a ficar e observar foi que o garoto já estava desligado, só que perturbado, aflito e agoniado. Estava em espírito perto do corpo morto, não se afastava. Gritava desesperado, querendo tê-lo de volta ou revivê-lo para continuar sua vida como encarnado.

– Que imprudência! – exclamou Genoveva, emocionada. – Quis morrer e ao fazê-lo quer o corpo de volta.

– Certamente – esclareceu Alberto –, o garoto não pensou nas conseqüências do seu ato. Vendo seus pais e irmãos sofrerem tanto por ele, desesperou-se. Como também, vendo o corpo morto e ele vivo, tem medo da nova vida que a desencarnação o levará a ter.

Perto dele, tentando acalmá-lo e ajudá-lo, estava um senhor desencarnado, seu avô. Porém o garoto não queria afastar-se dali e não aceitava ajuda. Os encarnados choravam e ele chorava também. Nisso, um tio do menino entrou no velório. Era um senhor espírita. Com modos educados, mas firmes, recomendou aos pais e familiares:

– Por favor, sei que a dor é grande neste momento, mas vamos orar todos juntos. Vamos dar nossa ajuda a ele, que tanto amamos. Vamos perdoá-lo por seu ato insensato, não nos cabe julgá-lo, mas sim auxiliá-lo. Vamos rogar ao nosso Pai Maior a ajuda de que precisa. Que ele possa ser socorrido pelos bons espíritos.

Quietaram-se todos e o senhor fez uma oração muito bonita e foi acompanhado por muitos encarnados e por nós, desencarnados. O garoto parou de chorar, tentou orar, mas não conseguiu acompanhar as palavras do tio. Muitos fluidos vieram em sua direção e, por momentos, ele se equilibrou. Após a oração, ele escutou claramente as palavras do tio, que lhe falou mentalmente:

"Calma! Não se desespere! Nada acabou com a morte do seu corpo. Somos eternos! Peça perdão! Aceite o socorro! Durma! Calma!"

Ele aceitou o abraço do avô desencarnado. Refugiou-se nos seus braços e dormiu; só que seu sono foi agitado. O avô o levou para o abrigo, um pequeno Pronto Socorro Espiritual daquele cemitério. O socorrista nos disse, explicando:

– Ele ficará em nosso abrigo até acordar. E, quando o fizer, seu avô e um orientador falarão com ele. Caberá a ele escolher se quer ou não o socorro. Se quiser, deverá ser levado a um hospital no plano espiritual próprio para suicidas. Se não, sofrerá muito mais. Mesmo num hospital, demorará a se recuperar, porque lesou o seu corpo perfeito. Logo será seu enterro e, como vimos, este senhor espírita foi de grande ajuda. Como as pessoas boas e com compreensão ajudam nos velórios.

Fiquei impressionada com a expressão de terror e desespero do garoto. Sei que é bem triste e de muito sofrimento para os familiares de pessoas que se suicidam. Mas não devem se desesperar nem blasfemar, e sim, tentar ajudar um ao outro, e todos devem se esforçar para auxiliar o suicida. Devem ver nele um imprudente que fez muito mal a si mesmo e que necessita do perdão de todos e de muitas orações, colocando nelas o incentivo para que ele peça perdão, para que rogue socorro e aceite a ajuda que lhe é oferecida, como também desejar-lhe paz e que seja feliz. Isso, vindo dos entes queridos, os auxilia muito. Os familiares do suicida não devem pensar que eles são infelizes e que sofrerão pela eternidade. Nada na espiritualidade é taxativo, cada caso é visto com carinho. É errado se matar ou tirar a vida física de quem quer que seja.

As conseqüências do erro são de quem o cometeu, mas somos sempre perdoados quando pedimos perdão com sinceridade. O carinho dos que nos amam é conforto que facilita muito. E, quem pensa em se suicidar, que não o faça. Por pior que seja a dificuldade do momento, lembre-se de que tudo passa, o tempo passa trazendo as soluções. Continuamos a existência após a morte do corpo e, para o suicida, essa continuação não é agradável e ele acaba sofrendo bastante.

O socorrista nos acompanhou para uma visita ao cemitério.

– Veja – disse Josefino –, dois desencarnados trevosos guardando este túmulo.

– Aqui está enterrada há nove dias uma senhora – esclareceu o socorrista. – Como ainda está ligada ao corpo, os desencarnados fazem rodízio para vigiá-la. São muitos os que querem vingar-se dela.

– Eles não poderiam desligá-la? – indagou Marília. – Pelo que vimos, muitos desencarnados maus sabem fazer isso.

– Claro que poderiam – respondeu o socorrista. – Vocês já viram como é triste o sofrimento de uma pessoa que fica desencarnada junto ao corpo por dias? Sente a decomposição, os vermes comê-lo. É por esse sofrimento que eles não a desligam. Só a vigiam para que ninguém o faça ou, se ela o fizer por si mesma, que saia e eles a percam de vista. Certamente, quando eles acharem que ela já está parando de sofrer no corpo em decomposição, a levarão para o Umbral.

– Ela deve ter sido muito má para ter despertado tanto ódio assim – comentou Hugo –, tenho pena dela. Será que vocês, socorristas, não poderiam desligá-la? Socorrê-la?

Alberto, querendo que todos entendessem bem o que acontecia, nos convidou:

– Vamos nos aproximar para estudar e entender melhor esse fato.

Os dois desencarnados que vigiavam não arredavam o pé do lugar, embora se inquietassem com nossa presença. Um deles, depois de gaguejar, esforçou-se para falar.

– Esta não é de vocês! E, depois, não estamos fazendo nada.

– Sei – respondeu o socorrista –, viemos só para estudar.

Vimos a senhora, o corpo se decompunha e ela, em espírito, estava desesperada, revoltada e indignada. Blasfemava contra Deus achando injusto seu sofrimento.

– É por isso, Hugo, que os socorristas não podem ajudá-la. Vamos orar por ela – esclareceu Alberto.

Todos do grupo recolheram-se em orações. Fluidos nossos foram até ela, porém não a atingiram, devido ao seu bloqueio negativo. Fluidos bons ou ruins não são impostos, são lançados e aceitos se quisermos. Podemos repelir qualquer energia que nos seja lançada. Quando oramos, ela por segundos pensou em Deus, mas não aceitou nossos pensamentos e sugestões de voltar ao bem. De forma que, pelas orações, recebemos fluidos benéficos, mas, se pensarmos negativamente, não conseguimos recebê-los. Quando oramos os dois vigias afastaram-se alguns metros e ficaram olhando-nos. Cleusa dirigiu-se a eles:

– Vocês dois não querem orar conosco? Não querem ajuda? Não precisam de auxílio? Por que não a perdoam?

– Calma aí, moça! – respondeu um deles. – Perdoar por quê? Ela nem pediu! E por que se preocupa conosco? Não queremos nada de vocês. Não queremos orar. Ajuda? – Riu. – Uma garrafa de pinga seria de bom gosto.

Nós nos afastamos, despedimo-nos dos socorristas, agradecendo. Estávamos sendo aguardados. Fomos todos para um apartamento onde iria desencarnar uma senhora. Alberto explicou à turma:

– Esta senhora é muito boa, teve uma vida digna fazendo do seu dia-a-dia um ato de amor. Ama a Deus profundamente, ama a si mesma com muito respeito pela vida e ao próximo como a si mesma.

Entramos no apartamento. A senhora que fomos observar morava sozinha, estava no quarto, deitada no leito. Fazia-lhe companhia a filha, que estava preparando o jantar na cozinha. Muitos desencarnados bons ali estavam, vieram para estar com ela, todos a amavam. Alguns comentaram:

– Ao saber que minha benfeitora iria desencarnar, pedi licença para vir ficar perto dela, transmitindo-lhe o amor que lhe devoto.

– Ela é tão boa! Vou vibrar com carinho para que ela não sinta nada.

Essa senhora estava acamada, naquele dia não estava disposta. Pegou um copo de água para beber, e um socorrista colocou um remédio na água. Ela tomou e ficou sonolenta. Três socorristas especializados começaram, com delicadeza, o desligamento. Após alguns minutos, o coração físico parou, e também a respiração. O corpo carnal morreu, seu perispírito separou-se dele, e ela sorriu meigamente. Recebeu bons fluidos de todos os presentes. Adormeceu tranqüila. Os que ali estavam por amizade e carinho começaram a cantar canções bonitas que escutamos nas colônias e postos. O ambiente estava radiante e com vibrações de muita paz.

O trabalho dos socorristas terminou, e a levaram para uma colônia. Alguns a acompanharam, outros ficaram.

– Vamos ficar até o enterro – disse um senhor.

A filha veio dar uma olhada na mãe, pensou que dormia, ao vê-la quieta. Uma senhora desencarnada aproximou-se da filha e lhe pediu para ver melhor a mãe. Ela, então, notou que a mãe não respirava e entendeu que desencarnara. Ajoelhou-se, começou a orar e lágrimas escorreram abundantes pela sua face. Após acalmar-se, sustentada pelos fluidos dos desencarnados presentes, levantou-se e foi tomar as providências necessárias no momento.

Afastamo-nos comovidos. Lourival comentou:

– Que diferença! Vimos uma desencarnada de quem muitos queriam vingar-se. E esta senhora, com tantos a ajudar.

Alberto elucidou-nos:

– A desencarnação é a continuação real da vida que tivemos, ligamo-nos aos nossos atos. Foram duas formas de viver diferentes. Não precisamos saber o que fez uma ou a outra. Concluímos como deve ter sido a vivência delas. Diretrizes para o bem-viver não nos faltam. Os ensinamentos de Jesus estão aí para todos, como também não é difícil a vivência deles. Felizes os que fazem do bem o objetivo de sua vida!

– Por que umas pessoas se apavoram tanto com a desencarnação e outras não? – Hugo indagou.

Meditei por uns instantes, a pergunta era realmente interessante. Respondi tentando esclarecê-lo do melhor modo possível:

– Muitos realmente temem a desencarnação. O que normalmente acontece com alguns encarnados é que eles vivem as projeções, esperanças e idéias que preenchem seus pensamentos. Outros, masoquistas, ruminam insensatamente ofensas, dores e angústias, gostando até de se sentir doentes para ser alvo de atenção. Têm medo de olhar a vida como ela é, porque, se conseguissem ver a realidade da vida, teriam que mudar radicalmente seus pensamentos, modos e atitudes, pois a vida não está preocupada com os seus desejos e recusas. Ela é o que é.

Vejamos um exemplo. Quase sempre, diante da desencarnação de um ente querido, nos primeiros instantes, preocupamo-nos conosco: "Ai, meu Deus, que será de mim agora?" Depois, diante da dureza da separação, ficamos preocupados e vemos que deveríamos ter tido atitudes bem mais amorosas e benfazejas para com aquele ente querido que se foi.

Jesus nos advertiu que estivéssemos vigilantes. Recomendou aos apóstolos: "Estejam cingidos os vossos rins"[14]. Isto é, com cintos cingidos. Naquele tempo, viajavam colocando nos cintos os pertences mais importantes da viagem. Recomendou-nos, assim, que estivéssemos sempre prontos para a viagem que é a desencarnação. A vida física não nos dá segurança, passamos do plano físico para o espiritual sem aviso prévio. Muitos encarnados não vivem esse conhecimento, essa verdade. Por isso tanta vaidade, orgulho e prepotência. Porque, se todos percebessem que nada somos por nós mesmos, nada temos de absolutamente nosso, a simplicidade e a humildade seriam a base de nossas relações.

Nas grandes catástrofes do mundo físico, os homens se ajudam mutuamente com simplicidade e fraternidade, porque com o acontecido tudo perderam e naquele instante são iguais. Passados os momentos dolorosos, vão aos poucos voltando às ilusões e a se explorar mutuamente.

---

14. Lucas, XII:35. (N.A.E.)

A humildade cultivada externamente é vaidade e pretensão. A verdadeira humildade somente é vivida quando não a temos como tal, estando totalmente conscientes de nossa pequenez. Se procedermos assim, veremos a realidade daquilo que somos e o que a vida é. Isso é fundamental para que não nos perdamos nos caminhos das pretensões e vaidades humanas.

Aqueles que meditam nas verdades dos ensinamentos de Jesus esquecem-se de si. Não se apavoram com a desencarnação, encarando-a como um prosseguimento da vida. Têm como ponto fundamental a glória de Deus manifestada na vida e não nos seus desejos pessoais. Agem como a lagarta, que está sempre pronta a aceitar com amor as transformações que a vida quer operar em sua existência. De lagarta faminta, transforma-se em bela borboleta, sustentada pela energia do néctar das flores. Mas para isso é preciso que amemos a Deus acima de tudo, acima de nós mesmos. Mas não o Deus distante e, sim o Onipresente.

Devemos seriamente pensar na desencarnação como prolongamento da vida e, se quisermos ter uma continuação feliz, que façamos por merecê-la.

Vimos muitas desencarnações e todos do grupo aprenderam a desligar o perispírito do corpo físico. Lourival e Cleusa gostaram tanto que escolheram trabalhar, após o curso, socorrendo recém-desencarnados.

Meu amigo Antônio Carlos tem razão: aprendemos muito quando ensinamos o que sabemos aos outros. Amei participar desse curso!

Numa reunião espírita

No dia e hora marcados para a orientação dos socorridos do Túnel Negro, fui ao centro espírita e lá me encontrei com Elisa.

– Patrícia – disse ela –, estou ansiosa e também preocupada. Será que Walter irá querer a ajuda oferecida?

– Espero que sim – respondi. – Como estão eles? Como está Walter?

– Estão como os deixamos, alguns mais agitados. Serão trazidos do posto para o salão logo mais.

Construído da mesma substância do perispírito, o posto de socorro está acima da construção material do centro espírita. Muitos centros espíritas têm esse pequeno hospital, um lugar de emergência, como a continuação da construção material ou perto. Quase sempre essa continuação de auxílio tem um pequeno ou mini-hospital para os primeiros socorros. Como também tem locais de moradia para alguns desencarnados que lá trabalham. São muito úteis, mas sempre singelos e acolhedores. Quando o centro espírita tem posto de socorro, os socorridos ficam provisoriamente nesse lugar e são trazidos ao local da reunião mediúnica, antes do início. O posto desse centro espírita é muito bonito, quadros de lindas paisagens enfeitam suas paredes e há sempre flores a alegrá-lo.

Enquanto aguardava, fui rever amigos desencarnados. Após muitos abraços e conversas, tomamos nossos lugares, porque logo iriam iniciar os trabalhos programados. Meu pai chega bem antes da hora e fica orando e meditando. Muitas pessoas vão antes também, para conversar com ele e tirar dúvidas. Ele procura atender a todas, ensinando-as. Os encarnados foram chegando. Que bom vê-los, convivi com muitos deles e alegro-me por serem meus amigos. Emocionada, escutei meu pai:

"Muito se tem dito sobre o significado das parábolas do Mestre Nazareno. No Ocidente, quase a totalidade das pessoas se dizem cristãs. É indiscutível ter sido Jesus o maior espírito de que temos notícia, expoente em valores e qualidades dentre todos os instrutores conhecidos pela nossa humanidade. E nós, cristãos, conhecemos ou deveríamos compreender os ensinos de Jesus e ter seu exemplo como meta de vida. Vangloriamo-nos sempre de sermos seus seguidores. Porém, a maioria de nossas atitudes, nossas reações diante das relações que a vida nos impõe e nosso relacionamento não diferem muito das pessoas ditas não-cristãs. Não estará algo errado? Admitindo-se que sim, não serão naturalmente os ensinamentos de Jesus, mas a maneira de entendê-los ou traduzi-los na nossa maneira de viver.

"Criamos uma complexidade enorme em nossa estrutura psíquica, em nosso patrimônio espiritual, ficando repletos de créditos, de conhecimentos e posições adquiridas por uma autovalorização de nossos próprios atos. Nossas ações estão baseadas na reciprocidade. Não sabemos fazer nada se não tivermos a visão de um retorno de ganho pelos nossos atos. Não costumamos gravitar em torno do centro da vida, que é Deus. Com exceção de poucos, o centro em torno do qual gravitamos é o nosso próprio ego. Todos os nossos pensamentos e ações têm o seu próprio benefício como fim. Aprendemos a adorar a Deus, o que é muito fácil. Não nos exige nem esforço físico e perda pecuniária. Não sabemos ainda vê-Lo e amá-Lo nas suas manifestações.

Amá-Lo na Sua onipresença requer sensibilidade e visão acurada da realidade dos fatos da vida. Temos conhecimento, por meio dos relatos de desencarnados, que esse sentimento de ganho e perda nos acompanha após a desencarnação. Institui-se, nas colônias, o bônus-hora para que os recém-chegados, condicionados ao ganho, não se sintam desestimulados para o trabalho. O bônus-hora é um incentivo ao espírito ocioso ou, em outras palavras, ao espírito que ainda vive em função da sua própria pessoa e que ainda não sabe o valor do bem coletivo. Recebem para que tenham estímulos para trabalhar em seu benefício e do bem do seu próximo.

"Amar a Deus é tê-Lo como centro da própria vida, vê-Lo, senti-Lo, ter afeto por Ele em todas as suas manifestações. Jesus disse: 'Senhor, bem-aventurado por ter ocultado isto aos sábios e prudentes e revelado aos simples e pequeninos'. Sábio não é sinônimo de erudito, daquele que muito conhece, que tem a qualquer momento de cor as citações do patrimônio intelectual e religioso da humanidade. Não condenamos o conhecimento dos livros sacros, eles nos são necessários, mas sim a maneira como muitos os utilizam. Eles são meios para que conheçamos a vivência daqueles que nos antecederam. Esses arquivos proporcionam ao ser humano a evolução e, interminavelmente, devemos crescer pela mente e pelo espírito. Para que esses ensinos façam parte de nossa vida, é necessário que o exemplo do Nazareno seja compreendido e não decorado, como temos feito há quase dois mil anos. Ao compreendê-lo, veremos o que Jesus via e vivia, assim já não mais faremos a Sua vontade e sim a nossa, que passa a ser como a Dele, porque veremos como Ele o que é falso e o que é verdadeiro.

"Disse Jesus aos seus apóstolos: 'Ide, ensinai, curai para que quando os homens virem suas boas obras glorifiquem o Pai que está nos céus'. Quanta simplicidade, quanta humildade! Fazer os maiores benefícios à humanidade e esquecer-se não só do ganho pecuniário como também de qualquer agradecimento ou reconhecimento do beneficiado. Fazer por amor à vida que se manifesta no necessitado e em si mesmo. Agir de tal forma que possamos ver em cada ser humano a imagem e a manifestação de Deus. E não exercitar o culto da idolatria da personalidade de José, Sebastiana, Maria, Antônio etc.[15]"

Um freqüentador indagou a meu pai:

– Por que tenho tantos conflitos? Como poderei eliminá-los?

– O maior drama do homem não está na pressão e nas dores externas. A própria morte física é passageira – respondeu meu genitor. – O grande drama, a grande dor é o conflito que existe entre o que sou e o que me ensinaram que deveria ser. Temos aprendido que devemos reprimir nossos impulsos egoístas para que possamos viver bem com nosso próximo. Enquanto estivermos fazendo a vontade de outros, seja quem for, o conflito permanece e não haverá mudança radical no nosso relacionamento com a vida. Porque, apesar de achar certo fazer o que eles querem e disso esperar créditos e ganhos, a realidade é que se tem a vontade de fazer o que se gosta.

"Normalmente nós temos nosso ego quase sempre como centro do universo. Tudo deve girar em torno do nosso preenchimento, satisfação e prazer. Essa é quase sempre nossa vontade, mas a vida não sabe e não se importa com nada disso, ela tem seu próprio caminho. E aí, insatisfeitos, nos frustramos, ficamos inconformados e, às vezes, nos revoltamos com o próprio desenrolar dos acontecimentos. Assim, batemos de frente com a vida, e nossa existência perde todo o sentido de somar com ela. Precisamos aprender a aceitar a vida como ela é, sem querer que seja diferente. Mudar para melhor está em nossas mãos, como também aceitar sem contestações o que a vida nos proporciona, mesmo em situações e circunstâncias aparentemente desfavoráveis, pois é nos momentos difíceis que nos superamos, isso se não tivermos dó de nós mesmos. Precisamos compreender que não somos somente filhos de Deus, mas muito mais, que fazemos parte de Sua própria manifestação. Compreendendo isso, vamos entender

15. As passagens citadas do *Evangelho* não estão na íntegra e não cito capítulo ou versículo. Escrevendo os ditos de meu pai, fiz como ele costuma fazer, nada decorado, mas sim compreendido. (N.A.E.)

a diferença existente entre os dois filhos do Senhor, na Parábola do Filho Pródigo. O mais velho nunca saiu de casa, sempre fez a vontade do Pai, mas viveu sempre insatisfeito, porque no seu íntimo não sentia as coisas do Pai como suas. E o Pai não o sentia perto de si, apesar de amá-lo muito. O mais novo, depois de se afastar, de esbanjar o que pertencia a sua natureza, conheceu a si próprio e compreendeu que ele e o Pai eram um só. E, se eram um só, extinguiram-se aí todos os créditos, todos os deveres, permanecendo somente uma única coisa, a unidade de Deus em todas as suas manifestações.

"Agora, se quisermos amenizar todos os conflitos e as dificuldades que possam nos perturbar, lembremo-nos do dito de nosso Mestre, diante de circunstância semelhante: 'Vinde a mim todos vós que andais cansados e sobrecarregados, que eu vos aliviarei, pois meu jugo é suave e meu peso é leve'. O grande Mestre era viril em todas as suas respostas, não no sentido de machismo, mas de pureza, simplicidade e inocência austera. Dificuldades, sempre as teremos, porque relacionamento é atrito de interesses. E toda cadeia de vida é um constante atrito de funções das manifestações de Deus. O conjunto harmônico de todas as suas funções compõe a sintonia do universo. Particularmente, esse atrito se traduz em conflito entre o que queremos e o que realmente é. Esta resposta é para aqueles que querem mais profundamente ter a visão do que realmente somos. Se não compreender – falou, referindo-se ao jovem que o indagara –, fique com a primeira parte, vai amenizar muito sua maneira de viver seus conflitos".

Uma médium que há tempo freqüenta a casa, trabalhando regularmente, relatou seu drama íntimo, reclamando que Deus foi e tem sido injusto com ela.

– Minha filha – respondeu meu pai, tratando-a de forma carinhosa –, pensarei no seu caso e verei como amenizar seu drama.

Isso acontece em algumas situações que requerem um estudo maior e a procura de soluções para os muitos problemas que ele isenta. Meu pai nunca deixa de atender a quem quer que seja. Quase sempre responde de imediato, mas, nesse caso, ele teria que meditar para achar a melhor maneira de ajudá-la.

A reunião começou e transcorreu tranqüilamente, conforme narrarei no capítulo seguinte. Tempos depois me encontrei com Elisa, que, curiosa, me indagou sobre esse fato:

– Patrícia, qual foi o conceito do sr. José Carlos sobre Deus ser justo ou injusto? Com certeza ele resolveu a questão junto à médium. Mas gostaria de saber a opinião dele sobre tão delicada questão: justiça ou injustiça divina.

– Elisa, não posso responder por ele. Hoje, papai está em viagem de negócios e, pelo que sei, a máquina que levou para consertar irá ficar pronta somente à tarde. Neste momento, está almoçando. Vamos até ele!

Elisa me acompanhou contente e, em instantes, estávamos ao seu lado. Papai acabara de almoçar. Não tendo nada para fazer fisicamente, entrou no seu costumeiro fluxo de pensamento. Isso acontece normalmente quando está só e sem obrigações físicas. Então carinhosamente lhe perguntei:

– Papai, Deus é justo para uns e injusto para outros?

Como sempre faz, tirou de um relacionamento físico entre as pessoas e colocou ali o símbolo de como deve ser o relacionamento entre Deus e nós, nós e Deus.

Pedi a ele novamente que gravasse seus pensamentos, e ele o fez em guardanapos de papel. Agora que escrevemos este trecho, pedi à tia Vera que solicitasse a ele esses guardanapos. Gentilmente nos cedeu, transcrevo na íntegra. Aí está sua resposta:

"Normalmente, quando tudo dá certo conosco, achamos que é merecimento e que Deus nos faz justiça. Quando nos são negados nossos anseios de preenchimento mental e satisfação física, ou seja, quando não está acontecendo o que queremos, sentimo-nos injustiçados, principalmente ao nos compararmos com outras pessoas: 'Por que ele tem e eu não?' Achamos que Deus não está fazendo justiça conosco e que estamos sendo punidos. É que trazemos cargas negativas do passado, que ocasionam frustrações no momento, como também atos desta encarnação podem ter sido os motivos para muitas decepções. Normalmente, não vemos a realidade da vida e sim a projeção das nossas ilusões, por considerarmos a vida física como fim e não como meio.

"Muitas vezes, o justo ou o injusto, de acordo com nossa compreensão, baseia-se no que damos e no que achamos que devemos receber em troca.

"Nós nos sentimos injustiçados, porque quase sempre temos como meta nossa distração, preenchimento e prazer. Transformamos as funções e necessidades do nosso corpo físico e a capacidade pensante como fim da nossa existência. Não chegamos a olhar a vida como um todo e a desempenhar eficientemente nossa parte nesse conjunto. Já imaginou se o coração do homem se sentisse injustiçado por não ter folga nem descanso físico? Que seria do homem? Diante desse exemplo, vemos que cada um deve fazer o que lhe compete, não esperando recompensas, mas sim estando consciente de que deve realizar o potencial nobre que a vida lhe concedeu. Apesar de insignificantes diante do cosmo, fazemos parte dele. Portanto, precisamos desempenhar nossa função como parte da vida, e não viver para os nossos prazeres e conquistas materiais ou espirituais.

"Deus não cria suas manifestações para puni-las ou agraciá-las. Cada qual tem sua função e utilidade, assim como o grão de areia tem sua função no deserto ou na praia do mar. Punir uma manifestação seria reconhecer Sua própria falha.

"Ao comprarmos uma máquina nova, o fabricante nos dá garantia desta e, se ela falhar na sua função, não foi intenção do fabricante nos punir, pois a garantia dela fará com que ele lhe restaure as funções. Sendo ele, no caso, o mais prejudicado, pois, além da reposição, ainda poderia ter seu nome comercial prejudicado e posta em dúvida a sua idoneidade. Não somos uma máquina e a falha nunca está em Deus, está na nossa maneira de nos relacionarmos com Ele, com a vida. Na maioria das vezes, nossos ânimos e desejos não encontram ressonância nos planos traçados pela vida, pelas nossas existências anteriores. Às vezes o que desejamos não é o que podemos ter. Quase sempre nossos desejos são saturados de egoísmo. Os da vida são saturados de grandeza, de amor e de realização plena do homem.

"Na Terra, cada variedade de raça recebe, com maior ou menor intensidade, o que necessita para desempenhar e enobrecer as qualidades de sua espécie, a raça a que pertence. O grupo humano não foge à regra natural, só nos é acrescentada a liberdade de escolha, cumprindo a função para a qual fomos chamados. Ao nos harmonizarmos com as leis divinas, nos sentiremos felizes a caminho do progresso. Desprezá-las cria um ambiente vibratório individual de desarmonia, que pode chegar a atingir aqueles que nos cercam e terá ressonância de vibrações inferiores. Será que Deus criou a Terra, com todo o seu aparato animal e vegetal, somente para o desfrute do homem? O ser humano foi criado para desfrutar à custa daqueles que caminham com ele? Não! Por todos os seus atos de abuso, há a conseqüência de que, não compreendendo, ache que Deus lhe está sendo injusto.

"Temos quase sempre nas nossas vivências buscado o significado da vida, tentando adivinhar por que razão Deus criou o homem, talvez por darmos importância demais ao que pensamos ser ou pelos sentimentos que cultivamos sobre tão importante questão. Deus é profundamente simples. Para que possamos ouvi-Lo e senti-Lo, é preciso antes de tudo ser simples como Ele. Um exemplo da simplicidade de Deus é Sua onipresença tanto no nosso Cristo quanto num verme desprezado por todos. Devemos nos despojar do cultivo da autovalorização: vaidade, orgulho e presunção, para nos tornarmos melhores. Não assumindo nossa participação no conjunto do orbe terráqueo, nos sentimos excluídos de obrigações e responsabilidades. Aí, o que acontece com o restante dos habitantes da Terra? A conseqüência é esta que estamos vendo: destruição e devastação do que a natureza levou milhões de anos para realizar. Não nos sentindo parte do universo, parece até que estamos aqui para usar e desfrutar, não tendo nada a responder, nem responsabilidades sobre o que acontece com a Terra e seus habitantes, se sofrem dores e misérias.

"Não podemos compreender Aquele do qual estamos separados e, enquanto assim estivermos, não faremos parte do todo. Se conseguirmos participar, seremos um só. Não haverá o maior, nem o menor, meu pequeno eu se perderá diante da importância do grande todo.

"Que restou, então, para mim e para minha espécie? Viver e, neste viver, conhecer e compreender minhas funções e as dos que nos cercam, compondo assim um todo harmônico. O que os irracionais fazem instintivamente, o homem deve fazer consciente e espontaneamente. Os irracionais não têm escolha, o homem pode escolher entre participar ou recusar do banquete de Deus, que é a própria vida, refletindo assim a simplicidade e o equilíbrio do macro, refletido no micro. Sem nenhuma pretensão, anterior ou posterior, ou do momento presente, pois estes são produtos do egoísmo oriundo da mente temporal. Deus é atemporal.

"Deus é profundamente justo. Não há desvios nem preferências nas suas leis. Recebemos de acordo com o que fazemos. As nossas vibrações são resultado de nosso estado interior, são elas que vão proporcionar união com vibrações harmoniosas ou perturbadas, causando dor e angústia, ou felicidade. Conhecendo a Lei da Reencarnação, entendemos melhor a justiça divina. Compreendendo Deus, veremos que tudo o que Ele faz é justo, pois nada deve a ninguém. Tudo o que recebemos é graça e de graça, nada temos feito para ter crédito com Deus. Pois, por mais que façamos, é Dele o potencial, a capacidade e a oportunidade de agir. Se vivermos esta verdade, nunca passará por nossa mente a questão de Deus ser justo ou injusto."

Meu pai é meu mestre. Alegro-me muito aprendendo com ele.

Recuperação dos socorridos

Após a oração, começou o trabalho de desobsessão. Para nós, desencarnados, os trabalhos começam bem antes, tudo é muito bem organizado. É feita a lista dos desencarnados que vão ser orientados. E estes são trazidos do posto para o salão onde é feita a reunião. Eles ficam alguns metros acima dos encarnados. O forro e o telhado da construção material desaparecem para eles. Os trabalhadores desencarnados e eu vemos a parte material como se fosse um desenho que não atrapalha em nada. Tendo previsão de quantos médiuns virão, é feita a programação para que o trabalho tenha o melhor proveito possível. Muitos dos que vão receber a orientação por uma incorporação, ao verem o trabalho dedicado dos trabalhadores, ao escutarem as conversas edificantes, a leitura do *Evangelho* e sua explicação, já se sentem com vontade de mudar, e muitos nem precisam mais incorporar.

No sentido espiritual, para a alma em evolução, a vida material é um ambiente hostil. Justificamos, quase sempre, nossas falhas, levando em conta que a maioria age da mesma forma, alegando então que não somos santos e, assim, não podem exigir de nós uma maneira digna de agir. Dessa forma, criamos um vazio ou uma distância entre o que fazemos e o que deveríamos ter feito. É como o aluno que freqüenta a escola e não se aplica no exercício de ensino, e que, no final do ano, ao fazer as provas, pode ser reprovado. Quando um desencarnado depara com um encarnado que age dignamente, sem, entretanto, ser tachado de santo, o estímulo é imediato, a visão do fato dispensa comentários dele ou de quem quer que seja. Palavras ensinam, exemplos arrastam.

Mas a maioria dos socorridos necessitava de incorporação, como era o caso de Walter e de seus companheiros, que, agitados, sentiam falta da sensação das drogas e não conseguiam entender o que realmente estava acontecendo. Foram todos incorporados. Contarei a incorporação de Walter, porque foi muito importante para mim e Elisa.

Walter foi colocado perto da médium que lhe serviu de intérprete. Na simbiose da incorporação, há uma permuta entre os dois, desencarnado e encarnado. O médium sente os dramas do desencarnado, e este absorve parte do equilíbrio do médium. Isso o faz retornar um pouco à realidade. Mas Walter não conseguiu falar direito, só balbuciou algumas palavras:

"Natan... cocaína... preciso... socorro..."

Nos dois dias em que Walter ficou no posto, meu pai e a equipe desencarnada, principalmente a dos médicos interessados no socorro dos viciados desencarnados, estudaram um modo de orientar esses irmãos imprudentes e infelizes. Iriam testar um modo de ajudá-los, e todos os trabalhadores do centro estavam esperançosos, esperando resultados positivos.

Meu pai foi falando com ele, enquanto a equipe desencarnada reforçava o que lhe era dito. Acalmaram-no. Walter foi induzido a voltar no tempo, modificando seu perispírito. Sabemos bem que isso é possível. Os encarnados têm notícias desse processo por muitos livros. O perispírito é modificável, e há muitos que sabem fazê-lo. Vimos no livro *Libertação*, de André Luiz, psicografia de Francisco Cândido Xavier, um desencarnado das trevas modificar o perispírito de muitos, na sua cidade umbralina. Vemos sempre pelo Umbral desencarnados com aparência monstruosa, em vários casos modificada por eles mesmos, para melhor assustar. Sabemos também que muitos desencarnados modificaram seu perispírito para ficar com a aparência de outros, para enganar e mistificar. Conhece-se a árvore pelos frutos. Conhece-se o desencarnado por seus fluidos, e estes não são modificáveis. Nos planos espirituais elevados também se modifica o perispírito, seja a aparência dos bons, com a finalidade de ajudar, ou eles modificam de outros que, no momento, não têm por si mesmos como mudar. Recuperam os muitos socorridos de formas monstruosas, animalescas e deformadas, deixando-os perfeitos novamente. Também podem rejuvenescer e tomar a aparência de antigas encarnações. Os desencarnados bons só usam esse processo para ser úteis. Desencarnados que sabem mudam de aparência em qualquer lugar e por muitos motivos: os bons para ajudar; os maus e brincalhões para enganar, confundir e assustar. Porém continuam a ser os mesmos.

Com Walter foi usado esse processo. Foi feita uma regressão, até que ele ficasse com a aparência da idade de meses antes de começar a se drogar. Forçando mais um pouquinho, conseguiram, com êxito, fazê-lo se sentir mentalmente como estava na aparência. Walter tornou-se um garoto de quatorze anos, gorducho, rosado e de olhar esperto. Com a aparência física de quando era jovem, não foi difícil fazer com que assumisse a sua vida passada, mesmo porque no seu inconsciente havia um desejo enorme de fugir da sua atual situação. Consolidando seu equilíbrio, assumida estava a situação. O doutrinador tem que adquirir a confiança e a amizade do socorrido. Por meio de carinho e compreensão, convidaram-no para ver a vida de um amigo que muito errou e que precisava de auxílio – nesse caso, a dele mesmo. Então foram mostrando sua auto-escravização no vício e conseqüente sofrimento. Quase sempre, ao ter as primeiras visões do passado, já drogado, há também recusa instintiva daquelas atitudes, como também a recusa de que foi ele próprio que viveu determinadas passagens. O doutrinador deve insistir para que se concentre no personagem assistido. Em poucos instantes, ele se reconhece e começa a se desesperar e tentar assumir novamente seu estado anterior de drogado. Nesse momento é preciso muito esforço dos trabalhadores desencarnados para lhe manter o equilíbrio. O doutrinador deve ter autoridade direta sobre ele, mantendo-o no estado a que foi levado pela regressão, isto é, permanecer com a aparência física e mental de antes de se drogar. O doutrinador deve agir com muita autoridade, afeto e carinho, insistindo na sua recuperação. Com ele, Walter, que já havia sentido a harmonia do estado anterior, antes de se drogar, encontrou base para não se desesperar e assumir um novo equilíbrio, já na sua personalidade atual. Não se deve esquecer também que, durante todo o socorro, nesse processo, o equilíbrio do médium é fundamental, pois nesses momentos os dois agem como um só. Também o médium deve estar em sintonia com o doutrinador, respeitando-o e confiando na sua capacidade de dirigir os dois. Walter se analisou. Meu pai, como orientador encarnado, falou com ele, que passou a entender perfeitamente.

– Meu filho, você está numa reunião de amor e caridade. Aqui estamos tentando ajudá-lo para que seja livre. Estamos a lembrá-lo do que aconteceu, de fatos vividos por você. Você é um garoto sadio que foi experimentar drogas e a elas ficou preso. Recorde! Uma dose, a segunda, mais outra e veja como ficou. Desencarnado, você continuou, em espírito, ligado às drogas, porque a morte não nos liberta dos nossos vícios.

Walter ficou assustado. Lembrou-se de tudo, e lágrimas escorreram abundantes de seus olhos.

– Perdão, meu Deus! Perdão! – falou, emocionado. – Tenho horror em ver como fiquei! Não quero ser um trapo humano! Quero ficar assim, sadio e com raciocínio. Nunca mais me viciarei!

– Então aceita nosso auxílio? – indagou meu pai.

– Peço-o em nome de Deus! – falou Walter chorando.

– Será acolhido e orientado! – disse meu pai.

Walter foi tirado de perto da médium. Elisa pegou na sua mão e lhe disse com carinho:

– Walter, meu filho! Meu anjo!

– Mãe – disse ele. – Minha mãe!

Olhou para Elisa e não a reconheceu, mas sentiu que ela era, ou melhor, fora sua mãe. Elisa fora sua genitora na encarnação anterior.

– Sim, sou eu – disse Elisa –, sua mãe, Gertrudes.

Walter, cansado pelas emoções, adormeceu nos braços de Elisa, que se pôs a chorar baixinho de emoção e gratidão. Finalmente recuperara seu ente querido.

Esse processo tem êxito, recuperando desencarnados viciados. Tomando a forma perispiritual de antes de se viciar, tem-se força para dominar o vício. Alguns, nesses processos, não recordam o período de viciados, mas é bom que o façam para que saibam e entendam o tanto que sofreram. Todos os socorridos do Túnel Negro pediram ajuda e foram acolhidos, o tratamento continuaria. Todos foram levados a hospitais próprios, onde a ajuda psicológica seria a mais importante, juntamente com a evangelização.

Em algumas doutrinações, como a de Walter, pode acontecer de o socorrido ver tudo o que se passou com ele e não querer a ajuda oferecida, preferindo continuar no vício. A escolha é dele, todos nós temos o livre-arbítrio, a ser respeitado. Nesses casos, o doutrinador ainda deve argumentar, tentando ajudá-lo a se modificar. Recusado, deve ser deixado a agir como escolheu, ser retirado do local, do centro espírita. Nesse caso, sem o sustento de bons fluidos, volta logo ao seu estado deplorável de drogado. Será numa outra ocasião socorrido novamente e, quando estiver cansado das drogas, aceitará a ajuda oferecida.

Também o doutrinador deve ficar atento para não deixar o socorrido ter remorsos destrutivos, incentivando-o a ter esperanças de vida no futuro e reparar seus erros pelo trabalho útil e no bem.

Uma convidada desencarnada que assistia à reunião indagou a Maurício, que estava ao meu lado:

– Maurício, o drogado é responsável por todos os seus atos errados? Como, por exemplo, aquele rapaz que, ao discutir com sua mãe, a empurrou com força, levando-a a cair e bater com a cabeça e desencarnar. Agindo assim sob o efeito da droga, ele é culpado?

– A intenção de um ato errado é, muitas vezes, pior que o próprio ato – respondeu o interpelado. – Ele não teve a intenção, não queria a morte física de sua mãe. Mas foi ele a causa da desencarnação. É culpado. É muito difícil um drogado não saber que age erradamente e que poderá ter, por isso, acontecimentos trágicos em sua vida. Em todos os nossos atos é levada em conta a intenção. Notamos que esse rapaz tinha na sua memória esse fato, trazendo-lhe muitos sofrimentos. Vimos também que a recuperação total dos viciados sem outras faltas é mais fácil, o que não se pode dizer de outros que, junto com o vício, têm outros erros.

"Deve o encarnado pensar bem nisso, antes de seguir o caminho das drogas. Nas conseqüências tristes que advirão, como aconteceu a esse rapaz que, mesmo amando a mãe, foi a causa de sua desencarnação."

A reunião terminou após a oração feita pelos encarnados e orientadores desencarnados, que energizaram beneficamente todo o ambiente, e também pelas pessoas presentes.

Os encarnados conversavam trocando idéias, e os desencarnados trabalhadores do centro estavam contentes com o êxito da experiência. Todos os socorridos do Túnel Negro estavam relativamente bem. Elisa levaria Walter para a Colônia Perseverança, onde trabalhava. Minha amiga, desde que soube ser ele viciado em tóxicos, pediu para trabalhar na parte do hospital onde estão os internos que se recuperam das drogas. Agora iria também cuidar dele. Despediu-se de nós, agradecida, chegou perto de meu pai e agradeceu; ele sentiu uma vibração diferente, carinhosa, que só os gratos conseguem emitir, e sorriu em resposta.

Dois trabalhadores desencarnados do centro espírita ajudaram Elisa a transportar Walter, ainda adormecido, para a colônia. Os encarnados foram embora, os desencarnados socorridos foram levados para onde deveriam ir. Houve despedidas. Voltou a rotina no centro espírita, até a reunião seguinte.

Também voltei à colônia e aos meus afazeres. Porém, sabia que não ficaria assim. Natan já havia descoberto quem entrara nos seus domínios e, raivoso, queria, no seu modo de pensar, acertar contas.

Acompanhei os acontecimentos.

Natan

Procurei sempre que possível ir às reuniões para seguir os acontecimentos. Quando não podia, Artur, um dos orientadores do centro espírita, amigo de muitas encarnações de meu pai, me colocava a par da situação.

No Umbral, sabe-se de tudo quando se quer. Natan, ao voltar ao Túnel Negro na noite em que lá estivemos, ficou sabendo de tudo. Falaram-lhe que um grupo de desencarnados com um encarnado ali foram e tiraram todos da fortaleza, levando com eles os que quiseram.

Nada foi danificado com a nossa excursão ao Túnel Negro, só tiramos alguns desencarnados de lá. Como Elisa previu, Natan logo soube o nome do encarnado, onde morava, quem eram seus familiares e qual o centro espírita que freqüentava. Dois de seus servidores, ou seja, desencarnados ligados a ele no trabalho comum, foram observar meu pai e o centro espírita.

Na reunião seguinte do grupo foram os dois ao centro espírita levar um recado de Natan. Entraram como convidados, não se despojaram de suas armas e aguardaram o início da reunião em silêncio.

Um dos orientadores da casa lhes explicou como proceder no local. Querendo conversar por meio de uma incorporação, tiveram que aguardar na fila, e só seria permitida a comunicação deles no momento previsto. Um deles, ao observar tudo, curioso, conteve-se para não chorar, ao ouvir a explicação do *Evangelho* e as orações. Quando foram chamados para incorporar, pediu ao companheiro que o fizesse. O outro, desde que entrara no centro, estava quieto e, o tempo todo de cabeça baixa, esforçando-se para demonstrar que era educado, estava seguindo as ordens recebidas de Natan. Respondeu ao cumprimento de boa-noite, quando lhe foi dirigida a palavra, ao ficar perto de uma médium. Depois, assistido e influenciado pela mente de Natan, falou para o que viera, como se fosse o próprio, como se o chefe do Túnel Negro estivesse ali.

– Meu chefe, Natan, não gostou da invasão que fizeram nos seus domínios. Sofremos uma violação e exigimos reparação. Sabemos também que essa invasão foi para atender um pedido de sua filha desencarnada, e que ela estava junto. Não sei por que se interessam por imprestáveis, já que foram lá só para pegá-los.

– Por que chama os toxicômanos de imprestáveis? – meu pai indagou.

– São outra coisa? – respondeu ele rindo. – Nem raciocinam mais! Só servem para experiências. Drogados são fracos e inúteis. Não é à toa que, quando se quer vingar-se de alguns encarnados, incentiva-se-lhes o vício e, se eles tiverem tendência, perdem-se nos tóxicos, tornando-se completamente escravos das drogas e presas fáceis de seus vingadores. Viciados são fantoches, farrapos humanos. Natan não achou ruim terem levado de lá os imprestáveis. Irritou-se por terem entrado lá sem permissão.

– Se eu tivesse pedido permissão, ele deixaria? – indagou meu pai.

– Entrar lá, não! Mas lhe daria os imprestáveis – respondeu ele, rindo cinicamente.

– Daria mesmo? – insistiu meu pai, que conversava com ele como orientador encarnado da casa.

– Ora – respondeu ele –, não todos nem tantos, talvez lhe desse alguns. É nosso costume atormentar mais ainda os que são do interesse dos bons.

Fez uma pausa.

O que esse desencarnado falou, infelizmente, é o que costuma acontecer, porém nada é regra geral. Mas é o que ocorre normalmente. Notando que alguém que está em seus domínios é do interesse dos socorristas, querem saber o porquê e o torturam. Às vezes, fazem isso achando que, com esse ato maldoso, vingam-se dos interessados. É sempre feita com cautela a demonstração desse interesse. Após a pausa, em que ele observou bem o local, continuou a falar calmamente:

– Deixemos de conversas! Natan exige a devolução de todos e desculpas com pompas. Quer a reparação! Você e seus comparsas devem ir ao Umbral em horário marcado e, na frente dos convidados dele, devem se desculpar.

– Volte e diga a Natan que não quisemos afrontá-lo. Mas, por circunstâncias particulares e justas, tivemos que ir lá. Não lhe devolveremos nenhum dos que nos pediram abrigo e, infelizmente, não faremos o que ele quer.

Todos nós, presentes, tanto os encarnados freqüentadores quanto os desencarnados, sabíamos que Natan, por meio de uma ligação com o desencarnado que falava, estava vendo e ouvindo o que ocorria na reunião. Mas, como ele mandou recado, recebeu resposta para que o portador a levasse até ele. O desencarnado irritou-se com o que ouviu, porém controlou-se e respondeu:

– Quero deixar claro que ninguém estava lá obrigado. Se existiam alguns presos foi por não cumprirem obrigações. Vocês estão arrumando confusão. Vou embora e darei o recado.

Saiu de perto da médium. Esse desencarnado falou a verdade. No Túnel Negro ninguém permanecia nos seus domínios obrigado. Os viciados iam lá à procura da droga. Os toxicômanos submetem-se aos piores vexames e situações humilhantes para obter o objeto de seus vícios.

O outro que viera junto, o que observava tudo enquanto ele falava, chegou perto de um dos trabalhadores e pediu:

– Será que vocês não me abrigariam? Gostei daqui, quero ficar.

– Certamente que sim.

Ao se afastar da médium, o outro desencarnado procurou pelo amigo e o viu na fila dos que iam para a colônia, como socorridos. Olhou para ele e não falou nada. Saiu do centro espírita e foi cumprir a tarefa que lhe foi imposta por Natan.

Como era previsto, Natan não gostou da resposta. No dia seguinte, preparou os seus servidores direito, armou-os e ordenou que fossem ao centro espírita e o invadissem. Deu ordem para expulsarem todos que lá se encontravam e quebrar tudo. Ele não foi junto, ficou no Túnel Negro.

Artur, prevendo o ataque, organizou a defesa do posto e do centro espírita e aguardaram tranqüilos. Tentaram realmente invadir, mas, quando estavam perto, Artur e os companheiros saíram e foram se encontrar com eles, dominando-os pela força mental, imobilizando-os. Foram levados para o pátio, desarmados e depois foram todos encaminhados para dentro do posto, numa sala própria. Voltaram ao normal, e Artur conversou com eles. Prosearam durante horas. Puderam perguntar sobre tudo. Artur os esclareceu. Viram a colônia, pela tela, e lhes foram oferecidos socorro médico e abrigo. Depois, Artur abriu a porta da sala e disse:

– Saiam os que quiserem, só que irão sem as armas. Os que quiserem ficar conosco serão bem-vindos.

Muitos estavam indecisos. Se voltassem, seria como fracassados, não tendo cumprido a tarefa que lhes fora imposta. Temiam o chefe, mas gostavam da vida que levavam e não queriam mudar. Foram poucos os que gostaram do que lhes foi oferecido por Artur, em nome de todos os trabalhadores do centro. Muitos dos desencarnados que vagam pelo Umbral não têm idéia de outra forma de vida desencarnada e, ao conhecer, aceitam, querem essa mudança. Outros, indiferentes, querem mesmo é continuar como estão. Alguns ficaram na sala, a maioria saiu. Muitos destes foram para o Umbral, iriam vagar sem rumo, não tinham coragem de voltar ao Túnel Negro, temiam Natan. Outros, mais corajosos, voltaram para lá, e ficamos sabendo depois que não foram castigados. Os que permaneceram querendo socorro foram encaminhados para a colônia, para a Escola de Regeneração. Suas armas, feitas do mesmo material que constitui nosso perispírito, foram destruídas.

Natan mandou dois de seus servidores, de sua confiança, para ficarem perto de meu pai, e estes trouxeram outros dois desencarnados viciados, que foram induzidos a pensar que meu pai iria lhes dar drogas. Desencarnados viciados têm fluidos pesados e angustiantes. Artur levou os dois viciados para o posto do centro, onde receberam os primeiros socorros, sendo orientados na reunião seguinte, da mesma forma que Walter, e com o mesmo êxito. Artur fez um pequeno esquema especial de proteção aos médiuns e freqüentadores do centro, para que não fossem atingidos pelas vibrações dos seguidores de Natan, como também para as pessoas que cercam meu pai e os meus familiares. Os outros dois, meu genitor convidou-os para ficar com ele. Seguiram-no de perto, por dias.

Natan, vendo seus dois melhores seguidores em perigo, chamou-os de volta. O perigo era de que se convertessem. Meu pai ora, medita, lê e faz com que os desencarnados que estão junto dele escutem. Trata-os com bondade, porém com firmeza, e não aceita suas interferências. Apesar de isso cansá-lo muito, ele tem de estar vigilante vinte e quatro horas por dia. E essa pressão o tem feito crescer, porque esse "orai e vigiai" o faz estar em vibração maior, que atinge os desencarnados de forma diferente, levando-os a refletir e a pensar em Deus.

Natan veio encontrar-se com meu pai. Esperou-o à noite, perto do centro espírita, e deu recado a um dos guardas que queria falar com ele. Meu pai foi ao seu encontro.

– Você é um feiticeiro terrível! – disse Natan. – Não quero que nenhum dos meus companheiros seja influenciado por você. Quero uma reparação sua e tudo ficará por isso mesmo. Vá ao Túnel Negro e me peça desculpas. Abro mão do resto.

A palavra "feiticeiro" é dada para aquele que tem força mental e que tanto faz o bem como pode fazer o mal. E em tom de desprezo, querendo ofender, desencarnados que temporariamente estão seguindo o mal gostam de chamar meu pai assim, como também de indiano, porque ele, em muitas encarnações, teve a Índia como berço.

– Você tem me observado – respondeu meu pai –, deve saber que, sempre que erro, peço perdão de coração. Não é por orgulho que não lhe peço, pois não sou orgulhoso. Levo muito a sério o ato de me desculpar. Quando o faço, é porque entendo que errei e procuro não me desculpar pela segunda vez pelo mesmo ato. Isso porque, reconhecendo meu erro, me esforço para não errar mais. Não me arrependi por ter ido ao Túnel Negro e libertado não só o desencarnado, que foi o motivo do socorro, mas todos os que quiseram nosso auxílio. Faria de novo; por isso, em respeito a você, não posso me desculpar.

Para nos reconciliarmos com alguém, mesmo não sendo culpado, não nos custa pedir desculpas. Meu pai, com essa atitude, estava querendo ajudar Natan. Tentava fazer com que esse espírito se voltasse para Deus.

– Atormentarei você! – exclamou ele.

– É um direito seu – respondeu meu pai. – Convido-o a ficar comigo[16]. Só que eu também tenho direitos. Você tentará me atormentar, me atingir, eu me esforçarei para não receber sua influência negativa, como também tentarei transmitir-lhe as minhas sugestões. Terá que me escutar! Será só entre nós dois. O mais forte irá influenciar o outro. E o mais forte será aquele que tiver sua vida, seus pensamentos e suas atitudes baseados na verdade. Que essa verdade não seja produto de nossos desejos, esperança ou ambição, mas, sim, independente do tempo e do espaço.

– Não sou de fugir de desafio. Vou agora ao Túnel Negro tomar umas providências e voltarei. Aguarde-me!

– Não o estou desafiando. Será um prazer conviver com você! Vamos aprender muito um com o outro.

16. Anteriormente, o sr. José Carlos havia convidado dois espíritos para ficarem ao seu lado e agora convidou Natan. Para fazer isso é necessário ter muito conhecimento e boa moral. Alerto os encarnados para não agirem assim sem o preparo devido. (N.A.E.)

Natan afastou-se, já havia perdido muitos dos seus seguidores e achou que só ele estaria apto a dar uma lição merecida no encarnado que, em sua opinião, o desafiara. Natan estava com raiva de todos do grupo, mas, com os desencarnados, sabia por antecipação que não podia com eles. Com meu pai era diferente, ele estava na carne, sujeito a muitos condicionamentos e melindres devido às necessidades e funções do corpo físico, sendo, assim, mais fácil de atingir e prejudicar. Natan achou que, atingindo o encarnado, atingiria todo o grupo. Organizou tudo para que o Túnel Negro continuasse a funcionar sem ele. No outro dia, foi ao encontro de meu pai e o acompanhou de perto. Meu genitor continuou com sua vida normal de trabalhador nos planos físico e espiritual. Natan não ficou sendo obsessor de meu pai talvez curioso e com raiva no momento, quis conhecer como era o dia-a-dia de uma pessoa tão diferente das com que convivera.

Natan pressionava meu pai. Forçava-o a pensar em coisas mundanas para que baixasse a vibração. Meu pai pensava em coisas superiores e forçava Natan a pensar as mesmas coisas. Ele sentia no pensamento as sugestões e desejos mundanos, porém mostrava mentalmente a Natan a estupidez e a mediocridade daqueles que usam as necessidades e funções do mundo físico como fins de suas existências. À noite, meu pai, desligado do corpo físico, ia para seu trabalho e Natan ia junto. Encaminhava-se ao posto do centro, cuidava dos doentes, conversava com os socorridos, e ele ao seu lado. E foi assim por muito tempo, até que Natan começou a se interessar pelo trabalho realizado no posto e começou a falar de si. Atenciosamente meu pai o escutou.

Natan foi médico, quando encarnado. Querendo enriquecer, usou a medicina somente como profissão para ganhar dinheiro. O trabalhador faz jus ao seu salário, mas nenhuma profissão deve só visar ao lucro material, mas sim fazer por meio dela todo o bem possível. Médicos lidam com dores e devem ser mais humanitários. Trabalhar, sim, pelo sustento material, mas não esquecer de fazer aos outros o que queria que lhe fizessem. Natan fez muitos abortos, dava receitas de remédios proibidos, desde que lhe pagassem a consulta. Mas a desencarnação chegou, e ele se viu diante de muitos inimigos que queriam vingança. A desencarnação o apavorou demais, primeiro porque era ateu, segundo porque aquele bando o atormentava sem poder destruí-lo. Queriam vingar-se por tê-los impedido de reencarnar e outros por não terem sido atendidos porque não podiam remunerá-lo. Estava irado quando foi tirado de seus perseguidores. Uns desencarnados, moradores de uma cidade umbralina, vieram e o levaram. O chefe dessa cidade sabia quem era ele, mas deixou que sofresse por uns tempos para que ficasse lhe devendo obrigação. Natan não é o nome verdadeiro dele, escolheu esse cognome tempos depois, talvez para impor mais respeito a seus inferiores. Levado à cidade umbralina, o chefe conversou com ele e lhe ofereceu abrigo em troca de seu trabalho como médico. Natan não era ocioso, sempre foi trabalhador. Aceitou, aliviado por ficar livre do bando que o perseguia, e aprendeu muitas maldades. O chefe desse local, querendo organizar um lugar especializado em tóxicos, fundou o Túnel Negro e o colocou para administrá-lo. Com o passar dos anos, o chefe se desinteressou pelo lugar e Natan ficou sendo o senhor absoluto.

De fato, o Túnel Negro não força ninguém a ficar lá nem seus moradores saem à procura de desencarnados para irem lá. São os viciados desencarnados que lá vão em busca das drogas. Só que, depois de serem abrigados, têm que seguir as normas da casa e trabalhar para eles. Existem muitos lugares, abrigos, cidades no Umbral, para onde muitos desencarnados viciados são levados obrigados e lá permanecem como prisioneiros. Como também há outros lugares, como o Túnel Negro, para onde os desencarnados não são obrigados a ir e nem a permanecer. São lugares de livre acesso. Mas Natan era insatisfeito e isso lhe doía e o atormentava.

Houve troca de fluidos entre eles. Meu pai começou a sentir os de Natan, sentindo doer por dentro. Era um vazio profundo. Um dia meu pai estava meditando e Natan estava perto; meu genitor disse a ele:

– Natan, é falta de Deus! É a ausência do Pai em você que lhe dói. Você era ateu. Não pode dizer agora que ainda o é. Por que você não se aproxima do Pai?

Natan não respondeu e se afastou. Depois de meses, era a primeira vez que se afastava. Recolheu-se num canto no Umbral e pôs-se a pensar. No dia da reunião, quase no horário de começar, ele entrou no centro, pediu licença e se colocou na fila dos que iam receber orientação pela incorporação. Estava diferente, sem seus colares e suas armas.

Na sua vez de se comunicar, aproximou-se educadamente de uma médium, cumprimentou meu pai e disse:

– Você me venceu!

– Não! Você, Natan, não lutou comigo. Mas lutou consigo mesmo. Era a ausência de Deus que o atormentava. Você era infeliz, e o convidamos a aprender a ser feliz. Fico contente por você querer mudar. Gosto de você! Venha viver uma vida digna de um espírito.

– Quero ser seu amigo! – exclamou Natan emocionado.

– Sejamos então amigos! Preciso muito de amigos.

Natan foi levado para a Escola de Regeneração. Após ter feito o curso, foi trabalhar num posto de socorro do Umbral, onde exerce seus conhecimentos de medicina, em socorro aos necessitados. Sempre que pode vai visitar meu pai e assistir às reuniões. Trabalha muito. Artur, sempre que o vê, costuma dizer de forma carinhosa:

"Ama muito, porque foi muito perdoado!"

Artur fez uma modificação do texto do *Evangelho de Lucas,* VII:47: "São lhe perdoados muitos pecados, porque muito amou".

O médico nazista

Quando fomos assistir à recuperação de Walter, na reunião do centro espírita, defrontamos com um caso muito interessante que me chamou a atenção, e acompanhei o desenrolar do drama.

Estávamos aguardando o início, quando vimos chegar três encarnados: um casal com sua filha adotiva. O casal, principalmente a senhora, queixou-se que a mocinha, a filha, continuava tendo suas crises.

Artur me explicou que Joana, assim se chamava a jovem, era médium e estava sendo obsediada por alguns desencarnados que haviam sido suas vítimas no passado. Tinha crises em qualquer hora e lugar. Estava procurando meu pai, em horários inoportunos, para lhe dar passes, porque só assim se acalmava.

Minha mãe foi sentar-se ao lado dela, porque, conforme me explicaram, logo que entrava no centro, começavam suas crises. Minha mãe tinha que fazer força para segurá-la. Seus obsessores possuíam sobre ela o domínio psíquico, mesmo a distância. Eles queriam que sofresse, pois ela os havia prejudicado.

Gosto muito de ver minha mãe, amamo-nos muito. É a pessoa de quem mais gosto e, sempre que me é possível, vou vê-la, ficar ao seu lado me é prazeroso.

Joana é uma mulata forte, de olhar malicioso, demonstrando não estar a fim nem de orar, nem de melhorar. Ali estava por imposição dos pais e para ficar livre de suas crises, que considerava ridículas e que lhe faziam passar vergonha. O obsessor-chefe era inteligente e sutil. Como ela tem a natureza maldosa, ele passou a incentivá-la a fazer uso da maldade, chegando a ponto de incorporar e tentar matar a mãe e o pai. Fazia com que descuidasse completamente da disciplina pessoal e dos compromissos próprios de sua idade, para envolvê-la no seu ardil. O desencarnado dava-lhe conhecimentos do passado das pessoas para que ela dominasse as mais fracas que a cercavam.

Quando seus pais a convidaram para ir até a casa de meu pai, o obsessor aceitou, porque confiava que iria dominar qualquer encarnado com que defrontasse, sentindo-se, assim, mais forte no seu orgulho e pretensão. Vencidos os primeiros embates, o obsessor sentiu-se admirado pela força que desconhecia e quis aprender com eles, com o grupo do centro, não para melhorar, mas para ficar mais poderoso.

Artur me pôs a par dos acontecimentos. Joana, em sua encarnação anterior, fora um médico nazista e fizera muitas maldades e experiências com os judeus. Reencarnou longe da Alemanha, num corpo feminino e mulato, mas mesmo assim foi encontrada pelos que não a perdoaram. Sabiam que ela comparecia ao centro para se livrar deles, os obsessores. Sorrindo, com seu modo agradável, Artur comentou:

– Patrícia, seu pai, por ajudá-la, está sofrendo com o rancor desses obsessores. Mesmo assim, está ajudando essa mocinha, embora sabendo que ela não gosta daqui nem dele e que, assim que se sentir liberta desses desencarnados, não voltará mais. Socorremos para mostrar aos encarnados a força espiritual de que dispõe um centro espírita, desde que trabalhe em prol do bem comum e também porque vieram pedir ajuda.

Prestamos atenção na orientação que meu pai deu aos três encarnados: pai, mãe e filha.

– Ficamos livres do nosso passado trabalhando no bem, no presente. Para ficarmos livres de obsessores, devemos pedir perdão, perdoar e nos harmonizar com as leis divinas. Devemos entender que os desencarnados têm seus motivos para perseguir os encarnados, devemos entendê-los e tentar amá-los. Eles também necessitam de ajuda. Para não sermos atingidos pelos obsessores, devemos mudar nossa vibração, sair da faixa mental deles, isto é, pensar em coisas boas e superiores e agir de modo digno. Trabalhar no bem e amar muito. Vocês, aqui, estão em busca de auxílio, porém devem ajudar a si mesmos. Certamente, quando você se sentir bem, não voltará mais aqui. Porém, quero lhe dizer uma coisa: você, Joana, é médium, necessita aprender a lidar com sua mediunidade e trabalhar muito para o bem, para viver tranqüila, sem essas crises. Mas, se você se afastar do centro espírita e não se modificar, essa situação que vive agora voltará. Porque os centros espíritas estão mais bem preparados para ajudar nos casos de obsessão, ensinando a lidar com a mediunidade para o bem, e neles ouvirá ensinamentos que a ajudarão em sua renovação interior.

Joana não gostou muito do que ouviu, mas ficou quieta.

Quando começou o trabalho de desobsessão, três dos que a estavam obsediando se comunicaram. Os três foram judeus, ou ainda eram, pois o fator raça era ainda forte neles. Eram dois homens e uma mulher. O primeiro estava sem um braço e sem o olho esquerdo. Cumprimentou-os mal-humorado, não queria conversar com ninguém, foi para perto do médium contra sua vontade e falou com raiva:

– Por que interferem em algo justo? Embora tenham outra religião, vocês amam a Deus. Nunca tinha ouvido falar de religião desse jeito. Oram, dizem fazer o bem, conversam com os mortos, mas ajudam os criminosos. Isso não está certo. Por que o ajudam, a esse monstro sanguinário?

O desencarnado desconhecia o Espiritismo, estranhou o intercâmbio mediúnico. Desconhecia que para o Espiritismo todos somos filhos de Deus e irmãos uns dos outros.

– Se eu lhe disser que o que queremos é ajudar você... – disse meu pai, e foi interrompido por ele.

– Ah, mas por que não nos avisaram logo que querem se unir a nós? Quanto mais, melhor!

– Você não entendeu, queremos ajudá-lo a se recuperar, a tornar-se sadio, a viver de modo digno, num lugar propício.

– Quem lhe falou que quero ser sadio? – indagou nervoso. – Já me propuseram isso uma vez e não aceitei. Quero ficar como ele me deixou, para ter sempre motivo para odiá-lo.

– Você sofre e faz sofrer – disse meu pai.

– Nem começamos. É melhor dizer: sofremos e faremos sofrer mais – respondeu ele.

– Não vale a pena! Você já pesquisou por que sofreu assim? Se sabe que continuamos a viver após a morte do corpo, que reencarnamos, por que o está perseguindo em outro corpo? Então sabe que viveu encarnado outras vezes. Vamos, irmão, recordar seu passado?

A equipe desencarnada, já pronta, colocou à sua frente a tela, que é como na região chamam esse aparelho. Ele é chamado de muitas formas, há algumas diferenças de um local para outro, mas é o mesmo e muito útil. Esse desencarnado, na encarnação anterior, também como judeu, havia numa guerra trucidado muitas pessoas, entre elas jovens e crianças. Ao recordar, deu gritos alucinantes, mas o médium, treinado, só gemeu. Isso porque não necessitava gritar. Esse desencarnado foi acalmado e com dificuldade voltou a falar.

– Olho por olho...

– Não, meu amigo – disse meu pai. – É a lei do retorno: você plantou, você colheu. Você não precisaria sofrer isso se tivesse entendido a lei do amor e feito o bem.

– Ela também colherá pelo que fez? Pelo que entendi, se ela não fizer o bem, sofrerá o que fez sofrer. Você não irá conseguir fazer dela uma pessoa boa. Que será dela?

– Deixe-a, irmão, deixe-a! Cuide de você. Vamos recuperá-lo, pense em Deus. O Pai é bondoso e nos ama.

A equipe médica entrou em ação, com os fluidos doados pelos encarnados e também pela vontade dele, que agora queria tornar-se sadio. O braço faltoso ficou perfeito, como também o olho.

– Perdoe, irmão, para ser perdoado!

– Como não perdoar, se devo tanto? Perdôo e peço perdão a Deus. Queria ir para o plano espiritual de minha terra.

– Atenderemos a seu pedido.

Ele saiu de perto do médium e passou para outra fila, a dos que iam para a colônia. Após a reunião, seria levado à Colônia São Sebastião por uns dias e, depois, seria transferido para onde quisesse. Uma equipe da colônia o levaria.

Normalmente reencarnamos entre muitas raças, para aprender a amar todas. Mas, sem ser regra geral, alguns judeus mais radicais ainda têm preferido vir sempre como judeus, que esperam o Messias, pois se julgam os filhos de Deus, o povo de Deus, e são, realmente, como todos nós. Não somos privilegiados pela raça. Esses desencarnados, totalizando onze, estavam há algum tempo no plano espiritual do Brasil, à procura, para se vingar, desse espírito que fora um médico nazista. Já começavam a dominar o idioma português. O médium que o recebeu, sempre consciente, não precisou falar com sotaque, porque transmite o pensamento do outro nestes casos, sentem mais do que propriamente repetem o que escutam. A mediunidade, quando trabalhada, é maravilhosa. Assim ele, judeu, transmitiu pensamentos que o médium traduziu em palavras.

O outro judeu foi incorporado em outra médium e doutrinado por um dos membros encarnados do grupo. Lídia conversou com ele e o fez entender a necessidade de perdoar e seguir seu caminho. Ele, porém, quis ficar no plano espiritual do Brasil e, quando fosse reencarnar, queria que fosse aqui. Não queria mais ser judeu, porque, segundo comentou, os judeus sofriam muito. Normalmente esses pedidos são atendidos, porém são levados ao departamento próprio da colônia, onde é estudado cada caso.

A mulher incorporou. Parecia fria, porém, sentindo o afeto dos trabalhadores da casa, encarnados e desencarnados, segurou-se para não chorar e disse com voz comovida:

– Não sou má, ele, sim, é maldoso! Esconde-se em outro corpo, mas é ele. Pensa você que ela é boa? Não! "Nos" enfrenta e, se pudesse, nos faria sofrer tudo novamente. Você acha que é por obsediá-lo que somos maus? Somos vítimas! Vou falar o que ele fez comigo e, então, me dará razão.

Fez uma pausa como se criasse coragem para recordar e começou:

– Estava casada e feliz, tínhamos uma pequena fortuna e dois filhos lindos. Quando a Segunda Guerra Mundial começou, nos apavoramos, porque sabíamos muito bem que os alemães perseguiam os judeus. Meu esposo alistou-se no exército, na tentativa de impedir que os alemães tomassem o país em que vivíamos. Desencarnou lutando. Quando houve a invasão alemã em nossa cidade, fomos presos e nossos bens, confiscados. Da prisão partimos para o campo de concentração. Sofremos muito: frio, fome e humilhações. Nesse campo havia um laboratório onde esse médico medonho e outros faziam experiências ou simplesmente torturavam os prisioneiros pelo prazer de vê-los sofrer.

"Vendo meus filhos chorarem de fome e frio, vivendo com muito desconforto, resolvi pedir clemência. Disse a um soldado que queria falar com o comandante. Para minha surpresa, ele me atendeu e me levou à sua sala. Quem me recebeu foi ele, o médico nazista, que me olhou de cima a baixo e me indagou:

"'Então, judia, o que reivindica?'

"Pensando que ele iria me ajudar, falei rápido para não perder a coragem:

"'Por favor, senhor, aqui estou com meus dois filhos pequenos, passamos fome e frio.'

"'Se você se entregar a mim, intercederei por vocês' – disse rindo.

"Sempre fui muito direita, fiel ao meu esposo. Pelos meus filhos, aceitei a proposta indecente. Depois, quando pensei que fosse me dar o privilégio que aguardava esperançosa, ele mandou que um soldado fosse buscar meus filhos. Achei que pela felicidade dos meus teria valido o sacrifício, quando meus dois filhos chegaram assustados e correram ao meu encontro. O mais velho estava com quase sete anos e o outro, com quatro. Gelei quando ouvi a ordem:

"'Leve-os ao laboratório!'

"Era no mesmo prédio, na sala ao lado. Cada soldado pegou um de nós e para lá fomos arrastados. Amarraram-me fortemente numa cadeira, e ele, cínico, me olhou sorrindo:

"'Idiota! Judia imbecil! Pensou que eu iria me encantar por você? Verá para que serviu sua astúcia em me pedir auxílio.'

"Pedi a ele, por piedade, pelo amor de Deus, que fizesse o que quisesse comigo, mas que não judiasse dos meus filhos. Ele ria. O que ele me fez ver foi horrível. Torturou meus filhos, cortou-os em pedaços até que desencarnaram. Eles gritavam apavorados, olhando para mim. Eu gritava também. Quando os dois desencarnaram, veio me torturar. Começou extraindo minhas unhas. Fiquei alucinada e, aí, perdi o controle, pois a dor era demais. Ele não me torturou muito, desencarnei, meu coração não agüentou. Fui socorrida e fiquei muito tempo louca. Quando voltei ao normal, me falaram da possibilidade de vingança. Quis com todas as minhas forças me vingar."

Faço uma pausa na narrativa dessa desencarnada para algumas explicações. Nos campos de concentração, como em qualquer lugar de extermínio humano, há muitos socorristas, como também há muitos desencarnados que agravam os acontecimentos. Mas também costumam ficar outras vítimas a socorrer outras. Essa senhora foi socorrida por outros judeus que ali desencarnaram. Ela não foi socorrida por espíritos bons, porque estava com muito ódio. As crianças e aqueles que perdoavam eram levados às colônias ou a lugares de socorro. Os que eram vítimas, tanto quanto ela, a socorreram, levando-a para um pequeno abrigo no campo de concentração, no plano espiritual e, quando ela aparentemente estava melhor, foi convidada a se vingar. Como é triste a guerra, quantas atrocidades se cometem. Vamos desejar a paz, vamos nos esforçar para ter paz, começando tendo tolerância e concórdia com os que nos cercam. A paz começa em pequeno círculo e, se a cultivarmos, vai se ampliando e atingindo outros. Aumentando sempre, um dia teremos a paz por toda a Terra. E fatos como esse, muito tristes, ficarão na história sem a possibilidade de repetição.

A senhora, emocionada, continuou a falar.

– Ficamos perto dele sem, contudo, conseguir nossos propósitos. Ele ficava mais nervoso e descontava nos prisioneiros. Mas a desencarnação chegou para ele, foi atingido por uma granada. Desencarnou sofrendo muito. Aí, sim, nos vingamos. Nós o perseguíamos por onde ia, e ele vagava urrando pelo Umbral. Até que se pôs a gritar por socorro e sumiu da nossa frente. Vim a saber que desencarnados bons o tinham levado para ajudá-lo. Nós não fomos socorridos, não queríamos, nosso objetivo era fazê-lo sofrer. Durante esse tempo, muitos desencarnados bons conversaram conosco, aconselhando-nos a desistir. Escutamos somente nossos afins. Muitos do grupo desistiram e foram embora. Ninguém se esconde de seus erros nem dos que não o perdoaram. Enquanto esperávamos, aprendemos como nos vingar. Anos se passaram e viemos a descobri-lo. Agora querem que eu desista? Por acaso aqui há mães e pais? Será que podem imaginar o que é ver o que eu vi? Sofrer o que sofri? Dá para imaginar ver seus filhos amarrados, gritando de dor e desespero? Odeio-o! Odeio-o!

Fez-se um silêncio total. Todos os desencarnados prestaram atenção, muitos, ao ouvi-la, conseguiram ver suas lembranças. Alguns choraram. Os encarnados também se comoveram. Ela sentiu os fluidos de amor e compaixão de todos. Uma das trabalhadoras desencarnadas da casa aproximou-se dela, abraçou-a e falou emocionada:

– Minha filha, pare de sofrer! Por favor, recomece sua vida. Também sou mãe e entendo seu sofrimento. Compreendo seu desejo de vingança, porém lhe digo que esse desejo vai perpetuar seu sofrimento. Venha para junto de seus amados. Não sofra mais! Chega! Perdoe e venha conosco. Amarei você como a uma filha! Venha!

– Minha irmã! – falou meu pai. – Se ele reencarnou, por que você parou no tempo só para se vingar? Por que não recomeça e tenta ser feliz? Devemos esquecer todos os momentos que nos foram cruéis e só lembrá-los para tirarmos lições. É bem melhor recordar só os bons momentos. Você é infeliz! Recordando sempre esse fato, prolonga mais seu sofrimento. Você acredita em Deus e, se Ele nos perdoa, por que você não perdoa o próximo? Sabe que nada que acontece fica escondido ou impune. Deixe ele, agora ela, em seu novo corpo, e cuide de você. Perdoe para ser perdoada!

– Quero esquecer! Esquecer!...

Aninhou-se nos braços da trabalhadora da casa, que a abraçou. Foi levada adormecida para a colônia. A reunião terminou com todos comovidos pelo sofrimento daquela senhora, e eram muitas as orações em seu favor. Emocionei-me também, acompanhei suas lembranças, foram realmente cenas de horror.

Talvez vocês, ao lerem, pensem que retrato muitas tristezas neste livro. É que as tristezas e as alegrias existem e devemos ser realistas. Devemos tirar de fatos tristes lições preciosas que nos ajudarão a nos impulsionar com otimismo para o caminho do bem e para a felicidade. Precisamos, ao tomar conhecimento de fatos assim, entender ambas as partes e ajudar sem condenar. Devemos ser alegres, sou alegre, passo minha alegria aos que me rodeiam. A alegria nos fortalece, nos anima e nos dá compreensão da dor do próximo.

Aquela senhora foi internada num hospital da colônia, onde recebeu, por tempos, tratamento, carinho e ensinamentos. A equipe da colônia encontrou seus dois filhos e esposo encarnados na Europa e a levou para vê-los. Estavam os três bem. Depois de algum tempo, ela pediu para ser transferida para a colônia, no plano espiritual, onde estão seus entes queridos. Estando bem melhor e com planos para reencarnar, porque só assim esqueceria tanto sofrimento, foi transferida. Despedi-me dela, desejando-lhe boa sorte.

Mas ainda faltavam oito obsessores. Foram sete orientados e ajudados nas reuniões seguintes. Cada um deles, uma história triste. Desses onze que estavam com Joana, querendo se vingar, dez foram socorridos e só um pediu para trabalhar no plano espiritual. O restante pediu para reencarnar, queriam, por misericórdia, o esquecimento. Foram todos atendidos.

Mas o chefe desses dez desencarnados, de nome Josef, era um judeu rude que, logo que viu os três primeiros irem embora, voltou-se furioso contra meu pai. Como sempre acontece, ele sentiu a pressão de Josef e também tentou orientá-lo.

Artur soube que esse grupo tinha seu núcleo na Europa e foi para lá, para conversar com eles. Eram vingadores dos criminosos de guerra, que se intitulam "Os Ofendidos da Guerra". São muitos os grupos, todos unidos entre si. Artur pediu uma audiência com o chefe, um judeu de muitos conhecimentos.

Após cumprimentos, Artur nos contou que esse chefe tinha total conhecimento do que acontecia com seus subordinados, junto a Joana, e não deixou que ele, Artur, falasse muito. Citava com exatidão trechos do *Antigo Testamento*. Sabia a *Bíblia* quase que de cor. Falava de muitas passagens para justificar a vingança.

– É olho por olho, dente por dente! – falou, demonstrando calma.

Artur replicou com os ensinamentos de Jesus. Ele disse não acreditar num profeta que se deixou matar. Mas, após alguns minutos de conversa, confessou que reconhecia a força e a presteza dos trabalhadores de Jesus. Artur lhe pediu que parasse de se vingar; ele riu, mas aquietou por momentos e, após, falou decidido:

– Não é do nosso interesse nos defrontarmos com ninguém. Temos tempo. Vou suspender a vingança por enquanto. Chamarei Josef, o único que ficou e que é forte nos seus objetivos. Só que o aviso: teremos outra oportunidade. O mais difícil, conseguimos. Sabemos onde ele está, que se esconde num corpo de mulher quase negra. É castigo para ele, orgulhoso de sua raça, ter sido loiro e rico, e agora ser quase pobre, mulher, mulata e filha adotiva. Acharemos outros que o odeiam. Ele certamente não ficará para sempre na guarda de vocês, porque não mudou muito.

De fato, Josef foi embora e Joana ficou livre dos seus obsessores, não, porém, de seus erros. Meu pai chamou-a e a seus pais para uma conversa.

– Vocês vieram à procura de ajuda espiritual e a receberam. Analisem o ocorrido e tirem boas lições de tudo o que lhes aconteceu. Esses fatos são, em parte, conseqüência do passado e o resultado de uma maneira de viver sem esforço de melhoria íntima. Você, Joana, está com sua sensibilidade completamente aflorada, isso quer dizer que você tem a porta aberta para receber influência do mundo astral, sem, entretanto, poder disciplina-la. Irá ter influência e sintonia boas por meio de boas atitudes e de bons propósitos. E muito mais dos maus, se se descuidar do seu aprimoramento espiritual. Se você se afastar do bem, da oração sincera, e não se esforçar para mudar para melhor, não podemos nos responsabilizar pelos acontecimentos futuros. Afastando-se do centro espírita, tudo pelo que passaram certamente se repetirá.

Joana não estava preocupada com o aprimoramento espiritual. Queria era força e poder. Queria dominar. Indagou a meu pai:

– Sr. José Carlos, posso aprender com o senhor?

– Claro que pode. Deve!

– Vou ter essa força que o senhor tem?

– Poderá ter esta e muito mais. Mas, para isso, deve primeiramente se educar na boa conduta e fazer por merecer a companhia desses trabalhadores desencarnados que convivem conosco. Mude para melhor e queira com vontade fazer o bem. Agindo assim aprenderá, e muito.

Joana não respondeu. Sentindo-se melhor, afastou-se. A mãe ainda voltou outras vezes, mas também se afastou. Artur me disse:

– Patrícia, nesse socorro, ajudamos mais os desencarnados que essa mocinha. Ela, agora, corre de seu pai. Se o vê de longe, se afasta para nem cumprimentá-lo. A figura dele a faz recordar os ensinamentos que escutou e que quer esquecer.

– Como ficará ela? – indaguei.

– Vamos aguardar para ver. Os erros, Patrícia, não os jogamos fora, eles nos pertencem, e um dia a reação virá. Quando o grupo de vingadores perceber que ela não está mais sob a proteção dos bons, voltará, talvez, como tenho visto, com mais sutileza e cautela. Ela, não vindo aqui nem indo a outro grupo, não estará vinculada a uma proteção e, como não faz por merecer nenhuma ajuda, será fácil eles voltarem e se vingarem. Ele, o médico nazista, já foi socorrido quando estava no Umbral com aqueles que queriam se vingar, sendo levado na ocasião para um posto de socorro, e logo em seguida reencarnou.

Socorro não quer dizer que o indivíduo mudou, pode receber orientação, mas para mudar é necessário uma transformação interior muito grande.

Fiquei a pensar como a crueldade faz mal ao cruel. Quanta imprudência em cometer erros. E a reação desses erros reajusta no caminho. Como Deus é misericordioso, dando-nos outras oportunidades.

Ao findar esta narrativa, concluí que todos nós, encarnados e desencarnados, temos uma versão diferente para um fato ocorrido. Que todos nós temos que aprender a amar, a ser úteis para termos paz e sermos felizes. E que a alegria interna virá quando superarmos nossos traumas íntimos e ajudarmos outros a fazê-lo. Alegria!

A história de Elisa

Numa das minhas folgas, fui visitar Elisa. Queria rever minha amiga e tinha muito interesse em acompanhar a recuperação de Walter. O desequilíbrio psíquico causado pelo uso das drogas traumatiza de forma profunda o perispírito do usuário. Atualmente, esse vício atinge boa parte dos nossos jovens encarnados, trazendo a morte corporal deles e levando-os a voltar à espiritualidade com muitas mazelas. O caso de Walter era de meu particular interesse, pelo socorro do qual participei e pelo muito que aprendi. Marquei encontro em meu horário livre, de lazer, coincidindo com o de Elisa, para podermos conversar trocando idéias. Gosto muito de diálogos edificantes. Ela esperava-me na portaria do hospital onde, no momento, trabalhava e onde Walter estava internado. Alegramo-nos por nos ver.

– Patrícia! – exclamou Elisa, feliz. – Programava ir vê-la. Que bom tê-la conosco! Quero agradecer-lhe. Foi muito atenciosa conosco.

Sorri em resposta, e como boa cicerone, minha amiga acompanhou-me para conhecer o hospital.

Quase todas as colônias têm um hospital próprio para viciados em álcool, tabagismo e tóxico. Em algumas outras colônias, esses doentes ficam em alas separadas, em hospitais tradicionais.

Na Colônia Perseverança, esse hospital é separado, grande e com muitos trabalhadores dedicados que ajudam na recuperação dos desencarnados viciados[17]. Lugar calmo, com muitos jardins, salões para palestras e encontros; suas principais terapias são o trabalho, a música e o teatro. São muitas as enfermarias, separadas em alas masculinas e femininas e pelo tipo de vício que o interno possui.

Primeiramente, vimos a parte central onde estão as salas de orientações, os alojamentos de seus trabalhadores, a biblioteca e os salões. Após, Elisa me levou para conhecer o atendimento aos desencarnados que, no corpo físico, foram fumantes. Estes, se tinham só esse vício, não ficam internados, só vêm ao hospital para serem ajudados a se libertar da vontade de fumar. Só em casos raros é que um ex-fumante se interna, só se ele pedir, mesmo assim é sempre por pouco tempo. Intoxica-se muito o perispírito com o tabagismo. Nessa parte é dado um tratamento para que se liberte da dependência. O ex-fumante recebe conhecimentos sobre o assunto, orientação e apoio que o ajudarão a vencer essa dependência. Mas só o conseguirá se, reencarnado, tendo oportunidade, não fumar. Ressalvo o termo oportunidade, porque, se encarnado, por algum motivo, não puder fumar, não quer dizer que poderá ou não fazê-lo. Isso ocorre com todos os vícios, só podemos dizer que os vencemos quando temos oportunidade de voltar a eles e os repelirmos.

A ala dos alcoólatras é grande. O álcool danifica o cérebro e o aparelho digestivo, e são muitos os doentes a se recuperar em vários estágios nessa parte do hospital. Os internos, quando melhoram, assistem a muitas aulas, fazem terapia de grupo e avaliam todos os acontecimentos por que passaram, decorrentes do vício, e as oportunidades de melhora oferecidas.

---

17. Muitos desencarnados estão tão agarrados à matéria que se sentem por muito tempo como encarnados, daí a minha referência a "desencarnados viciados". (N.A.E.)

A parte que nos interessava era a que Elisa se dedicava, com todo o carinho, à ala dos toxicômanos. Essa ala, desse hospital e dos hospitais de todas as outras colônias, tem sido ultimamente ampliada, pois infelizmente são muitos os imprudentes que desencarnam vítimas das drogas, direta ou indiretamente. Os que estão ali socorridos têm aspecto bem melhor do que os que vagam ou os que estão no Umbral. São separados pelo grau de perturbação em que se encontram. O tratamento normalmente é longo, requerendo esforço do internado e muita dedicação e amor dos trabalhadores do hospital.

Não pensem os leitores que nesses hospitais só se vêem tristezas. Nada disso. Tristeza é sentimento negativo. Não ajuda e de nada serve, construímos e progredimos com o trabalho alegre. Os trabalhadores desse hospital têm sempre no rosto o sorriso bondoso e agradável, a palavra amiga e o amor que irradia e contagia os internos. Ali esses abrigados temporariamente se sentem seguros, incentivados, amados e com disposição para se recuperar.

O hospital da Colônia Perseverança é muito bonito e acolhedor. Elisa me levou à ala onde Walter estava abrigado. Ele nos esperava no jardim interno que circunda a parte de sua morada provisória. Recebeu-nos sorrindo e estava com aparência sadia, com normal equilíbrio.

– Patrícia – disse ele sorrindo –, queria tanto conhecê-la e agradecer. Obrigado!

– De nada – respondi. – Como tem passado?

– Melhoro, graças a Deus e ao pessoal do hospital. Vou ficar bom logo.

Walter estava com a aparência de adolescente, como foi deixado na reunião do centro espírita. E continuaria assim, porque queria a aparência que tinha antes de se drogar. Isso lhe dava mais confiança. Outros, após o tratamento no hospital, podem, se quiser, retomar a aparência de quando desencarnaram, só que sadios.

Sentamos os três num banco e fizemos alguns comentários. Elisa falou alegremente:

– Estou gostando muito de trabalhar neste hospital. Para cá vim por Walter e agora não penso em deixar este local de trabalho. Quando Walter tiver alta, ficarei; já decidi e obtive autorização. Vou estudar, aprender para melhor servir nesse campo de ajuda. E você, Patrícia, quais são seus planos para o futuro?

– Como você sabe, gosto muito de ensinar. Logo Marcela, a quem substituo, retornará a seus afazeres. Devo voltar à Colônia Casa do Saber, continuar meus estudos e trabalhar passando meus conhecimentos a outros desencarnados[18].

Admirei o banco em que nos sentávamos, era muito bonito e de contornos diferentes. Notando, Walter explicou:

– Esses bancos são feitos por internos nas nossas oficinas.

– O trabalho é de grande ajuda e uma das melhores terapias para nossos abrigados – disse Elisa, olhando carinhosamente para Walter. – Mas não só para eles, e sim para todos os encarnados e desencarnados. O trabalho é bênção. Corpos e mentes ociosos estão com as portas abertas aos vícios, e o trabalho que nos mantém ocupados nos abre outras portas opostas a eles. Aqui nas nossas oficinas se faz muita coisa.

No plano espiritual, tudo pode ou poderia ser plasmado. Mas os que sabem plasmar são poucos e necessita-se de tempo e de muito aprendizado para fazê-lo. O trabalho é uma graça que ajuda muito a todos nós, encarnados e desencarnados. No plano espiritual precisa-se muito desse benefício, e existe trabalho para todos os que quiserem, das formas mais simples às mais difíceis de serem realizadas. Muitos desencarnados que trabalham ainda estão apegados à vivência encarnada e lhes é dado o bônus-hora. Os que já superaram esse apego

18. A Colônia Casa do Saber, que descrevi no terceiro livro, *A Casa do Escritor*, é onde moro atualmente, época em que escrevo este livro. E tenho planos de ficar por muitos anos, vindo, assim, raramente à Terra, e não ficando com os encarnados. Foi uma opção que fiz, atendendo a convite de superiores. É tarefa que faço com muita alegria, porque somos sempre os beneficiados pelos trabalhos que fazemos. Devemos participar de todas as tarefas com muito regozijo e amor. Dessa forma, tudo o que fizermos será bem feito. (N.A.E.)

entendem o porquê do trabalho, não recebem remuneração. Alguns encarnados que já trabalham sem esse apego, recém-chegados ao plano espiritual, participam da vida desencarnada trabalhando pelo amor ao trabalho, não recebendo nada em troca. No hospital, os internos que trabalham recebem o bônus, mas são poucos os trabalhadores que servem no hospital e que os recebem. Há muito tempo que não os recebo. Mas lembro-me da minha alegria quando recebi meu primeiro bônus. Foi uma euforia ser útil e ter uma recompensa. Agora, minha alegria é ser útil. Não almejo recompensas.

Quietamo-nos por alguns segundos. Meus pensamentos vagaram pela trajetória vivida por pessoas como Walter. Suas existências, até serem socorridas, são uma verdadeira tragédia. Elisa quebrou o silêncio.

– Patrícia, você não pode imaginar o tanto que sonhei, por todos estes anos de desencarnada, com este momento. Estar assim com meu Walter, em plena recuperação. Sou muito grata a Deus por esta oportunidade.

Fechou os olhos por momentos e depois começou a falar com sua voz suave.

– Tudo começou em nossas encarnações anteriores, em que fomos unidos pelo afeto maternal. Fui mãe dele, meu nome era Gertrudes. Nasci e cresci num bordel de uma cidade pequena. Tornei-me prostituta logo mocinha. Aos vinte anos, tive um filho, José, que é Walter agora. Até os seis anos, minha avó, que morava ali perto, cuidou do meu filho. Quando ela desencarnou, ele veio morar comigo. Mimei-o demais, dando-lhe tudo o que queria. Às vezes justificava meu modo de viver falando que tudo o que eu fazia era por ele. Menino ainda, começou a tomar bebidas alcoólicas, achei linda sua atitude.

"O tempo passou rápido e ele se tornou moço, foi então que percebi que ele andava se embriagando demais. Tentei fazê-lo parar, só que não consegui. Quando chamava sua atenção, ele me respondia grosseiramente:

"'Bebo por você ser o que é. Gostaria de ter uma mãe trabalhadora e honesta!'

"Aquilo me feria muito. Ele passou a se embriagar cada vez mais, até que passou a ficar quase que somente bêbado. Desencarnamos quase na mesma época. Fiquei doente e desencarnei após muito sofrimento. Ele ficou pelo bordel, todos o conheciam e lhe davam de comer e bebidas. Desencarnou ao cair de uma ponte alta e bater a cabeça nas pedras. Sofremos, vagando juntos pelo Umbral. Ele, sempre me culpando, dizia:

"'Se tivesse me batido na primeira vez que bebi e não achado graça, eu não teria me tornado um bêbado.'

"Depois de muitos sofrimentos, fomos socorridos e levados para um posto de socorro, onde ficamos por um período. Aconselhados a reencarnar, pedimos para renascer em famílias de costumes rigorosos que nos ajudassem a superar nossos vícios. Fomos atendidos e reencarnamos. Fomos somente conhecidos quando encarnados, nem amizade tivemos.

"A família que me abrigou em seu seio educou-me com costumes rígidos. Achei certo, sentia-me segura. Queria acertar, queria vencer o vício e venci. Fui uma moça honesta e trabalhadora. Bonita, fui assediada por muitos rapazes, mas não dei importância a nenhum. Não quis namorar, sentia que iria desencarnar logo e não queria deixar ninguém mais sofrer por mim. Tive câncer e desencarnei. Meus pais e meus irmãos sofreram por mim, mas não me atrapalharam e muito me ajudaram com suas preces. O resto você já sabe."

Walter prestou muita atenção nos dizeres de Elisa e, após uma pausa, disse:

– Ao ouvir Elisa falar, as cenas vieram-me à memória. Recordo... Era pequeno e já gostava de bebidas alcoólicas, mas, como minha mãe não proibiu, passei a tomar muito, prejudicando-me. Gostava do bordel, ali todos me amavam. Depois me tornei tão dependente do álcool que só ficava embriagado. Quando desencarnei, sofri muito. Reencarnado, nesta última vez, chamando-me Walter, tive outra oportunidade. Mas logo o gosto pela bebida aflorou forte em mim. Tomava escondido, porque meus pais proibiam. Mas a bebida deixava cheiro, que eles percebiam, tornando difícil esconder. Eles me vigiavam, regulavam meus horários e, percebendo minha tendência para a bebida, cheiravam minha boca sempre que voltava para casa. Enturmei-me com afins na escola, descobri a maconha e, depois de algum tempo, a cocaína. Comecei a tirar notas baixas, naquele ano ainda fui aprovado, mas no ano seguinte, em que já me viciara pesado, minhas notas pioraram e meu comportamento estava péssimo. Meus pais foram chamados à escola e souberam de tudo. Meu pai me surrou, tiraram-me da escola e passaram a me vigiar mais ainda. Desesperado com a falta da droga, fugi de casa e fui ficar com os viciados e traficantes num barraco. Meus familiares sofreram muito. Meu pai, mais rígido, mandou me dizer que ele ainda me aceitaria em casa se eu largasse o tóxico. Se quisesse ficar entre os criminosos, que os esquecesse, porque eu estaria morto para eles. Queria a droga e fiquei. Minha mãe vinha me ver às escondidas. Chorava sempre quando me via, trazia roupas, alimentos e dinheiro. Fui me drogando cada vez mais...

Ao recordar esses momentos dolorosos para ele, Walter começou a gaguejar; as últimas frases, falou com dificuldade. Começou a ter uma crise. Elisa e eu lhe demos um passe, que o acalmou, dando-lhe sono; nós o levamos para seu leito na enfermaria. Elisa acabou de contar o que aconteceu com Walter.

– Ele contraiu dívidas que não foram pagas e por esse motivo foi assassinado. Desencarnou e continuou desesperado, alucinado pelas drogas, e procurou o Túnel Negro. Naquele local eles ensinavam os desencarnados viciados a vampirizar encarnados para satisfazer o vício e, também, o hipnotismo de Natan os fazia sentir como se estivessem usando drogas.

Nós o ajeitamos no leito. Walter, sonolento, virou-se para mim e disse:

– Elisa não é culpada! Ninguém é responsável pelos nossos erros a não ser nós mesmos. Se antes eu a acusava, foi na tentativa de culpar alguém, de colocar em outros a responsabilidade que era só minha. Nesta última encarnação tive pais que se importaram comigo, honestos, que exemplificaram o bem, e não tive a quem culpar a não ser a sorte, que eu mesmo fiz. Não venci meu vício!

– Mas vencerá! – exclamei.

Walter dormiu.

– Como o tóxico prejudica tantos imprudentes – disse Elisa. – Walter fará o tratamento por muito tempo ainda e só estará bem quando lembrar-se de tudo o que lhe aconteceu e não sentir nada. Ele tem aula de evangelização, faz orações, tem terapia e acompanhamento psicológico. Patrícia, como foi boa a regressão para Walter, a doutrinação que ele recebeu entre os encarnados, na reunião espírita.

Elisa ajeitou o lençol do leito dele com carinho de mãe. Após, saímos silenciosas do quarto.

O vôo da gaivota

Elisa me acompanhou até outro jardim, que fica na frente do hospital. É um recanto mais bonito, cheio de flores coloridas e palmeiras frondosas. Ali muitos internos passeiam em horário de lazer. É um lugar agradável. Minha amiga convidou-me para sentar e falou:

– Patrícia, tenho, desencarnada, trabalhado em muitos lugares e tenho estado com trabalhadores e com muitos socorridos. Aquele que ajuda, que trabalha, está se exercitando no bem para que, pelo hábito, possa ter melhor ambiente na conquista de sua evolução.

"No meu convívio com você e com os integrantes do centro espírita, percebi que pode haver diferença. Quando Walter e eu estávamos sendo amparados, em nenhum momento me senti necessitada, aquela que estava sendo ajudada. Pelo contrário, todos da equipe realizaram o socorro como se estivessem fazendo algo para eles mesmos, com naturalidade e atitudes rotineiras. E eles não estavam lidando com desencarnados perturbados comuns, mas sim com um espírito trevoso, um mago negro ou um satanás, como se pode designar Natan e sua equipe. Você pode explicar o estado espiritual desses trabalhadores?"

– Elisa, quase todos esses espíritos atingiram o chamado autoconhecimento, e aqueles que não o atingiram estão se esforçando para tal. Não são necessários estímulos externos para fazerem o que fazem. Nem pagamento ou recompensas de qualquer espécie. Sabem que são pequenos, espiritualmente, conhecem todos os meandros da nossa personalidade, com todas as suas misérias, conflitos, condicionamentos, ilusões, e a nossa peculiar ignorância quanto à verdade daquilo que realmente somos. Não estão estacionados, vivem plenamente na onipresença divina e se sentem unos com ela, vivem como parte integrante do universo. Portanto, todo o seu agir é como o agir do dono da casa, ou seja, cuidam da casa como se fosse deles.

"Tudo o que fazem é por amor à vida, que está presente tanto neles como em qualquer manifestação divina, daí a naturalidade e o desprendimento que você sentiu ao conviver com eles."

– Patrícia, posso chamá-la de Gaivota?

Com meu consentimento, Elisa continuou:

– Então, Gaivota, como me explica o socorro prestado a mim? Ajuda? Trabalho? Bem realizado?

– Por que me chama de Gaivota? – perguntei.

– Gaivota é um pássaro muito bonito – respondeu ela –, quase todo clarinho, elegante e de voar preciso. Depois sempre deixa sinal de seus pezinhos na areia, mostrando que passou por ali. Deixa marcas. E você deixou marcas em nossas vidas, na minha e na de Walter.

Agradeci, sorrindo. Após pensar uns momentos, respondi o que sabemos porque escutamos, repetidamente, e que deveríamos colocar em prática em nosso dia-a-dia.

– Ajudar é favorecer, facilitar, fazer alguma coisa a alguém, prestar auxílio. Devemos nos esquecer de nós mesmos quando ajudamos alguém. E, quando ajudamos alguém a melhorar, melhoramos o mundo em que vivemos. Sempre devemos ajudar, do melhor modo possível, aqueles que surgem no nosso caminho.

"Trabalho é aplicação na atividade. Devemos trabalhar por amor ao trabalho, não para ver seus resultados. Com nosso exemplo no trabalho útil, podemos fazer outros nos seguirem, embora cada um deva fazer o que lhe compete, sem medo, tentando aprender cada vez mais. O amor deve estar presente em tudo o que fazemos, ele nos torna mais eficientes. Devemos trabalhar com alegria e gratidão; é fazendo pequenas tarefas que demonstraremos ser dignos das grandes. Trabalhar ajudando ao próximo nos mostra o caminho da fraternidade e do amor. O que fazemos no presente nos mostrará o que devemos fazer no futuro. Sobre esse assunto, é muito interessante ler *O Livro dos Espíritos*, de Allan Kardec, Livro Terceiro, Capítulo III-II, 'Lei do Trabalho'.

"O bem deve ser feito com amor. Ao fazermos o bem, nos tornamos melhores e estamos colaborando para melhorar a humanidade. Devemos fazer o bem, expandindo os ensinamentos de Jesus, lembrando a todos sua doutrina de amor. Mas sem confundir amor com sentimentalismo. O amor deve ser benéfico e nos impulsionar ao bem. O amor nos ajuda a vencer os obstáculos do caminho, é o único capaz de nos redimir e nos levar ao progresso. Os resultados do bem realizado só a Deus pertencem. Não devemos pensar em créditos ao realizar o bem. Ao fazê-lo, somos os primeiros beneficiados. O bem nos alimenta? O bem e o amor alimentam a todos nós, fortalecendo-nos, levando-nos a aprender a sermos bons."

Fiz uma pausa, o assunto é fascinante, tenho muito que aprender ainda sobre esse tema e colocá-lo em prática. Pensei por momentos, e minha amiga aguardou, ansiosa, que eu retornasse às elucidações.

– Elisa, vamos mudar o enfoque de sua pergunta. Por que motivo alguém faz alguma coisa a outra pessoa? Mesmo se quem faz seja crente, de alguma seita ou religião, ou descrente. Esse fazer pode ter resultado bom ou mau? Será que é sempre preciso existir algum motivo para fazer alguma ação? Observemos as diferentes motivações que envolvem as ações da maioria dos seres humanos. Que motivo leva o avarento a trabalhar tanto e a explorar, quase sempre, seus semelhantes? O egoísmo, certamente. Que motivo leva o ladrão a agredir e roubar suas vítimas? O egoísmo. Que motivo leva a maioria dos seguidores de determinadas religiões a deixar de fazer o que gosta e fazer o que elas mandam? Não será o anseio de ter posse de um estado sem problemas, nem se for no Além? Isso também não será egoísmo? Se, ao fazermos algo, esperarmos recompensas, seja dos homens ou de Deus, estaremos agindo com egoísmo, embora o bem feito com egoísmo ajude muito a outras pessoas e a nós mesmos, porque quem faz o bem está no caminho para se libertar desse sentimento, que é o egoísmo. O bem sempre beneficia, a maldade prejudica. No dia em que não mais agirmos negativamente, estejamos encarnados ou desencarnados, haverá paz e harmonia na Terra, pois todos nós iremos fazer o que deve ser feito. Não haverá mais explorações nem comparações, pois isso é a causa de muitos conflitos, dores, sofrimentos e angústias na convivência dos seres humanos. Cada um de nós estará feliz com a vida que tem e fará todo esforço para aperfeiçoar seu trabalho físico e seu aprimoramento espiritual. O desejo de posse, seja ele qual for, desaparecerá, e teremos equilíbrio e paz.

"Você, Elisa, me perguntou o que concluo da experiência que tivemos juntas. Prefiro dizer que foi um período agradável em que aprendi muito e que poderei passar a outros essa experiência.

"Fazer o bem estando desencarnado é muito mais fácil. Podemos trabalhar horas seguidas em determinada tarefa, seja no plano espiritual, seja entre os encarnados, ou até mesmo no Umbral, mas, ao terminá-la, ou vencendo nosso horário de trabalho, temos o equilíbrio das casas de socorro, do nosso cantinho nas colônias ou dos nossos abrigos. Nós nos recompomos rápido. E os encarnados? Eles têm seus afazeres físicos, têm a preocupação com a sua manutenção e a de sua família. Têm o corpo para cuidar, higienizar, conservar sadio e, quando não, devem tentar sanar suas deficiências físicas. São muitos, Elisa, os encarnados que fazem o bem apesar de todas essas dificuldades. Alguns ainda o fazem por motivos, mas se libertarão dessa conduta. Outros, e são muitos, fazem-no por amor, tendo como recompensa o prazer de servir."

Como admiro os encarnados que fazem o bem! E esse fazer deve ser no presente, agora, no momento. Não deixe, você, agora encarnado, para fazê-lo depois. No plano espiritual, certamente terá oportunidade, mas é aí, no corpo físico, que se tem o grande aprendizado do bem. E esse bem deve ser feito sem cultuar nomes famosos de desencarnados. Há sabedoria em praticar o bem com amor e simplicidade.

Terminei minha explanação, trocamos ainda alguns comentários sobre o hospital. Elisa tinha que voltar ao trabalho, despedimo-nos com um abraço fraterno.

– Patrícia, tudo o que aconteceu ficará gravado na minha memória – disse ela com simplicidade.

Deixei o hospital, a Colônia Perseverança. Ainda estava no meu horário livre, a aula que daria só começaria mais tarde. Fui ver meus pais, que estavam passando uns dias no litoral, para descansar.

Não estava totalmente satisfeita com a resposta que dera a Elisa. Meditei sobre o assunto. Veio-me à mente a questão 642 de *O Livro dos Espíritos*, Livro Terceiro, Capítulo I, cuja resposta é: "É preciso fazer o bem no limite de suas forças, porque cada um responderá por todo mal que resulte do bem que não haja feito"[19]. Aí está a grande responsabilidade de não fazer no momento.

Menina e adolescente, estudei num colégio católico e gostava muito de uma frase escrita no altar da capela: "*Volontá di Dio – Paradiso mio*"[20]. Compreendi-a assim: "Fazer a vontade de Deus é minha alegria". Qual é a vontade de Deus em relação a nós? Penso que é que cresçamos rumo ao progresso, que sejamos bons, que compreendamos, amemos uns aos outros e que façamos todo o bem possível aos outros e a nós mesmos pelo trabalho e amor. Quanta fé possuía quem pronunciou essa frase e que exemplo nos deixou de resignação, ânimo e coragem.

---

19. Citação tirada da tradução de Salvador Gentile, revisão de Elias Barbosa – IDE. (N.A.E.)

20. Copiamos na íntegra esta frase. É assim que está grafada em uma das paredes da pitoresca capela. (N.A.E.)

Também sobre o assunto, lembrei-me de um ensinamento de Jesus, contido no *Evangelho de Lucas*, XVII:7-10. O Mestre Nazareno nos ensina que o senhor não fica devendo obrigações ao servo que fez tudo o que ele mandou e termina dizendo: "Somos servos inúteis; fizemos o que deveríamos fazer". Que temos que fazer? Seguir os mandamentos? Viver com dignidade e honradez? Não fazer o mal? Acredito que sim. E se não fizermos? Não seremos considerados nem servos. E para sermos servos úteis? Além de fazer o que nos compete, não fazer o mal, seguir os mandamentos, fazer mais, muito mais. Trabalhar com amor, ultrapassando nossas obrigações, para o nosso bem, para o bem do próximo, e, mais ainda, nada esperar em troca.

Encontrei meus pais caminhando na praia. A tarde quente de verão estava maravilhosa. É sempre encantador ver o mar com seu verde-azulado e com suas ondas a se desfazerem na areia. Meus pais caminhavam tranqüilos, desfrutando a calma do local. Aproximei-me. Amo-os tanto! Querendo obter mais informações sobre esse assunto interessante, perguntei a meu pai, porque sua opinião foi, é e será sempre muito importante para mim.

"Como é, papai", disse-lhe de mente para mente, "o que me diz sobre um trabalho realizado, o bem feito, o porquê de o fazermos..."

Papai pensou e acompanhei seus pensamentos.

"Jesus em certa ocasião disse: 'O Pai age até hoje, eu também ajo'. A vida é ação. Na natureza física tudo o que entra no estado de letargia apodrece e se desintegra. Semelhante é a nossa mente, se não for usada, petrifica e embrutece. Se usada para o mal, não regride, mas constrói dores e dívidas para si mesma, pois um dia será imantada aos seus semelhantes. Aí viverá no ambiente que construiu, agredindo a tudo e a todos. O homem sábio, conhecendo as implicações da ação, caminha em sintonia com a natureza que, momento a momento, aperfeiçoa sua manifestação. Faz das suas ações a razão de sua vida e, ao agir beneficamente, sente participar com Deus do seu perpétuo agir.

"Não há vida sem relação, e é no aprimoramento das relações que construímos um novo Céu e uma nova Terra.

"Portanto, uma tarefa realizada que resulta no bem de alguém não vejo como uma ajuda, tampouco como trabalho, muito menos para aquisição de crédito junto ao beneficiado ou a Deus, mas sim como o próprio exercício de viver. Pois, se Deus age, eu também preciso agir.

"Jesus disse muitas vezes: 'Eu e o Pai somos um, só que Ele é maior que eu'.

"Quando chegarmos a compreender que o universo é a nossa família, tudo o que venhamos a fazer estaremos fazendo para nós, pois tanto a casa como a família são nossas. Cuidemos de nossa casa e de nossa família, quando encarnados, sem esperar que alguém nos elogie por algo que é nossa obrigação. Fazer dessa forma é o que sinto e o que procuro fazer."

"Papai! Mas muitos encarnados não zelam bem por sua casa nem cuidam bem de seus filhos."

"Fazer a obrigação não dá merecimento, nem crédito, nem é digno de elogios. Mas, se não cumprimos com essas obrigações, somos devedores, pois não realizamos o que é de nossa responsabilidade. Quando ultrapassarmos o tempo e o espaço, os créditos e os débitos, iremos fazer todo o bem pelo simples prazer de comungar com a vida pelo profundo amor a todas as manifestações divinas.

"Viver na certeza da onipresença de Deus é diferente do chamado crer, ou ter fé. Aí residem dois opostos; o crer é volutivo, incerto, mutante aos embalos da emoção do momento, já o viver na onipresença é sólido. Vamos exemplificar em nossa família consangüínea: pai e filha é parentesco, não é crença, é um fato do qual não há dúvida. Vivemos plenamente o fato do vínculo que nos une aos parentes mais próximos. Da mesma forma, viver na onipresença de Deus não é um ato de momento, ou atitude de crença, é a visão plena e total de que estou em Deus e Ele está plenamente em mim. Portanto, o que é Dele é meu e o que é meu sempre foi Dele. Mas, apesar de não existir separação entre mim e Ele, eu precariamente existo. Deus é plenitude total."

O horário me chamava ao regresso. Beijei-os. Volitei a alguns metros do solo e olhei-os. À frente deles estava uma gaivota que, com a aproximação deles, voou tranqüila, ganhando, com seu vôo, espetacular altura, deixando desenhados na areia seus pezinhos...

Meus pais se afastaram e suas pegadas ficaram...

Há pessoas que passam pela vida e deixam marcas...

Fim

Ao terminar a leitura deste livro, talvez você tenha ficado com algumas dúvidas e perguntas a fazer, o que é um bom sinal. Sinal de que está em busca de explicações para a vida. Todas as respostas que você precisa estão nas Obras Básicas de Allan Kardec.

Se você gostou deste livro, o que acha de fazer com que outras pessoas venham a conhecê-lo também? Poderia comentá-lo com aquelas do seu relacionamento, dar de presente a alguém que talvez esteja precisando ou até mesmo emprestar àquele que não tem condições de comprá-lo. O importante é a divulgação da boa leitura, principalmente a da literatura espírita. Entre nessa corrente!

A Casa do Escritor

A Casa do Escritor

1-10-10-30.000

Direção editorial: **Flávio Machado**
Assistente editorial: **Renata Curi**
Capa: **Flávio Machado**
Projeto gráfico e editoração: **Ricardo Brito/Designdolivro.com**
Produtor gráfico: **Vitor Alcalde L. Machado**

Dados Internacionais de Catalogação na Publicação (CIP)
(Câmara Brasileira do Livro, SP, Brasil)

133.9 Patrícia (Espírito).
P341c A Casa do Escritor / ditado pelo Espírito Patrícia ; psicografado pela médium Vera Lúcia Marinzeck de Carvalho. – São Paulo : Petit, 1993.

ISBN 978-85-7253-184-9

1. Espiritismo 2. Romance mediúnico I. Carvalho, Vera Lúcia Marinzeck de. II. Título.

CDD: 133.9

Índices para catálogo sistemático:
1. Romances mediúnicos : Espiritismo 133.9

Impresso no Brasil, na primavera de 2010.

Prezado(a) leitor(a),

Caso encontre neste livro alguma parte que acredita que vai interessar ou mesmo ajudar outras pessoas e decida distribuí-la por meio da internet ou outro meio, nunca deixe de mencionar a fonte, pois assim estará preservando os direitos do autor e, consequentemente, contribuindo para uma ótima divulgação do livro.

A Casa do Escritor

DITADO PELO ESPÍRITO

Patrícia

PSICOGRAFADO PELA MÉDIUM

Vera Lúcia Marinzeck de Carvalho

petit editora

Rua Atuaí, 383/389 – Vila Esperança/Penha
CEP 03646-000 – São Paulo – SP
Fone: (0xx11) 2684-6000

www.petit.com.br | petit@petit.com.br

Livros da médium
VERA LÚCIA MARINZECK DE CARVALHO

Da própria médium:

- *Conforto Espiritual*
- *Conforto Espiritual 2*

Psicografados:

Com o Espírito Antônio Carlos

- *Reconciliação*
- *Cativos e Libertos*
- *Copos que Andam*
- *Filho Adotivo*
- *Reparando Erros de Vidas Passadas*
- *A Mansão da Pedra Torta*
- *Palco das Encarnações*
- *Histórias Maravilhosas da Espiritualidade*
- *Muitos São os Chamados*
- *Reflexos do Passado*
- *Aqueles Que Amam*
- *O Diário de Luizinho* (infantil)
- *Novamente Juntos*
- *A Casa do Penhasco*
- *O Mistério do Sobrado*
- *O Último Jantar*
- *O Jardim das Rosas*
- *O Sonâmbulo*
- *Sejamos Felizes*
- *O Céu Pode Esperar*
- *Por Que Comigo?*
- *A Gruta das Orquídeas*
- *O Castelo dos Sonhos*
- *O Ateu*

Com o Espírito Patrícia

- *Violetas na Janela*
- *A Casa do Escritor*
- *Vivendo no Mundo dos Espíritos*
- *O Voo da Gaivota*

Com o Espírito Rosângela

- *Nós, os Jovens*
- *A Aventura de Rafael* (infantil)
- *Aborrecente, Não. Sou Adolescente!*
- *O Sonho de Patrícia* (infantil)
- *Ser ou Não Ser Adulto*
- *O Velho do Livro* (infantil)
- *O Difícil Caminho das Drogas*
- *Flores de Maria*

Com o Espírito Jussara

- *Cabocla*
- *Sonhos de Liberdade*

Com espíritos diversos

- *Valeu a Pena!*
- *O Que Encontrei do Outro Lado da Vida*
- *Deficiente Mental: Por Que Fui Um?*
- *Morri! E Agora?*
- *Ah, Se Eu Pudesse Voltar no Tempo!*

Livros em outros idiomas

- *Violets on the Window*
- *Violetas en la Ventana*
- *Violoj sur Fenestro*
- *Reconciliación*
- *Deficiente Mental: ¿Por Que Fui Uno?*
- *Viviendo en el Mundo de los Espíritus*
- *Fiori di Maria*

Aos meus queridos amigos:

Recebo muitos pedidos para continuar trabalhando na literatura. Embora eu fique emocionada com tanto carinho, peço aos meus leitores que me perdoem por não escrever mais. Tive como tarefa fazer quatro livros[1], narrar o que vi, o que encontrei e o que senti no plano espiritual. Concluídos esses livros fui realizar meu sonho, pois quando estava encarnada, estudava, lecionava e queria continuar fazendo isso.

Atualmente moro numa colônia de estudo e não vou ao plano físico a não ser em raros momentos, quando vou é somente para rever meus familiares. Meu trabalho não inclui visitar centros espíritas, nem ditar mensagens, escrever livros ou prefaciá-los.

Amo muito vocês que me amam, que gostam do que escrevi e tenho certeza de que me compreenderão. Da sempre amiga amorosa,

Patrícia

---

1. Os quatro livros de Patrícia: *Violetas na janela*, *Vivendo no mundo dos espíritos*, *A casa do escritor* e *O vôo da gaivota*. Todos editados pela Petit Editora.

Sumário

Prefácio

É sempre um prazer termos em mãos uma obra de encantos mil. É com orgulho carinhoso que prefacio esta obra. A Casa do Escritor é meu lar, amo o trabalho que ela promove.

Patrícia, com sua linguagem simples e jovem, descreve-a tão bem que nos comove. É deveras A Casa do Escritor como foi narrada. É um pólo positivo da Literatura Brasileira e, principalmente, da Espírita, que tanto bem e tantas instruções tem semeado.

A jovem escritora, que por algum tempo abrilhantou com sua presença nossa adorável colônia, soube bem tirar proveito de todos os instantes aqui presentes e até nas simples conversas valeu-se da oportunidade para a conhecer. Com os trabalhos de equipe conseguiu ser útil. E em todos os eventos conseguiu aproveitar o máximo, para depois escrever este livro.

A Casa do Escritor é uma realidade que nossa Patrícia tão bem expõe a seus leitores. Espero que este livro seja um incentivo a todos os que trabalham com a literatura edificante. E também aos que possam vir a trabalhar.

Felizes os que se instruem e fazem de seus conhecimentos alimentos saborosos para aqueles que anseiam por conhecer.

Caros leitores, aqui está uma obra fantástica, um bocadinho de frutos do Saber sobre o plano espiritual. E que tão bem Patrícia nos descreve.

Alegria!

Antônio Carlos
São Carlos, SP – 1993

Capítulo 1

A colônia de estudo

Como foi diferente o estado de alegria que senti quando chegou o momento de iniciar nova etapa de estudo. Um profundo júbilo preencheu toda minha alma, à revelia do meu controle mental. Veio-me à memória o dito do grandioso Nazareno aos seus discípulos. Trechos que tirei, para meditar, do Evangelho de João, dos capítulos 14 e 15. Eu vos dou a minha paz, vos dou a alegria, para que completa seja vossa paz, repleta a vossa alegria.

Que paz e alegria eram essas? Pois foram dadas por um homem que não possuía nada, não desfrutava de bens mundanos. E, mais ainda, foram ditas antecedendo horas de muitas dores e tristezas, fatos e dificuldades que Ele iria enfrentar.

A paz e a alegria que Jesus distribuía não estavam ligadas ao nosso modo de ver e viver. E, no entanto, eram vividas por um homem de carne, osso e espírito como nós.

Quando encarnados, nossa alegria está ligada a sensações e prazeres dos sentidos, e até à satisfação de uma conquista mental, seja de força ou de erudição. A felicidade que buscamos no plano físico, é sinônimo de ociosidade, prazer e ausência de dificuldades. Não conseguimos compreender que as dificuldades, quando não criadas por nós mesmos, são por via de regra instrumentos da natureza, que não nos deixam cair na inatividade, pois a monotonia é a própria morte. A natureza é vida que se renova incessantemente.

Como num acender de luzes, compreendi que a alegria perene não pode estar ligada a pessoas ou coisas. Não pode depender de estímulo nenhum para que aconteça. É um estado de ser em ventura, sem limites, por saber compreender. É viver a vida pela vida e não para ganhar alguma coisa ou atingir um fim.

Conheci a felicidade real.

Dois anos se passaram, nos quais fiquei aprendendo na Colônia de Estudo Casa do Saber. Foi um período maravilhoso em que muito aprendi, fiz novos amigos, amadureci espiritualmente. Recordo que, ao chegar à Casa do Saber, emocionei-me até as lágrimas e exclamei comovida:

– Esta colônia é linda! Que lugar de encantos e sonhos!

De fato, a Casa do Saber é um lugar que, para os encarnados, só poderia comparar-se a encantadores sonhos.

Antônio Carlos, meu amigo querido, acompanhou-me. Volitamos tranqüilos.

– Patrícia, vamos agora devagar. Observe a colônia, é ali, naquele ponto radiante.

Vi um ponto luminoso branco e logo já distinguia os prédios e jardins. A colônia não é cercada. É fantástico vê-la, quando estamos volitando. Meu amigo me esclareceu:

– A colônia de estudo não tem sistema de defesa. Todos que nela habitam vibram numa mesma intensidade, sustentando-a. E só consegue vê-la quem vibra igual.

A colônia está suspensa no ar, como que em cima de uma grande e sólida nuvem. Para os encarnados, no lugar não existe nada, não é

perceptível à visão deles e, também, dos desencarnados que não se sintonizam com suas vibrações.

Descemos no círculo que está em sua volta. Para que me entendam: na parte sólida em que está a colônia, há um beiral de alguns metros e logo depois estão seus prédios e pátios.

Sorri encantada e atendi ao convite do meu cicerone.

– Vamos entrar, Patrícia. Primeiramente iremos cumprimentar o diretor da casa.

Caminhamos. Não há diferença do solo das outras colônias. A Casa do Saber é uma colônia pequena e está dividida por ruas. Andamos tranqüilos, nada de desconfiança. As pessoas que encontramos sorriam cumprimentando-nos. Olhava tudo curiosa. Tudo tão lindo! O ar, perfumado; a brisa, suave; os prédios, harmoniosos. É uma colônia encantadora, na qual poderia passar horas só olhando o conjunto, a colônia em si.

Paramos em frente de um prédio e entramos. Numa porta, com uma placa escrita "Diretoria", meu amigo bateu e logo ela foi aberta. Antônio Carlos abraçou efusivamente um senhor de agradável aspecto, que em seguida veio até mim.

– Esta é Patrícia de quem lhe falei.

– Sou Alfredo. Encantado por tê-la conosco. Já escutei falar muito de você. Então, gostou da nossa colônia?

– Oh! parece-me encantadora. O prazer é meu de estar aqui, sou grata pela acolhida. Amo aprender. Estar aqui é tudo o que almejo no momento.

Alfredo é muito agradável, olhar inteligente e sorriso amável. Por alguns momentos, os dois passaram a trocar notícias de amigos comuns. Enquanto isso, observei a sala da diretoria: tudo ali exprimia paz. Era espaçosa, com móveis claros, bonitos quadros na parede e vasos com flores. Bem atrás da escrivaninha estava bordada a Oração de São Francisco de Assis, tão conhecida de todos nós. Em todos os lugares onde há equilíbrio, onde se cultiva a paz e harmonia, há um encanto especial, tudo se torna maravilhoso. E por toda a colônia reina a alegria de se estar bem consigo mesmo.

– Patrícia – disse Alfredo, gentil –, vou pedir a Rosely que a acompanhe numa excursão pela colônia para que a conheça.

Tocou suave campainha e uma moça loura, muito bonita, sorriso franco, entrou na sala.

– Oi, sou Rosely.

– Eu, Patrícia.

Sorrimos, foi como se a conhecesse há muito tempo. Antônio Carlos me elucidou:

– Patrícia, aqui terá sempre esta sensação de conhecer todos. É uma união por vibração. Estou contente, pois vejo que está a vibrar em harmonia com todos aqui.

– Venham comigo, terei um enorme prazer de mostrar a colônia para vocês.

Despedimo-nos de Alfredo e emocionados acompanhamos nossa jovem cicerone.

A colônia não é grande. Conhecemos sua parte externa em meia hora, representando-nos minutos que passei extasiada. Acompanhava as explicações de Rosely.

– Este prédio é o da Orientação. Aqui estão os gabinetes dos professores e da diretoria. Este outro é o das salas de aula, da biblioteca e das salas de vídeos. Aí estão as salas de palestras.

Devido às muitas palestras que podem ocorrer ao mesmo tempo, são várias as salas, tendo uma bem grande para maior número de assistentes e que serve também para o teatro. Este prédio é simples, bem decorado, tendo lindos quadros e muitas flores. As cadeiras são giratórias e muito confortáveis. É tudo harmonioso, convidando à meditação e à prece.

– Este aqui é o prédio destinado aos alunos. Venham, vamos entrar.

É uma construção de quatro andares, toda dividida em gabinetes. Tudo muito limpo e claro. Não posso denominar este espaço particular a cada um de quarto. Aqui não se dorme e nem se alimenta. É um cantinho onde se estuda, se medita, se ora etc. Rosely nos levou ao que me foi destinado. É uma sala grande, arejada, que chamarei de gabinete.

– Que lugar encantador! – exclamei comovida.

Emocionei-me e fiquei alegre por ser ali o lugar em que passaria horas, no longo período que permaneceria na Casa do Saber. Havia uma escrivaninha toda trabalhada, linda. Uma estante, dois sofás e uma mesinha, onde estava um lindo vaso com florezinhas azuis. A janela dava para o pátio todo florido. Estranhei por não haver abajures, lustres, ou algo que demonstrasse haver luz artificial. Antônio Carlos, como sempre lendo meus pensamentos, sorrindo, tratou de esclarecer-me.

– Aqui não escurece. A luz do sol brilha sempre. Colônias nesta dimensão não seguem a rotação da Terra. Estão fixas e recebem os raios benéficos do nosso astro rei o tempo todo.

– Então, não é como a Colônia São Sebastião, que está sempre no espaço da cidade de São Sebastião do Paraíso? – indaguei curiosa.

– Não, colônias de estudo, e também algumas outras, não estão vinculadas a determinados lugares, embora estejam no espaço da Terra, no todo. Aqui existem algumas colônias que são para servir ao povo brasileiro, logo depois estão as de outros países; muitas são para todos os terráqueos, que se comunicam pelo esperanto e pelo pensamento.

– Sensacional! Não verei a noite! – exclamei.

– A noite tem seu encanto – disse Antônio Carlos. – Mas você a verá, sempre que visitar a Terra, os familiares e as colônias de socorro.

– E como saberei quando é noite lá na Terra? – indaguei novamente.

– Para ter um controle no calendário, a colônia segue o horário, com o dia e hora do Brasil. Temos também aqui a sala do relógio, nesse local há o horário de todos os países da Terra.

– Antônio Carlos – quis saber curiosa –, como achou a colônia entre tantas? Veio tão fácil!

– Pela sintonização, mentalizei a Casa do Saber e vim pela vibração. Logo aprenderá a usar este processo, porque irá se locomover muito, e sozinha. Já é bem grande e auto-suficiente para sair sozinha.

Rimos com a brincadeira.

Trouxe poucos objetos, que deixei sobre a escrivaninha. Quando fiquei só, organizei-os. Coloquei alguns livros na estante, cadernos de anotações na escrivaninha, e as fotos de meus familiares, na parede e na minha mesa de trabalho. Não trouxe nada de pessoal. Não trocava mais de roupa. Visto calças compridas largas e camiseta azul-clara. Sinto-me bem assim.

Fomos conhecer o restante da colônia.

– Aqui é a parte mais bonita – disse Rosely.

Parei deslumbrada com a encantadora paisagem. Tudo parecia brilhar, como se o local fosse pontilhado com centenas de estrelinhas. Sentia-me leve como uma nuvenzinha a bailar com a brisa suave. À minha frente estava o harmonioso e fenomenal jardim da Casa do Saber. Muitas árvores, todas perfeitas, sadias e floridas. As variedades são tantas que não há duas árvores da mesma espécie. Estão sempre floridas. Suas flores de diversas cores e perfumes dão à visão total uma combinação de tonalidades que encanta. As árvores parecem desfilar tranqüilas, ensinando-nos a ser equilibrados e harmoniosos para o bem de quem nos vê. Muitos são os canteiros entre as árvores, onde existem flores delicadas, coloridas, que brilham. Formam frases e figuras convidando a reverenciar o Criador. Muitos bancos estão espalhados por todo o jardim e são confortáveis: alguns de balanço e outros embaixo de caramanchões floridos.

– Aqui, também, costumamos ouvir palestras de convidados de outras esferas, que sempre nos brindam com seus ensinamentos – disse Rosely, chamando-me de volta à realidade, porque, diante de tanto encanto, pareceu-me por instante que eu fazia parte da própria natureza, comungando por momentos com as belezas que via ali. Antônio Carlos sorria ao me ver deliciando.

– É tão bom estar em um lugar de paz, hein, Patrícia!

Sorri, concordando. Qualquer opinião minha seria pouco para descrever tanta harmonia.

– Neste recanto – disse Rosely, mostrando a ala direita – estão o lago e a cascata.

Um pequeno rio brota do solo, corre uns cinqüenta metros e forma um pequeno lago. Suas águas claras e cristalinas deixam ver, no fundo, suas pedras de diversos tamanhos e cores. Não resisti e coloquei minhas mãos n'água. Sua temperatura é como o ambiente, agradável, e é tão leve que não nos molha; levei-a aos lábios e não pude compará-la à mais pura das águas do planeta Terra, é bem melhor. Dei um suspiro, que fez meus companheiros sorrirem, e exclamei extasiada:

– Que beleza!

Do outro lado do lago está a cascata, a água desce entre plantas e flores, e depois entra no solo, desaparecendo.

– Aqui é o lugar predileto para as meditações e o preferido dos pensadores – disse Rosely. – Agora vou levá-la à sala, onde sua turma está tendo a primeira aula.

– Despeço-me de você, Patrícia – disse Antônio Carlos. – Agora já conhece sua nova morada.

– Estou encantada e agradecida, Antônio Carlos. Obrigada por tudo.

Abraçamo-nos com carinho.

Entramos, Rosely e eu, no prédio das salas de aula; sentia-me emocionada. Atravessamos vários corredores e paramos diante de uma porta na qual minha cicerone bateu levemente. A porta se abriu e um senhor de agradável aspecto nos cumprimentou, sorrindo.

– Boa tarde! Sou Leonel.

– Boa tarde! Sou Patrícia.

Uma nota curiosa: na Casa do Saber usa-se muito o cumprimento "A paz esteja convosco" ou "A paz seja convosco!" Às vezes, costumam dirigir-se um ao outro com um oi ou um olá. Como não escurece, não se fala nunca o boa-noite. Mas, de vez em quando, costumam-se ouvir os cumprimentos tradicionais da Terra, de bons presságios, como bom-dia e boa-tarde. Realmente, se desejados de coração, recebemos com os cumprimentos votos de harmonia.

– Entre, por favor.

Leonel dirigiu-se a mim gentilmente e virando-se para a turma me apresentou:

– Esta é mais uma aluna. Seu nome é Patrícia. – Depois dirigiu-se a mim e completou: – Fique à vontade, logo conhecerá todos. Acomode-se.

Instalei-me numa escrivaninha. Olhei a sala, era grande, espaçosa, e havia quarenta alunos que me olharam sorrindo. Senti-me à vontade.

Logo no primeiro intervalo, me enturmei. Todos eram excessivamente agradáveis. Já não se conversava mais sobre desencarnações, ou sobre o que se era agora, ou o que havia sido quando encarnado. O assunto preferido era em torno de estudos. Encantei-me com todos.

Assim, com os dias sempre calmos e o horário todo preenchido, o tempo passou rápido, como sempre acontece quando estamos felizes.

A Casa do Saber foi meu lar por dois anos consecutivos. A maior parte do tempo passei nas salas de aula, nas salas de palestras e no Recanto da Paz, como é chamado o jardim da colônia. Ali, vendo as flores e a cascata, muito pensei, meditei sobre o que aprendia. Amadureci muito, sentia-me uma nova Patrícia, equilibrada, mais feliz ainda; só não mudara minha sede de saber, de conhecer.

Tive, nesse período, muitos mestres que foram verdadeiros amigos e dos quais guardo os melhores sentimentos de gratidão e recordações.

Aprendi muito sobre os Evangelhos e o plano espiritual. Passei a falar corretamente o esperanto e a me comunicar pelo pensamento e, no final do curso, só nos comunicávamos assim. Visitamos outras colônias de estudo na mesma área, eram todas um tanto parecidas, cada qual com seu encanto. Fomos a muitas colônias de outros países, onde treinamos o esperanto e a comunicação pelo pensamento. Essas excursões nos maravilharam: é sempre agradável conhecer e fazer novos amigos.

O estudo na colônia é também uma complementação do que fiz anteriormente e que descrevi no livro “Vivendo no Mundo dos Espíritos”. Muito vi e aprendi. Mas maravilhava-me cada vez mais com os conhecimentos que adquiria e ansiava por continuar sempre aprendendo.

Tínhamos muitas horas de estudo por dia, que completávamos com muitos trabalhos em grupos. Fiz muitas amizades: todos os habitantes da colônia eram e são meus amigos, mas sempre há alguns que nos completam mais, são mais afins. Entre eles, uni-me com sincero carinho à Lúcia, à Inês e ao Murilo.

Reuníamo-nos em grupinhos nos gabinetes, ora de um, ora de outro, para trocar idéias. No começo, conversávamos, e depois o grupo ficava em silêncio e a comunicação era feita pelo pensamento. Éramos alegres sem ser alvoroçados. Reuníamo-nos também no jardim, sempre debaixo de algum caramanchão, sentados nos bancos confortáveis, tendo por companhia as frondosas árvores que nunca deixei de admirar.

Tínhamos momentos livres, em que tanto podíamos receber visitas, quanto sair e fazer visitas. Aprendi logo a me locomover nesta esfera e a achar com facilidade a Casa do Saber. Nas minhas horas livres, ia à Colônia São Sebastião rever amigos ou visitava, na Terra, meus familiares, sempre ditando mensagens a eles.

Há sempre muitos estudantes nessas colônias. Todos unidos pelo objetivo de aprender; são espíritos afins. A turma dos veteranos se une em conversação sadia com os novatos e o assunto preferido é o que se estuda no momento. Freqüentávamos muito a biblioteca e íamos sempre às salas de vídeos. Não eram somente meus lugares preferidos, mas de todos. Nessas salas acha-se de tudo, seus assuntos são completos. Não só íamos lá para fazer os trabalhos, mas também, nas horas de lazer, para ver ou rever fitas ou livros de nosso agrado.

Nesta colônia ou em colônias assim, não há mais o tão comentado bônus-hora, que é uma forma de pagamento por trabalhos prestados, como um incentivo para ser útil, sendo usado nas colônias de socorro. Tudo o que se faz numa colônia de estudo é por prazer, por vontade. Sente-se imensa gratidão por se estar ali. Só quem almeja o saber e ama o aprender, se realiza numa colônia de estudo. Para mim, foram dois anos de imensas alegrias, em que tive o prazer de desfrutar a harmonia dessa colônia encantadora.

Capítulo 2

Colônia Triângulo, Rosa e Cruz

Lembrei-me dos ensinos que ouvi de meu pai e que só vim a compreender agora, após tanto estudo. É um ensinamento sobre sintonia e unidade.

A lagarta, na sua estafante peregrinação pelo solo e galhos, à caça de folhas, não se descuida um segundo sequer da sua união com a natureza. No término do seu tempo como lagarta, procura um local adequado, fecha-se em si mesma e entrega-se ao Criador. Findo o tempo necessário, renasce como borboleta com vida e ação completamente diferentes da sua vida anterior. Que fantástico! Que exemplo nos dá esta filha da natureza.

Com os homens, os acontecimentos tornam-se complexos. A maioria tem contornos de dor e sofrimento. Perdemos a sintonia. Não sabemos mais confiar no Criador. Afastamo-nos e, dessa forma, ficamos fragmentados, separados do centro comum, que é Deus.

Conseqüentemente nos agarramos à forma atual, impermeáveis a modificações naturais. Só à custa da ajuda de irmãos dedicados conseguimos pouco a pouco atingir estados que poderiam ser alcançados quase de imediato.

Com a morte do corpo físico, se somos socorridos em postos de socorro, levamos conosco costumes, vícios, condicionamentos à comida e bebida, e até superstições e sectarismo religioso. O que a lagarta faz inconscientemente, temos de realizar conscientes. Aos poucos vamos abandonando as necessidades de alimentação, depois aprendemos a nos comunicar pelo uso da linguagem universal. Ultrapassando isso, não necessitamos mais de símbolos da linguagem. Comunicamo-nos com vibrações mentais, chegando assim bem próximos do silêncio verbal e mental, quase prontos para, nesse silêncio, ouvir o que Deus tem a nos dizer.

Foram feitas várias excursões, durante o curso, a outras colônias, postos de socorro, umbral, hospitais, e a lugares que já descrevi no livro *Vivendo no Mundo dos Espíritos*. Encantei-me de modo especial com as excursões a outras colônias de estudo e às do plano superior, onde passamos horas de agradável convívio e inebriados com tantas belezas.

Foi enorme alegria para o meu coração visitar a Colônia Triângulo, Rosa e Cruz. Essa colônia é intermediária entre o Oriente e o Brasil. É habitada por orientais e brasileiros, visando a um aprendizado maior entre as duas culturas, principalmente quanto à sabedoria que nos une a Deus.

Não é fácil descrevê-la para os encarnados. É algo deslumbrante, de belezas que encantam. Está no espaço ao centro do Brasil, não muito longe da Colônia Nosso Lar, um pouco mais para o Norte. Essa colônia é localizada pela vibração. Quando se quer encontrá-la, concentra-se e se é atraído para ela.

Saímos para visitá-la, nós, os quarenta alunos, um instrutor e um morador oriental da Triângulo, que viera para nos acompanhar. Fomos volitando um ao lado do outro. Ao nos aproximar, volitamos devagar para melhor apreciar o local. No espaço onde está a colônia, o

céu é mais azul, o ar mais puro e rarefeito. De longe, a colônia parece um enorme castelo sobre as nuvens. Um encanto! O castelo é branco e brilha como uma delicada estrela.

– Parece que estou vendo um castelo de contos de fadas – disse Hércules, um colega.

Concordamos com ele. À medida que nos aproximávamos a visão do castelo ficava mais linda. Triângulo, como é chamada, não tem muro, as paredes são as suas divisas. Não possui nenhuma proteção nem aparelhos de defesa. É que essa colônia só é vista, encontrada, pelos que vibram muito bem e sabem concentrar-se e se guiar pela sua vibração.

Seu formato é de um triângulo, tendo em cada lado um portão. A colônia parece de cristal, tendo o brilho e a brancura que dão reflexos de muitas cores suaves. Nas paredes, do lado de fora, há desenhos em relevo e inscrições. São desenhos de figuras humanas em atitudes de oração e adoração ao Pai. Essa colônia é cópia das antigas, porém é uma das mais recentes colônias do Oriente, que existem há milênios. As inscrições são orientais, e algumas frases, em Português. Glorificam a Deus.

– Só por ver isto, me sinto realizada. Que maravilha! – exclamou Lúcia, outra companheira.

Possui sete torres arredondadas, sendo três mais altas. Seus telhados são em forma de triângulos e de tonalidade azul-clarinho, parecendo ser também de cristal. Paramos em frente ao portão principal.

– Vamos, por favor, ficar observando mais um pouquinho – pediu Fábio extasiado.

Era a vontade de todos. Passei a mão devagarinho na parede, senti o sólido da construção e pude observar de perto a delicadeza e a perfeição de seus desenhos. O portão é diferente dos que já vira no mundo espiritual; é muito bonito. Não é feito de nenhum metal que os encarnados conhecem, sendo difícil compará-lo com algo conhecido. É grande e tem um enorme emblema de formas perfeitas; foi idealizado por um excelente artista. Esse emblema é de um

branco puro, um pouco diferente do branco que conhecia quando encarnada. Ele sobressai de tal forma que, ao apreciá-lo, parece que somente a ele vemos. Um encarnado, ao vê-lo, pensaria que fosse feito de pedras preciosas.

O oriental que nos acompanhava aguardou tranqüilo que observássemos a parte externa da Triângulo. Quando nos agrupamos de novo, ele mentalizou por segundos e o portão se abriu. Certamente sabiam que estávamos do lado de fora, mas só foi aberto quando o oriental mentalizou. E a nossa primeira lição sobre a Triângulo foi dada pelo nosso acompanhante.

– O portão só abre ou fecha, por sintonia da mente de um dos seus moradores.

– Genial! A mente aqui é como um controle remoto – exclamou Hyolanda.

– Um controle de alta precisão que não falha – disse nosso instrutor sorrindo.

– Aqui não escurece? Já era para ser noite. Daqui dá para ver a noite logo ali. Esta colônia não está vinculada à rotação da Terra? – indagou Míriam, outra componente do grupo.

– Sim – respondeu esclarecendo nosso instrutor. – Triângulo está na esfera que segue a rotação da Terra. De fato, daqui de fora podemos ver o sol, ou a noite com suas estrelas. Mas a claridade na colônia é sempre amena, parece estar sempre numa manhã de sol de clima perfeito. Não há luz artificial. Mas seus construtores também projetaram a iluminação, que é sustentada continuamente pelos seus habitantes.

Fomos convidados a entrar. Atravessamos um *hall* ou um espaço grande coberto, todo em tons de azul. O piso era revestido de azulejos, mosaicos, ou algo parecido, e formava lindos desenhos. Nas paredes, inscrições e desenhos em relevo de flores e animais. Paramos para olhar. Peço desculpas aos leitores por não conseguir descrever tantas belezas que o cérebro físico desconhece, e não tenho, para certos objetos, nem como comparar.

– Que verdadeiras obras de arte! – exclamou Inês, encantada.

– Damos muito valor ao belo, à harmonia perfeita da arte que vem inspirada pelo Criador, para que todos, ao contemplar, possam reverenciar o Pai a quem tudo devemos – falou respeitoso o oriental.

Dali passamos a um pátio ao ar livre com lindos canteiros redondos, e flores que eu desconhecia. O piso entre os canteiros parece ser de estrelas pequeninas, cintilantes, a brilhar ora umas, ora outras. Nunca vi jardim tão lindo nem flores de tamanho encanto. Aproximei-me de uma flor, que nos deu leve lembrança da nossa rosa. Uma flor brilhante, azul-clara, que exala um suave perfume.

– Que delicioso perfume! – exclamei admirada.

– Esta flor, Patrícia – disse nosso instrutor –, exala o perfume predileto de quem a cheira. Está aqui, linda deste jeito, como todas as outras, desde a inauguração desta colônia há muitos anos.

– Que maravilha! – exclamei.

Tentei passar a mão na flor, que se afastou; desviando seu galho para o outro lado.

– Oh! – disse baixinho a ela. – Não quero lhe fazer nenhum mal. Queira me desculpar, pois ia atrever-me a passar os dedos em suas delicadas pétalas.

A flor voltou ao seu lugar, afastara-se pelo seu instinto mais apurado. Não me atrevi a aproximar-me mais dela. Flores são para admirar, não para pegar. Por mim, não sairia mais daquele jardim, encantada com suas plantas. Admirava cada flor com seus formatos diferentes e cores harmoniosas. Mas o instrutor nos convidou a entrar.

– Vamos visitar as salas de audiência.

Os salões são de rara beleza, simples, com lindos quadros, nas paredes, de Jesus ensinando. Embaixo dos quadros, trechos dos Evangelhos, principalmente de Mateus, do *Sermão da Montanha*. Vasos de flores brancas estão sempre presentes, encantando o ambiente. Os salões são amarelo-claro. Em um deles, fomos convidados a sentar nas confortáveis poltronas, e um dos orientadores da casa veio nos abrilhantar com suas explicações.

– Sejam bem-vindos à Triângulo, Rosa e Cruz, prezados convidados.

Deu uma pausa e nos olhou sorrindo. Era oriental e, com fisionomia tranqüila, transmitia uma paz que o tornava lindo. Vestia túnica branca com emblema no peito, o mesmo que vimos no portão. Muitos ali se vestem assim. Outros usam roupas ocidentais, mas predomina a roupa de cor branca.

– Primeiramente, quero lhes informar que esta colônia não está vinculada a religião nenhuma na Terra. Tem este nome porque triângulo é o seu formato. A rosa, nome de uma flor que tiramos da natureza numa linda manifestação de Deus. A cruz porque nós, os orientais, queremos nos aprofundar nos ensinamentos cristãos. Aqui estamos com o objetivo de trazer nossos melhores e reais conhecimentos à raça brasileira e, com ela, aprender cada vez mais. Aqui estamos para servir, trabalhar entre os encarnados e os desencarnados. E também preparar os ocidentais brasileiros para reencarnar no oriente, levando a países orientais ensinos cristãos. Agora, se quiserem fazer perguntas, estejam à vontade.

– Senhor, por favor, como devo dirigir-me a sua pessoa? – indagou Marystela. – Devo tratar o senhor por mestre? Pai?

– Mestre é aquele que ensina, pai é o que orienta. Aqui empregamos muito estas duas formas de tratamento. Minha cara convidada, sinta-se à vontade para dirigir-se a mim como quiser. Meu nome é Chuan.

– Mestre – disse Marystela sorridente –, está aqui há muito tempo? Pretende reencarnar? Onde? No Brasil ou no Oriente?

– Estou há bastante tempo aqui, onde ainda permanecerei por muitos anos. Não tenho data para reencarnar e devo retornar ao corpo físico no Brasil.

– Os moradores permanecem muito tempo aqui? – quis saber Laura.

– Só ficam mais tempo os orientadores. A maioria faz rodízio, ficam aqui e em colônias no Oriente. Muitos, após um curso, reencarnam.

– Os construtores desta colônia foram somente orientais? Estão ainda aqui? – indagou Inês.

– Sim, foram os orientais que a planejaram e construíram. A maioria veio somente para este evento e voltou ao Oriente. Alguns ficaram e três ainda estão conosco.

– Tem dado resultado este intercâmbio? – indagou Murilo.

– Sim. Embora nosso trabalho seja considerado como uma grande plantação que no futuro dará doces e sábios frutos.

Como ninguém indagou mais, Chuan concluiu.

– Aqui temos tentado nos despir de todos os preconceitos. Devemos ser todos iguais e esforçar-nos para nossa melhoria. Tanto que a orientadora geral desta casa nos tem dado inúmeros exemplos de bondade e dedicação. Esta colônia foi construída para o intercâmbio das duas raças e para tirar o melhor que há nas duas, para o bem de todos nós. Os orientais que desejam reencarnar no Brasil, aqui fazem cursos de língua e costumes para melhor adaptação. Também orientamos os brasileiros que querem reencarnar no Oriente. Nosso principal objetivo é realizar-nos interiormente e levar com nossos exemplos outros a fazê-lo. Somos todos irmãos e devemos aprender a nos amar como tais.

– Que agradável palestra! – exclamou Lúcia. – É tão simples e cativante, que poderia ficar a ouvi-lo por muitas horas.

Concordamos com ela, mas nossa excursão tinha que seguir o horário já organizado. Fomos ver outro salão, o de música. Uma suave e delicada melodia se ouvia. Muitos dos moradores ali estavam desfrutando de suas horas de lazer, a escutar tão encantadoras melodias. É uma sala diferente, agradável, com lindos quadros na parede exaltando a música. Só se escutam canções do mundo espiritual.

Ao passarmos pelo pátio, vimos um grupo de encarnados entrando no salão. Admiramo-nos, surpresos. Uns se mostravam extasiados com tantas belezas; outros, talvez acostumados, viam tudo normalmente; uma minoria parecia um pouco alheia. O oriental que nos acompanhava, esclareceu.

– São encarnados filiados à nossa colônia. Seus corpos físicos estão dormindo. Sempre estamos recebendo grupos deles. Aqui são trazidos para receberem orientações e incentivos.

– Todos os filiados da Triângulo conseguem êxito nas encarnações? – indagou Murilo.

– Gostaríamos que todos fossem bem-sucedidos. A luta é igual para todos. Infelizmente há os que fracassam, diante das dificuldades do plano físico.

O silêncio desta colônia é divino. Não se faz barulho ao caminhar. Pouco se fala. Quase sempre se ouvem conversas de grupos de visitantes. Entre os moradores só se usa a telepatia, a comunicação pelo pensamento.

Fomos visitar a biblioteca. Grande, espaçosa e silenciosa, nada se escuta. Com a nossa presença, o silêncio foi quebrado com algumas expressões de surpresa e com algumas perguntas. Suas estantes são trabalhadas, e do mesmo material com que é construída a Triângulo. Parece cristal. São poucos os livros de literatura brasileira. Na maior parte, são religiosos e de cultura geral. No restante, são livros orientais. Alguns, traduzidos. Há livros raros, uns grandes, outros em papiro. Constituem cópias de livros que se encontram nas colônias orientais. Infelizmente não teríamos tempo para lê-los, só observamos. É a biblioteca da Triângulo um lugar encantador.

Subimos algumas torres. São tão lindas! Pudemos ampliar nossa visão, vimos a Terra de longe e de perto, como se estivéssemos num avião, voando mais baixo. Para subir na torre volita-se devagar.

Em seguida, fomos conhecer, ao lado direito, uma ala que se chama Lar de Repouso.

– Lá estavam os recém-desencarnados, filiados à Colônia Triângulo, onde se hospedam por um determinado tempo.

– Seriam, todos os filiados, socorridos e trazidos para cá logo após a morte do corpo? – indagou Jorge Luís.

– Não. Infelizmente só os que têm merecimento, são socorridos após a morte do corpo e recolhidos no Lar do Repouso. Há os fracassados, que têm por afinidade lugares a que fizeram jus. Mas todos eles recebem nossa ajuda. Logo que possível são orientados, às vezes, por certo tempo, em outras colônias. Quando aptos, nós os trazemos ao lar.

Esta parte nos faz lembrar as acomodações das muitas colônias de socorro. Tudo é simples e com muitas flores. Ali vimos água. Um pequeno e encantador chafariz que, além de embelezar, serve aos hóspedes de alimento fluídico. Nosso acompanhante esclareceu:

– É o único alimento que temos na colônia. E está aqui no Lar do Repouso, porque os alojados necessitam desta nutrição. Os outros habitantes da colônia não fazem uso da água, nem das plantas. Sustentam-se com o fluido vital do Criador.

A água é igual à da colônia de estudo. Não molha, é límpida. O chafariz é de cristal ou algo que se pode comparar a essa pedra, para os encarnados terem uma idéia. É verde-claro e tem formato simples. Os recém-chegados gostam de sentar-se à sua volta. Um deles nos diz:

– Só de ver o chafariz, sinto-me alimentado.

A ala tem alojamentos, onde os abrigados descansam.

Ficamos quarenta e sete horas visitando a colônia, ouvindo palestras e encantamo-nos com tudo. Observamos desde o teto; as paredes, o piso, as flores, os quadros, tudo nos maravilhava.

Só podem visitar colônias assim os espíritos que estão em colônias de estudo. Indivíduos mais esclarecidos e totalmente edificados com o mundo dos espíritos. Fora do Lar do Repouso, ninguém se alimenta nem faz exercícios para se nutrir, pois isso ocorre automaticamente. Não se necessita descansar. Aprendemos na colônia de estudo esses detalhes. Logo nos primeiros meses de estudo, após as excursões no umbral não necessitávamos de descanso ou de nutrição.

Chegou a hora de nos despedirmos. As saudações de paz foram mentais, olhamos sorrindo, fazendo reverência com a cabeça. Ao atravessarmos o portão, volitamos perto um do outro. Olhei para trás: a Triângulo realmente parece com um castelo de fadas. Foi maravilhosa a excursão. Quarenta e sete horas de sublime encantamento, que ficarão guardadas para sempre na minha memória perispiritual. Alegria!

Capítulo 3

Recordando o passado

Frederico, meu amigo desde os primeiros tempos de desencarnada, vinha sempre me visitar. Conversávamos tranqüilos pelos jardins da colônia de estudo. Sabia que éramos amigos de outras encarnações. Somos espíritos afins e é sempre agradável tê-lo por companhia. Meu passado, a vivência de outras encarnações, vinha-me à mente, primeiro em pequenos lances, depois em trechos maiores até formar um complicado jogo de quebra-cabeças. Numa dessas conversas com ele, pedi:

– Frederico, tenho recordado momentos de minha encarnação anterior da qual sei que você faz parte. Gostaria de recordá-la toda. Você me ajudaria?

– Quem já recorda sozinho, está apto a fazê-lo. O passado a nós pertence. Cada encarnação é uma caixinha fechada em nosso cérebro espiritual. Basta abri-la para recordar. Muitos o fazem sozinhos, sejam encarnados ou desencarnados, outros necessitam de ajuda. De fato,

Patrícia, faço parte do seu passado. Vou ajudá-la a completar seu quebra-cabeças.

Olhou-me tranqüilo, mas profundamente. As recordações vieram em seqüência como num filme que passava em minha própria mente.

Vivia feliz com minha família numa pequena e singela cidade. Tinha por mãe o mesmo espírito de Anézia, que é minha genitora nesta. Éramos pobres, mas trabalhadores. Romântica, sonhava com meu príncipe encantado. Um dia, ao visitar meu padrinho, um senhor rico da região, dono de propriedades, conheci Frederico, um jovem médico, muito bonito, louro com traços delicados, sorriso franco, que residia na cidade vizinha. Estava hospedado na casa do meu padrinho, pois eram conhecidos, e viera para visitá-los. Eu completara na época dezesseis anos e nunca havia namorado. Quando olhei para ele, ao sermos apresentados, meu coração disparou, e o amor antigo de outras existências ressurgiu forte. Frederico também me amou assim que nos vimos. Ficamos conversando, depois ele me acompanhou até em casa. Combinamos encontrar-nos no dia seguinte à tarde. Após uma semana de encontros escondidos, Frederico foi à minha casa e pediu permissão ao meu pai para me namorar.

– Você é linda, Roseléa! – dizia ele, enamorado. Chamava-me Roseléa na existência anterior. Curiosamente, tinha os mesmos traços que tive nesta última encarnação e que tenho agora. Era loura, alta, magra e com olhos azuis.

Dias depois, Frederico teve que voltar à sua cidade, mas vinha sempre me ver. Apaixonados, resolvemos nos casar. Mas problemas surgiram: eu era pobre, e ele, rico e filho único. Seu pai, abastado fazendeiro, não aceitou nosso namoro.

– Roseléa – disse Frederico –, meus pais não querem que eu me case com você. Desejam para mim uma jovem do nosso nível social. Mas porque amo você, insisti. Concordaram, só que exigiram que você se afaste de sua família e, após nosso casamento, fiquemos morando com eles.

– Não posso, Frederico, afastar-me da minha família. Eu os amo.

– Se quisermos ser felizes, necessitaremos fazer algum sacrifício. Senão, nosso amor se torna impossível. Sou filho único, mas você tem

muitos irmãos, seus pais não sentirão tanta falta de você. Diga a eles a proposta dos meus pais, sinto que entenderão. Neste mundo, sempre temos que renunciar a alguma coisa para sermos felizes.

– Mas esta "coisa" é minha família – falei indignada.

– Vocês poderão se corresponder, trarei você uma vez por ano para vê-los. Só que eles não poderão nos visitar.

O fato é que amava Frederico e não queria perdê-lo. Falei com meus pais e eles, embora tristes, concordaram. Fui conhecer os pais de Frederico. Eles não gostaram de mim, nem eu deles, mas tudo fiz para agradá-los. Eram instruídos, ricos, e moravam numa mansão enorme, que até me assustou. Amavam demasiadamente o filho e não sabiam negar nada a ele, por isso concordaram com nosso casamento. Casamo-nos na capela da casa deles, numa cerimônia simples que não foi assistida por nenhum dos meus familiares. Frederico e eu estávamos felizes, estávamos juntos, era tudo o que queríamos. Apresentei-me bonita, no dia de nosso casamento, vestindo uma roupa que minha sogra mandou fazer.

Tivemos por dormitório um belíssimo quarto, que era o lugar da casa onde me sentia à vontade. Sentia-me encabulada perto dos meus sogros, e até dos empregados, pois era para todos uma estranha, que ali estava para se educar. Tudo fiz para conquistá-los, e eles apenas me toleravam. Quando perto de Frederico, ainda se mostravam educados, mas longe dele eram irônicos e estavam sempre me criticando, lembrando da minha condição social inferior.

Isolava-me cada vez mais em nosso quarto. Para não ficar sozinha e sem fazer nada, passei a ajudar Frederico como enfermeira. Aprendi rápido e tornei-me uma boa ajudante. Animei-me mais, com o tempo preenchido. Gostava de ajudá-lo. Frederico era bom médico, estudara Medicina na França, era atencioso e carinhoso com todos. Sempre me tratou com carinho. Às vezes chateava-se com a indiferença dos pais para comigo, mas acreditava que acabariam por me aceitar, tão logo tivéssemos filhos.

Durante o tempo em que estive casada, só vi meus familiares duas vezes em visitas rápidas, mas nos correspondíamos regularmente.

Dois anos depois do meu casamento, minha sogra desencarnou. Pensei que minha vida fosse melhorar, porque era ela quem mais me ofendia e tinha ciúmes de mim, mas não. Meu sogro, senhor Nicásio, queria netos. E começou a nos cobrar diariamente, pois desejava a continuação da família, queria herdeiros. Porque, se Frederico não tivesse filhos, a fortuna iria para parentes indesejáveis. Frederico e eu também queríamos filhos. A cobrança era tanta que estava desesperada e não conseguia engravidar.

Ajudando Frederico vi o quanto ele era bom, caridoso; cuidava dos pobres e ex-escravos sem cobrar, e até lhes dava remédios e alimentos. Amava-o muito, mas não era feliz. Sofria a falta de minha família, de minha casa, e não me sentia bem naquela enorme mansão. Tinha um medo terrível de não engravidar e, também, porque Frederico era muito ciumento e não gostava que eu conversasse com ninguém.

Após quase quatro anos de casados, época em que ia completar vinte e dois anos, fatos novos aconteceram. Vieram nos visitar e conosco ficaram hospedados os padrinhos de Frederico, com um casal de filhos. A filha mais velha, Hortênsia, era uma moça muito educada, instruída e muito bonita. Logo que chegaram, o casal ficou doente. No começo parecia uma gripe forte. Porém, Frederico constatou apavorado que era crupe. A difteria não tinha cura naquela época e quase sempre levava à morte. Isolou-os numa parte da casa e exigiu que eu e sua ama, Maria, fôssemos cuidar deles. Maria era uma negra, ex-escrava, que sempre cuidou dele, os dois eram muito amigos. Eu não quis ir, mas Frederico insistiu, porque os doentes eram nossos hóspedes e seus padrinhos. Era a pessoa indicada, já que aprendera muito trabalhando com ele. Meu sogro intrometeu-se na conversa e disse com ironia:

– Você não serve nem para me dar netos, vê se faz algo útil.

Fui, contrariada. Maria e eu tomamos todas as precauções devidas para não contrair a doença. O filho, um menino de dezesseis anos, também ficou doente. Depois de alguns dias enfermo, o casal acabou morrendo. Hortênsia estava triste e Frederico dava muita atenção a ela, fiquei com ciúmes. Quando cuidava do mocinho, senti, apavorada, os sintomas da doença. Adoeci. Maria cuidava, com o

carinho de sempre, de mim e do menino. Frederico vinha me ver várias vezes ao dia, sempre preocupado. Meu sogro não me visitou. Às vezes, Hortênsia vinha ver o irmão. Estava triste, chorosa, e Frederico a consolava. Odiei-a. Ela sim, pensava, era a nora desejada, a esposa que um médico merecia. Achei que Frederico se arrependera de ter casado comigo e me mandara cuidar dos doentes, para que adoecesse e ele ficasse livre. Estava magoada com meu esposo, e o culpava por ter adoecido. Eram muitas as dores físicas, mas a dor moral e a raiva eram maiores. Sentia-me desprezada e sozinha. Desencarnei com muita agonia, com ódio de Hortênsia e de Frederico.

Fui atraída para o umbral por vibrar igual àquele lugar. Estava revoltada por ter desencarnado jovem, não lembrando de Deus, nem de orar. Durante muitos anos, vaguei com rancor pelo umbral. Até que um dia um homem me falou:

– Você não é Roseléa, a nora do Nicásio, aquele carrasco?

– Sou.

– Por que está aqui? Gostava do seu sogro?

– Não.

– Você não quer ir à sua casa terrestre? As coisas mudaram por lá.

– Posso ir para casa? Não sei como.

– Levo você, mas se prometer ajudar-me, e nos vingaremos de Nicásio.

– Prometo.

Assim, fui levada por ele a minha antiga casa. Quando vagava, perdi a noção do tempo; às vezes achava que fazia muito tempo, outras, meses somente. É horrível vagar pelo umbral. Tive uma grande surpresa ao ver minha ex-família. Frederico estava casado com Hortênsia e tinham três filhos; o mais velho, um menino de nove anos chamado Nicásio, igual ao avô, e duas meninas de sete e cinco anos. Pareciam todos muito felizes. Frederico e meu ex-sogro adoravam o pequeno Nicásio. Odiei a todos.

– Então foi mesmo para que eu morresse, que me mandou cuidar dos doentes! – queixei-me rancorosa. – Queria casar com Hortênsia e ter filhos!

Os outros espíritos que ali estavam, oito, queriam vingar-se do meu ex-sogro, que não foi boa pessoa, fez muitas maldades que Frederico desconhecia. Incentivada por eles, resolvi vingar-me. Escolhi o filho de Frederico para obsediar; ele era sensível, um médium. Achei que, fazendo o menino sofrer, meu ex-sogro, Frederico e Hortênsia sofreriam juntos. Tinha razão.

Comecei logo a executar meu plano de vingança. Colei-me a ele. Logo o pequeno Nicásio foi se prostrando, adoentou. Frederico, preocupado, não achava a causa de sua fraqueza. O menino foi piorando. Levaram-no a outros médicos, a cidades maiores, tomou muitos remédios e piorava sempre. Por dois anos ali fiquei sem me afastar dele um segundo. Trocando energias com o garoto, sentia-me melhor e mais animada. Tinha o objetivo de me vingar e era incentivada e aplaudida pelos outros, que tanto como eu queriam a infelicidade dos moradores da casa, principalmente do senhor Nicásio. Para aumentar minha revolta, narraram com detalhes as infelicidades que padeceram por causa dele. Ali estavam somente alguns a quem ele havia feito terríveis maldades, muitos o perdoaram. Eram ex-escravos, colonos, pequenos proprietários de terra e até uma mulher que foi seduzida e abandonada por ele. Nossa permanência tornou-se fácil, porque naquele lar não havia religião, não se costumava orar e, se orações eram feitas, eram decoradas sem serem sentidas.

Ria, ríamos com a preocupação de Hortênsia, com a tristeza de Frederico e com o desespero do meu ex-sogro que tanto me havia desprezado. Tudo me parecia normal, quando o pequeno Nicásio contraiu crupe. Assustei-me. Tinha verdadeiro horror a essa doença. Vi desesperada Frederico angustiado examinar o filho e dizer:

– Não, de novo! Crupe, doença ingrata que leva meus afetos. Primeiro minha esposa adorada, agora meu filho!

Saí de perto do garoto, mas não, da casa. Apavorei-me pela primeira vez, raciocinando sobre o mal que estava fazendo. Fiquei arrependida. Pedi auxílio aos espíritos que ali estavam. Queria curar o menino. Não queria sua morte e nem a de ninguém.

– Ajudem-me, por favor! Não podem deixar que ele morra! Piedade! – exclamei chorando.

– O que pensa você que somos? – disse-me um deles. – Só Deus pode fazer o que nos pede. Você pensa que o matou? Não é nada para isso. Todos morrem porque têm de morrer.

"Só Deus" – pensei. – "Só Deus para ajudar! Mas como achá-lo? Como pedir a Ele?"

O menino piorou e desencarnou tranqüilo. Estranhei, porque ele não ficou ali. Vimos, os espíritos obsessores e eu, uma luz maravilhosa levá-lo. É que foi socorrido ao desencarnar.

Sofri muito. Saí daquela casa, retornei ao umbral. Gritava sem parar: "Sou assassina! Sou assassina!". Como me arrependi de ter retornado àquela casa. Fiz sofrer um inocente e ele desencarnou. Pensava nisso o tempo inteiro. Como sofri. O remorso é como um fogo que queima sem descanso. Andava de um lugar a outro, no umbral, sem descanso, chorando desesperada e repetindo: "Sou assassina!".

Como compreendo agora os que sofrem e vagam pelo umbral. Sofre-se tanto que não posso comparar com nenhum sofrimento que se tem, quando encarnado. Naquele tempo, quando vagava, não lembrava de Deus, não queria, e sentia imensa vergonha. Achava que era indigna até de pronunciar Seu nome. Encontramos quase sempre dois tipos de sofredores no umbral. Um deles, como fiquei: com remorso destrutivo, achando-me indigna, merecedora de castigo e envergonhada. Outros que se revoltam, acham que não merecem o castigo, blasfemam e odeiam. Todos são infelizes e carentes de auxílio. Os que sofrem, mas lembram de Deus, pedem perdão, e são mais fáceis de serem socorridos.

Um dia, quando andava desolada, escutei:

– Senhora, por favor!

Há muito não escutava alguém se referir a mim em termos tão suaves e educados. Virei e observei. Vi uma suave luz, prestei mais atenção, vi um vulto, sem distinguir quem era.

– Quero conversar com a senhora, venha aqui, por favor, perto de mim.

Fui, sentamos numa pedra. Parei de gritar, aquietei como por encanto. É que naquele momento sentia os fluidos de harmonia que me doava o visitante. Conversei em tom normal e indaguei:

– Conhece-me?

– A senhora não quer falar um pouco de si? Por que está tão triste?

– Não sei se devo... Não estou triste, estou desesperada. Sofro tanto!

Ele pegou a minha mão. Pela primeira vez desde que desencarnei senti um pouco de paz.

– Fale-me da senhora. O que a aflige?

Comecei a falar e, sentindo que o vulto parecia interessado, narrei toda minha vida. Chorava às vezes, mas meu choro desta vez era calmo e sofrido. Por momentos, o vulto passou a mão, com imenso carinho, em minha cabeça. Percebi que o vulto era de pequena estatura. Uma criança talvez. Não omiti nada, e falar tudo me deu um certo alívio. Quando acabei, ele me disse:

– Por que se atormenta assim? Sabe que não é possível um desencarnado matar um encarnado. Você o obsediou, mas foi porque ele aceitou. O pequeno Nicásio teria, como lição, de passar por tudo isso. Por que você não pede perdão a Deus e a ele? Tenho certeza de que, se for sincera, ambos a perdoarão.

– Tenho vergonha. Como posso pedir perdão a Deus tão bom e justo, pelo meu crime tão feio? E Nicásio, como achá-lo? Não me perdoaria.

– Perdoaria sim.

– Como sabe?

– Porque eu sou o Nicásio.

Foi então que o vi. O pequeno Nicásio lindo, risonho e tranqüilo. Olhava-me sereno. Quis fugir, mas ele segurou forte minha mão.

– Não fuja! Fique comigo. Quero tanto continuar conversando com a senhora.

– Tenho vergonha.

Fez-se um silêncio. Abaixei a cabeça, mas fui olhando devagar para ele. Continuava a me olhar sorrindo.

– Não está com ódio de mim? – atrevi-me a perguntar.

– Não. Não tenho ódio, prefiro cultivar o amor. É bem melhor.

– É, deve ser – eu disse com voz baixa. E pensei: "Enquanto eu odiava e sofria, ele amava e era feliz".

– Por que não perdoa a si mesma? Você não faria nada do que fez de novo, não é?

– Não! Não faria! – comecei a chorar.

Nicásio esperou que me acalmasse, para depois dizer:

– Você foi imprudente, mas não foi má. Nada tenho contra você. Quero ajudá-la.

– Não mereço ajuda mas, sim, sofrer.

– Já sofreu e muito. Permite que eu a abrace?

Chorava de mansinho. Ele me abraçou com carinho. Senti seu fluido. Ajoelhei-me a seus pés.

– Nicásio, pelo amor de Deus, perdoe-me!

– Perdôo-a! Venha comigo.

Levantou-me com carinho. Segui-o de mãos dadas. Levou-me a um posto de socorro. Como me senti bem, nesse local de auxílio. Grata, era obediente, não gritei mais e só chorava de arrependimento. Nicásio vinha me ver sempre, seu afeto sincero e sua bondade me ajudaram muito. Logo melhorei. Quando tive alta do posto de socorro, fui para uma colônia aprender e trabalhar. Um dia, Nicásio me levou ao meu antigo lar.

Lá nos esperava Hortênsia, que também havia desencarnado dois anos após o filho. Ao vê-la, envergonhei-me. Como é triste ter de enfrentar os que prejudicamos. Mas ela me abraçou com tanto carinho que logo me senti à vontade. Sentamos na varanda para conversar.

– Roseléa, seu ódio, seu rancor não teve razão de ser; e se tivesse procurado entender, compreender, tudo teria sido mais fácil para você. Frederico sempre a amou. O remorso muito o tem castigado. Não fez por mal ou com intenção de prejudicá-la. Pensava que você com os conhecimentos de enfermeira e sendo tão forte não adoeceria.

Sofreu tanto com sua desencarnação! Tempos depois, casamo-nos por conveniência. Fomos, somos somente amigos. Sempre fui apaixonada por outro homem. Adolescente, apaixonei-me por um moço pobre, e nos encontrávamos escondidos. Meu pai, ao saber, mandou matá-lo. Sofri muito. Quando meus pais e meu irmão desencarnaram fiquei sozinha. Frederico e eu nos consolávamos mutuamente. Casamos para ter filhos. Tivemos uma vida tranqüila e falávamos sempre dos nossos amores. Mas, Roseléa, sofri muito com tudo e por todos.

Chorei baixinho. Agora não estava perturbada, mas o remorso não me abandonou. Vi o tanto que fui imprudente. Hortênsia sofreu tanto e eu agravei seu sofrimento obsediando o filho.

– Perdoe-me, Hortênsia.

Ela me abraçou carinhosamente.

Rever Frederico me emocionou muito. Entendi que ele sempre me amou. Estava viúvo por duas vezes e não pensava em casar novamente e, de fato, não o fez. Amava a Medicina e dedicava-se a ela cada vez mais. O porão da casa era um pequeno hospital, cheio de doentes pobres. O senhor Nicásio estava louco, com a morte do neto que adorava, e assim os obsessores puderam atormentá-lo. Quis ajudá-lo. Incentivada por Hortênsia e o menino Nicásio, me fiz visível a eles, aos obsessores, pedindo, implorando que o perdoassem e viessem conosco. Contei-lhes o que ocorrera comigo e o tanto que era bom estar em paz, e desfrutar das belezas dos postos de auxílio. Deram-me atenção, senti que se interessaram, alguns vieram, outros não. Muitas vezes fui até eles e tentei ajudá-los como também auxiliar o meu ex-sogro. O pouco que fiz, me deixou contente. Após muitas conversas, todos os obsessores vieram conosco. Mas o senhor Nicásio tinha uma dolorosa colheita, plantou muitos males. Quando desencarnou, o neto pôde socorrê-lo. Mas demorou para se recuperar.

– Sabe, Roseléa – disse uma vez o pequeno Nicásio –, se você me obsediou foi porque eu aceitei. Por erro do passado, tinha como colheita uma lição dolorosa. Por escolha minha, iria adoecer e desencarnar jovem. Como obsediei quando era desencarnado, queria passar

por uma obsessão para dar valor à tranqüilidade alheia. Se não fosse você, um dos obsessores do meu avô me obsediaria. Aprendi muito nesta curta existência. Agora estou feliz. Como é bom estarmos quites conosco mesmo, com nossa consciência.

Frederico dedicou toda sua vida à Medicina e às duas filhas. Desencarnou velho.

O tempo passou. Sentia vontade de reencarnar e, estando apta, pedi a nova oportunidade como bênção para esquecer e para ter um recomeço. Minha mãe, reencarnada, ia engravidar. O plano espiritual provocou um encontro entre nós duas. Pedi a ela que me aceitasse por filha, falei que por aprendizagem ia desencarnar jovem. Minha mãe aceitou, amava-me, ama-me.

Pela programação que escolhi, ia passar o que o pequeno Nicásio passou. Reencarnaria num lar feliz e, ainda adolescente, ficaria doente, ia passar de médico em médico, sofreria uma doença incurável e desencarnaria. Antes mesmo de Frederico desencarnar, reencarnei. Hortênsia e o pequeno Nicásio haviam reencarnado. Mas não ia encontrá-los, pois íamos reencarnar em locais diferentes.

As lembranças findaram. Sequei as lágrimas do rosto, recordações sempre nos são penosas. Porém elas me deram um alívio. Agora sabia de tudo. Olhei para Frederico que estava quieto, acompanhando minhas lembranças. Olhou-me sorrindo e concluiu:

– Patrícia, depois que você desencarnou, vivi de lembranças. Casei-me com Hortênsia, porque queria dar continuação à família, sempre fomos amigos. Minha encarnação também não foi fácil. Cuidei de minhas filhas, elas foram felizes, casaram-se e sempre estiveram comigo. Trabalhei muito e fui bom médico. Quando desencarnei, fui socorrido e logo estava bem. Nunca deixei de estar com você.

– Frederico, não ia ficar doente? Desencarnei com saúde.

– Patrícia, doenças são miasmas negativos que são queimados pela dor ou pela bondade, pela sinceridade, pela transformação interior para melhor. Você queimou esses miasmas pela segunda opção. Você se transformou interiormente para melhor. E seu corpo não adoeceu.

– Frederico, quando pequena tive difteria. Sarei, a doença não teve conseqüências.

– Você trouxe, pelo remorso, os miasmas da doença no perispírito, que transmitiu ao corpo.

– Remorso por ter o pequeno Nicásio desencarnado com essa doença. Também porque, quando a tive, não aceitei, sinto que necessitava desencarnar daquela forma. Sofri com a doença, mas a não aceitação não deixou que eliminasse todos os miasmas que trazia comigo.

– Você, na existência anterior, como Roseléa, desencarnaria jovem, íamos nos separar para um aprendizado necessário pelos erros cometidos anteriormente.

– Já estivemos juntos mais vezes?

– Sim.

Naquele momento, saber dessa informação me bastava. Meditei sobre tudo e indaguei Frederico, tirando minha última dúvida.

– Não fiquei doente? Não poderia também ter ficado encarnada por mais tempo?

– Você não quis. Quem vai à Terra pela encarnação e volta no tempo certo, pode se dar por feliz. O corpo lhe era uma prisão que você abençoou e deu o devido valor. Com o tempo vencido era justa sua absolvição.

Frederico deixou-me no gabinete. Pensei muito em tudo o que recordei, e desejei ver o pequeno Nicásio. Na primeira oportunidade pedi a Frederico, que me atendeu. Marcamos dia e hora para que pudesse revê-lo.

No dia marcado, voltamos à Terra. Descemos numa cidade do interior muito singela e agradável. Entramos numa bonita e confortável casa.

– Aqui está Hortênsia – disse Frederico. – Está casada com seu eterno apaixonado, o rapaz que o pai mandou matar no passado. Nossa Hortênsia, que atualmente tem outro nome, está feliz e tem por irmão o pequeno Nicásio, que agora se chama Nelson. Venha, vamos vê-lo.

Para minha surpresa, entramos num simples mas agradável centro espírita. Reconheci-o, logo que o vi. É um homem, jovem

ainda, muito bonito, fisionomia tranqüila. Estava orando concentrado. Aproximei-me dele, ajoelhei-me ao seu lado e beijei-lhe as mãos. Frederico segurou minha mão e levantou-me.

– Vamos assistir à sessão. Fiquemos aqui. Nelson agora irá trabalhar. É um médico de profissão e dentro do Espiritismo um médium ativo.

Envergonhei-me do meu rompante. Fiquei quieta no lugar indicado. A reunião da noite foi muito bonita e proveitosa. No final, Frederico se incorporou, ajudando e aconselhando os encarnados presentes. Nelson se emocionou. Amava aquele espírito, um médico chamado Frederico, que ia regularmente ao centro espírita ajudar a todos. Não me atrevi mais a me aproximar de Nelson. Quando terminou, Frederico foi abraçado e cumprimentado pelos trabalhadores desencarnados da casa. Logo em seguida, convidou-me a partir.

– Frederico – disse –, como gostaria de ajudar o Nelson. Como queria retribuir o que ele fez por mim.

– Patrícia, Nelson não necessita dessa ajuda paternalista que você almeja lhe dar. Ele é espírito que cresce e progride. Depois, Patrícia, quem perdoou não é carente de ajuda. Você poderia, por sentir-se devedora, o que não tem razão de ser, querer fazer o que compete a ele fazer. Nelson é bom, correto, luta e cresce, talvez porque os problemas que aparecem sejam por ele mesmo solucionados. Poderá, sim, seguir o exemplo que ele lhe deu e fazer o bem aos que carecem de ajuda. Nem sempre é possível retribuirmos ao nosso benfeitor o bem recebido. Mas, como a nós foi feito, devemos fazer aos outros.

Compreendi.

Minha gratidão pelo pequeno Nicásio, por Nelson, é grande. Aprendi a reverter minha gratidão em vibrações carinhosas que remeto a eles todos os dias. Com Nelson aprendi que sempre devemos fazer o bem, mesmo para aqueles que nos fizeram mal. Porque o bem realizado a nós mesmos retorna, tornando-nos auto-suficientes e fazendo-nos cada vez mais úteis.

O passado está em nós e não podemos mudá-lo um pingo que seja. Mas podemos, sim, tirar lições para o futuro e entender o presente.

As recordações fizeram com que eu ficasse mais grata e entendesse os que sofrem, principalmente os que vagam pelo umbral, os que se consomem pelo remorso. Motivaram-me a ser melhor no futuro. Do passado, devemos tirar só lições que nos ajudarão a progredir sempre.

Capítulo 4

A Casa do Escritor

Que prazer nos proporciona fazer algum trabalho sem estarmos esperando ou condicionados a um pagamento, ou agradecimento de outras pessoas.

Até então, desde a minha desencarnação, recebera incessantemente amor, carinho, conhecimentos e uma oportunidade atrás da outra. Sempre que terminava um curso, meus fraternos amigos já providenciavam outro. Sentia-me feliz e desejosa de transmitir essa felicidade a outras pessoas, de gritar ao mundo tudo o que eu sabia e vivia, sonhando com a hipótese de que todos iriam aceitar o que dizia, comungando comigo toda a alegria e felicidade de que era portadora.

O curso na Colônia Casa do Saber terminou com o mesmo clima de alegria e harmonia que houve em seu decorrer. Cada um de nós, agora, deveria dedicar-se a uma atividade diferente, muitos

iriam ser instrutores nas colônias de socorro.[2] Congratulamo-nos uns com os outros, felizes por termos realizado mais uma etapa da nossa vivência espiritual.

Particularmente, estava radiante. A Casa do Saber estaria sempre em minhas recordações, e voltaria sempre lá para rever os professores e a colônia. Estávamos sempre reencontrando os amigos. Os mais chegados trocavam informações de onde estariam para se reverem.

Numa cerimônia simples, mas agradável, nós nos despedimos.

Fui visitar a Colônia São Sebastião e fiquei na casa de minha avó. Revi meus amigos. Como é gostoso estar com os que amamos, trocar idéias e informações. Pude estar perto das minhas violetas, que continuavam lindas e floridas. Sempre sinto muita paz ao estar com elas. São um pedacinho de minha mãe perto de mim. Aproveitei os dias livres que tive, para também rever amigos e familiares encarnados.

Logo eu ia começar uma nova atividade, e recordei uma conversa agradável que tive anteriormente com meu amigo Antônio Carlos. Ele estava sempre incentivando a me dedicar à literatura.

– Patrícia, escreva aos encarnados suas experiências – dizia entusiasmado. – Aprenderá muito com esse trabalho. Com sua narração, brindará os que gostam da leitura edificante, contando o que é a vivência no mundo dos espíritos, para uma pessoa que, encarnada, foi Espírita fervorosa e praticante. Dará, com seu exemplo, incentivo aos bons espíritos. Os encarregados na Espiritualidade, da divulgação da Doutrina Espírita almejam mandar para eles relatos de um desencarnado que teve conhecimentos do Espiritismo, quando no corpo físico. Mostrará nesses escritos como é fácil a desencarnação e a adaptação dos que retornam à pátria espiritual com conhecimentos verdadeiros e isentos de erros. Os bons espíritas estão necessitados de motivação e da confirmação do ensinamento que está em *O Evangelho Segundo o*

2. Denominamos colônias de estudo aquelas em que há somente escolas. Colônias de socorro são aquelas em que há também os hospitais e onde ficam internos os recém-socorridos, como a Colônia São Sebastião que já descrevi em livros anteriores e a tão conhecida Colônia Nosso Lar. (N.A.E.)

Espiritismo, no capítulo 18 – Aos espíritas, portanto, muito será pedido, porque muito recebem, mas também aos que souberam aproveitar os ensinamentos, muito lhes será dado.

– Bem, se você acha realmente que devo tentar, necessito aprender, porque sei que não basta boa vontade para fazer algo bem feito.

– Tem razão. Necessita estudar e aprender, para realizar esse trabalho. Não se deve fazer sem preparo, nem sem autorização dos espíritos encarregados deste setor. Treino já tem. Ao ditar mensagens aos seus pais, nesse tempo, treinou. Este treino é para o melhor entrosamento entre o médium e o desencarnado que irá escrever ou ditar.

– Todos que ditam livros pela psicografia, fazem esse estudo?

– Deveria ser assim. Quando o desencarnado quer, realmente ele faz sem o visto do pessoal encarregado do bom desenvolvimento literário.

– Os que querem se exercitar com a psicografia, têm muito trabalho?

– Patrícia, não se faz nada bem feito sem esforço, trabalho e perseverança de ambas as partes, a do encarnado e a do desencarnado. Veja o exemplo de sua tia Vera; estudou muito a Doutrina, treinou nove anos para escrever o primeiro livro. Enquanto ela se preparava, eu também me preparei, estudei, fiz e faço parte desta equipe literária. Tudo o que escrevo, é passado pela censura desta casa, para depois ditar à médium. Esse ditado é feito no mínimo três vezes, para que depois seja editado para os encarnados. Todos os que querem fazer um trabalho edificante, de boa vontade, espontaneamente, se submetem à apreciação desta equipe.

– São muitas as casas, colônias, que se dedicam a esse trabalho?

– Muito se trabalha para ter uma colônia deste tipo, no espaço espiritual de cada país. Temos uma que coordena o trabalho de todas, que se chama "Mansão dos Intelectuais", da qual faz parte Allan Kardec. Essa mansão lindíssima é móvel como todas as outras que seguem sua orientação. Já tivemos oportunidade de tê-la muitas vezes no espaço brasileiro. Muitos bons escritores brasileiros trabalham nela. O objetivo principal é incentivar os que queiram fazer a literatura que educa na

boa moral e motivar todos a apreciá-la. Todos nós vibramos com as boas obras editadas. Aqui no Brasil temos A Casa do Escritor.

– A Casa do Escritor?! Que bonito nome!

– Você irá gostar dela. Lá estudará por dois anos. Dedicar-se-á ao estudo de como escrever, o que escrever e para quem escrever.

– Essa casa é dedicada só aos escritores?

– Apesar de se chamar assim, dedica-se a toda boa literatura. Quando foi criada, seu objetivo maior era formar bons escritores em cursos que existem até hoje. Seus trabalhos foram aumentando. Atualmente dá assistência aos seus pupilos, quando encarnados. Orienta todos os que querem se educar, se instruir e se informar sobre o Cristianismo e sobre a boa moral. Dá assistência às editoras que trabalham com bons livros e estende essa ajuda a todos os que se dedicam a divulgar e vender esses livros.

– Certamente os livros espíritas fazem parte da assistência dessa casa.

– Com carinho primordial. Desde que o Espiritismo surgiu, seus livros têm educado, fazendo progredir inúmeras pessoas. Tratamos, na A Casa do Escritor, com toda atenção que merece a literatura espírita e todos os que trabalham com ela.

Desde que tivemos essa conversa, ansiava por conhecer essa colônia, que cuida com tanto amor da literatura espírita que sempre amei. Não tomei a decisão de ditar aos encarnados sem antes pensar e ouvir amigos. Fui incentivada por todos eles. Matriculei-me no curso. Não foi preciso ir à colônia para isso. Da Casa do Saber mandei, por um aparelho, parecido com um fax, meu histórico e pedido de matrícula. A resposta me aceitando veio de imediato. Era só aguardar o início. Tudo o que se marca data, chega. Antônio Carlos fez questão de me acompanhar. Convite que aceitei prazerosa e, contente, fui conhecer a tão falada colônia.

A Casa do Escritor não tem sistema de defesa. Parece estar flutuando no espaço. Que visão maravilhosa é vê-la, cercada de árvores e flores.

– A casa não é atacada? – indaguei curiosa.

– Muito raramente. Quando é sentida a aproximação de irmãos ignorantes que vêm com intenção de atacar e perturbar, alguns moradores saem para o pátio e enviam ondas mentais que neutralizam tanto os atacantes como suas armas. Isto é possível, porque na casa estão somente espíritos equilibrados e harmoniosos no bem.

– Que linda! – exclamei, ao descermos no seu pátio da frente. Olhando-a, pareceu-me uma imensa mansão, onde a tranqüilidade se faz presente. Observei-a por um tempo, extasiando-me com tanta paz. Suspirei feliz.

Toda a casa está rodeada de pátios com muitos canteiros floridos e pequenas árvores, iguais às que vemos na Terra. Tudo me encanta de um modo particular. Árvores e flores são sadias, bem cuidadas, respeitadas. Em A Casa do Escritor predominam as flores brancas. Como é gostoso olhar um canteiro florido, sentir a energia das flores. Observava suas formas, sentia o seu perfume. Quem gosta da natureza fica deslumbrado com os jardins do mundo espiritual. Quem ama o local, sente o quanto ele é belo. É só observar e achar as belezas, o encanto das coisas simples.

A mansão é de uma beleza única, apesar da sua simplicidade. A sua visão nos induz à comunhão de conhecimentos, trazendo-nos lembranças das edificações da Grécia antiga. A construção é beginho-claro, com inúmeras colunas brancas de uns vinte centímetros de diâmetro. As colunas estão ao redor da construção toda, dando um encanto especial à colônia. O telhado é um triângulo vermelho, lembrando realmente as casas bem cuidadas e bonitas na Terra. Do pátio, sobem-se três degraus até a área com as colunas. Essa área tem dois metros e meio de largura e, em seguida, vêm as paredes. Subi os degraus e não resisti: abracei uma coluna.

– Que lugar de encantos mil! – exclamei.

– De fato é cativante – disse meu acompanhante. – Identifico-me plenamente com esta casa.

– Que desenhos magníficos!

Corri até as paredes para observar melhor. Nelas, desenhadas em relevo, mas da mesma cor, gravuras que mostram trechos da

literatura antiga. São quadros fascinantes, e podemos passar horas contemplando-os. Os mais interessantes para mim são os desenhos sobre a Bíblia, em especial os de Moisés escrevendo parte do *Antigo Testamento*. O piso nessa área entre as colunas e as paredes é de um vermelho clarinho, brilhante e também contém gravuras maravilhosas da História antiga. Como é agradável observar quadro por quadro, analisando seus detalhes perfeitos.

– Aqui estamos – disse Antônio Carlos, sorridente. – No seu novo lar.

– Mora aqui também?

– Sim, tenho minha sala onde escrevo. Amo a literatura espírita e esforço-me para participar de sua divulgação. Gosto de modo especial das reuniões que a casa promove.

Olhando de frente, vemos várias portas. Algumas estavam abertas.

– Estamos sendo aguardados nesta sala – disse meu amigo, despertando-me do êxtase da contemplação da casa.

Caminhamos para uma das portas abertas. Entramos. Defrontei-me com uma sala agradável, não muito grande, enfeitada com quadros e vasos de flores. Os quadros no mundo espiritual são realmente lindos, representam pinturas de artistas e podemos ficar horas contemplando-os. Na A Casa do Escritor há quadros exaltando a leitura e a escrita. Obras de arte encantadoras. As janelas são delicadas e redondas, e algumas, com vidros coloridos e claros, estão do lado contrário ao da porta. Na sala havia algumas poltronas confortáveis. Um grupo animado conversava em pé. Antônio Carlos conhecia algumas pessoas presentes, porque assim que entramos foram cumprimentá-lo e também a mim. Sentia-me à vontade e logo estava conversando também.

Com a chegada de todos, começou a palestra. Havia na sala trinta pessoas. Fomos convidados a sentar.

– Atualmente, sou diretor desta casa. Digo atualmente porque, após um acordo entre todos os moradores, fazemos rodízio no cargo de orientação. Sejam bem-vindos! Aqui estamos reunidos, professores, alguns convidados e os candidatos aos dois cursos que logo se

iniciarão. O primeiro é para os que desejam ditar aos encarnados, por meio da psicografia. Como também há os que desejam inspirar, sem serem notados, os encarnados nos seus trabalhos escritos. O segundo curso é para os que querem preparar-se e estudar para reencarnar e, quando encarnados, dedicarem-se à literatura edificante.

Espero que gostem tanto da nossa casa como dos cursos escolhidos. E sintam aqui como se fosse o próprio lar. Aqui estão os que vão ministrar as aulas do primeiro curso, professor Aureliano e professora Maria Adélia.

Que simpáticos eram meus professores, gostei muito deles. Depois, apresentou os que dariam as aulas do segundo curso. Pediu que cada um de nós se apresentasse. Fiz com alegria. Éramos oito a fazer o primeiro curso. Este só se inicia quando termina o outro. Assim, só de dois em dois anos eles tem início. Sabemos também que nem todos os que concluem o curso, têm oportunidade de ditar a um médium. Alguns o fazem mais para ter experiência, por gostar, ou até mesmo para se preparar para serem médiuns psicógrafos, ao reencarnarem.

Depois de o diretor ter falado sobre algumas normas da casa, pediu a um dos professores que fizesse uma oração. As orações espontâneas feitas por aqui são simples, normalmente curtas, mas sinceras e comoventes.

Numa atitude de espontânea fraternidade, fomos convidados a conhecer a colônia. A Casa do Escritor é considerada uma colônia pequena. As portas que dão acesso à mansão nos levam aos salões, menos a do meio que leva ao interior da casa. As salas são todas parecidas, muito agradáveis, enfeitadas com lindos quadros e flores brancas. Duas dessas salas se destacam pelo seu tamanho.

– Estas salas são para palestras, encontros que a casa promove com todos os seus filiados encarnados e desencarnados – disse o diretor.

– Pelo número de salas deve haver muitas reuniões – comentou um dos alunos.

– Tem razão. Estamos sempre trocando idéias, promovendo eventos, organizando tarefas. Reunimo-nos com grande fraternidade em conversas edificantes.

Adentramos um amplo corredor que nos levaria ao interior da colônia, ultrapassando as salas, e defrontamos com um agradável e delicado pátio para onde as janelas dos salões dão acesso. Os pátios se assemelham entre si, todos têm muitos encantos. Seguimos pela galeria.

Para melhor memorização do leitor, diríamos que as salas de aula, a biblioteca e a sala de vídeo estão localizadas na segunda ala.

Após as salas, deparamos com um novo pátio, semelhante ao segundo que vimos.

– Nesta parte, estão as salas particulares. Todos nós, moradores da casa, professores, alunos e filiados desencarnados, temos um lugar particular, um cantinho só nosso – explicou bem-humorado o diretor.

Tanto a ala direita como a esquerda são providas de corredores, os quais dão acesso às portas numeradas de ambos os lados. Após estas salinhas, há outro pátio e o término da colônia. Ela é toda cercada com colunas brancas e suas paredes são desenhadas. De qualquer ângulo que a observamos, vemos o telhado em triângulo.

– Agora, os alunos irão receber um caderno de orientação, no qual está anotado o número da sala de aula e também o da sua sala particular. Estejam à vontade para conhecer o que quiserem. As aulas só terão início dentro de cinco horas – falou, sorrindo, o diretor, que entregou a cada um dos alunos uma caderneta com o nome gravado na capa.

O diretor despediu-se de todos com um sorriso cativante. Antônio Carlos aproximou-se de mim.

– Patrícia, quero lhe mostrar minha sala.

Enquanto caminhávamos pelo corredor, perguntei ao meu amigo:

– Antônio Carlos, aqui terei muitas horas livres. O que poderei fazer para preenchê-las?

– Esta casa segue o horário da Terra. Aqui os moradores não dormem, nem se alimentam. Ninguém fica sem fazer nada. É muito movimentado. A casa recebe muitas visitas, há várias palestras das quais poderá participar, e com isto aprenderá muito. Estão sempre organizando grupos de auxílio a encarnados filiados. Também poderá freqüentar a biblioteca, ir mais vezes à Terra e a outras colônias, além

da Colônia São Sebastião. Terá muito o que fazer. Entre, por favor, aqui é minha sala.

Para este espaço particular no plano espiritual damos muitos nomes. Quartos, nas colônias de socorro, porque lá muitos ainda dormem, mas chamamos também de gabinetes, salas etc. O cantinho de Antônio Carlos é bem agradável. Umas cadeiras, a escrivaninha e uma estante repleta de livros.

– Aqui guardo exemplares que ganho!

– Mas há livros de escritores encarnados!

– Certamente. Livros bons de encarnados são plasmados aqui. Escritores bons têm acesso à casa. Conversamos muito, nós e eles. Fazemos até noite de autógrafos. Muitos destes livros estão com dedicatória. Orgulho-me em tê-los. Aqui tenho tudo o que preciso. Amo meu cantinho. Agora, vamos conhecer sua sala.

Passamos para outra ala, à direita e, no número indicado, paramos e entramos. A minha sala era como a de Antônio Carlos, algumas cadeiras, uma escrivaninha e a estante.

– Você pode decorá-la como quiser.

Dias depois decorei-a com quadros e vasos de flores; coloquei os livros, os cadernos de anotação e as fotos de meus familiares na pequena estante. Em destaque, as fotos dos meus sobrinhos Rafael e da pequena Patrícia.

– Que bonitos lustres! – exclamei.

Os lustres têm formatos delicados. A colônia tem iluminação artificial como nas demais colônias que seguem o fuso horário da Terra. À noite a colônia é linda, de longe parece uma estrela, de perto é muito luminosa. Dentro da casa é claro como o dia.

Depois de ter visto minha sala, Antônio Carlos convidou-me para conhecer a biblioteca. É muito bonita e grande. Diferente das outras que conhecia. Exerce um fascínio todo especial nos seus visitantes e freqüentadores. Nela encontramos livros de literatura, livros históricos e sobre variedades, livros espiritualistas e espíritas. Nas salas de vídeo, o assunto se assemelha. Antônio Carlos mostrava tudo com entusiasmo. Ama de modo particular esta casa. As horas passaram.

– Patrícia, logo mais começa sua aula. Não vamos nos despedir, pois estou sempre por aqui e estaremos sempre nos encontrando. Quero dizer-lhe que é bem-vinda a este lar.

Sorri, agradecendo. Sentia-me bem ali e já amava aquela casa. Preparei-me para a primeira aula.

Capítulo 5

O jornalista

Que interessante quando as emoções nobres se repetem. Sempre que isso acontece, temos a impressão de que não é a primeira vez que vivemos esses fatos. Foi o que aconteceu, quando entrei na sala de aula para ter meu primeiro contato com o novo curso que, pela bondade de Deus e pelos amigos, me foi proporcionado. E não foi sem razão, pois a alegria que senti naquele momento permanece em meu peito até hoje. Tenho a certeza de que o contentamento achou por bem fazer morada em meu coração.

A perspectiva de poder anunciar aos encarnados, pela via mediúnica, a bem-aventurança que eu vivia e de que era portadora, enchia-me de entusiasmo e ânimo para este novo estado e treino telepático. Queria aprender para fazer bem. E, como acontece quando estou muito feliz, sorria sem parar; foi nesse estado de satisfação que cumprimentei o professor e alguns alunos que estavam na sala.

Nossa classe era pequena e as escrivaninhas estavam em círculo.

– A paz seja convosco! – respondeu o professor Aureliano ao meu cumprimento. – Sente-se, Patrícia, escolha um lugar e fique à vontade. Logo iniciaremos a aula.

Sentei-me e observei tudo. Na parede, só havia uma lousa. O que dava um toque especial, eram as bonitas janelas redondas. Na sala, viam-se as escrivaninhas e uma enorme estante. Logo chegaram todos os alunos. Conversamos animados e, após alguns minutos, já nos conhecíamos como se fôssemos amigos de longa data. Todos agradáveis, instruídos e com vontade de aprender. Seus nomes já estavam gravados na minha mente e em meu coração. A doce Ruth, o Carlos Alberto, o mais velho em aspecto, a ruiva Adelaide, o intelectual Henrique, o mais extrovertido José Luiz, Maria da Penha, a que se tornou como mãe de todos, e Osvaldo, o contador de histórias.

O professor Aureliano iniciou a aula.

– Como sabem, Maria Adélia e eu iremos dar este curso tão útil à nossa literatura espírita. Não é tão simples assim intuir ou ditar, pela psicografia, aos encarnados. Aqueles que fazem sem preparo, quase sempre não fazem o melhor que poderiam. O que é mais importante, quando se intui na literatura ou se dita pela psicografia? A matéria, o assunto, sem dúvida. É esta matéria, esse assunto, que iremos aprender a organizar. Certamente aqui estou como coordenador, e espero que todos aprendamos juntos. Tanto que quero ser tratado como amigo, sem títulos, só pelo meu nome. Ficarei com as aulas de redação. Maria Adélia dará as de literatura. No seu histórico, vamos conhecer como surgiu a idéia de grafar os acontecimentos. Os primeiros escritos, as primeiras histórias imaginárias, a literatura contemporânea, a atual e a espírita, com todo o seu encanto e ensinamento. Muito temos para aprender neste curso. Nas minhas aulas, aprenderemos a fazer uma redação, um artigo ou um livro. Também aprenderão a transmitir estes escritos, porque não se pode ditar uma coisa qualquer, por isso tem de se ter alguns critérios. Estes escritos têm que estar dentro da Doutrina e da codificação de Allan Kardec e trazer ensinamentos bons e cristãos, além de se ter o cuidado de

não fazer revelações que ainda não são permitidas, ou anunciar desgraças com datas marcadas etc. As revelações têm de ser feitas com conhecimento e devem ser reais e otimistas. Há tantas coisas lindas para serem ditas. Todos os que são filiados a esta casa, têm de passar seus escritos pela censura. E aqui aprendemos também a censurar. Daremos especial atenção à parte do intercâmbio ao encarnado. Não é fácil a um cérebro que desconhece, captar certos fatos. Assim, teremos que escrever primeiro, para depois ditar ou inspirar o que o encarnado pode receber. Este curso é longo porque teremos muitas excursões, nas quais faremos uma coleta de histórias, com muita ajuda. E também porque é grande a responsabilidade de todos aqueles que deixam grafados seus pensamentos, principalmente os que querem fazer o bem com este evento. Particularmente nós, que iremos pela psicografia, em nome de uma doutrina, tentar instruir, motivar, alertar, recordar os ensinos de Jesus a tantos irmãos. Nos últimos seis meses do curso, vocês estarão aptos a realizar este trabalho sozinhos, mas ainda contarão com nossa orientação.

Para começar nossa aula de redação, quem de vocês quer contar uma história ou, se for interessante, a da própria existência, para que possamos começar o nosso trabalho?

José Luiz levantou a mão.

– Posso falar de mim.

– Sim – disse Aureliano. – Vamos ouvi-lo.

José Luiz sorriu. É magro, alto, cabelos crespos curtinhos, muito simpático. Sua voz é agradável e forte. Começou a falar:

– Nasci e cresci na grande cidade de São Paulo. Sempre gostei de jornalismo. Quis ser jornalista. Não foi fácil, pois meus pais eram separados, e minha mãe dava um duro danado para sustentar os quatro filhos. Eu era o terceiro. No colegial, fiz um curso técnico de contabilidade à noite, e passei a trabalhar durante o dia. Trabalhava numa indústria. Meu sonho era conseguir emprego num jornal. Uma colega tinha amigos em um grande e influente jornal, e tanto pedi a ela que acabou me atendendo. Levou-me lá e me apresentou aos seus amigos, que prometeram me ajudar. Cumpriram o prometido e acabei

empregado. Fiquei felicíssimo, embora o jornal ficasse mais longe e eu ganhasse menos. Mas queria estar ali para aprender. Sempre fui ótimo em redação, na escola. Comecei a escrever artigos e, embora fosse muito difícil conseguir que publicassem, fazia sempre na esperança de ser um bom jornalista um dia. Quando terminei o curso, passei a me dedicar mais ao trabalho e a ter mais tempo para fazer as matérias. Um dia, um dos diretores leu o que escrevi, gostou, e acabou publicando o artigo. Aconselhou-me a ter aulas de redação. Eram pagas e caras. Esse diretor, porém conseguiu que o jornal pagasse a metade. Fiz o curso com entusiasmo e, com perseverança, tornei-me um jornalista. Comecei, porém, a fazer críticas ao governo de maneira fútil. Estávamos nos anos sessenta, com a ditadura militar. Passei a usar um pseudônimo para fazer esses artigos. Um grupo de idealistas que queriam um Brasil melhor, me procurou para que fosse assistir às suas reuniões. Fui e gostei. Eram pessoas honestas e idealistas. Esses companheiros não achavam certo os meios que outros grupos empregavam, porém entendiam que eram necessários, tanto para chamar a atenção como para conseguir dinheiro. Eram ações como seqüestros e roubos. Nosso grupo se ocupava mais em divulgar nossas idéias. Nessas reuniões, conheci uma moça, Márita, que tinha uma filhinha. Seu companheiro fora morto num cerco com os militares. Nessa época, já ganhando mais, fui morar sozinho num pequeno apartamento perto do jornal. Tanto escrevia, com meu nome verdadeiro, artigos não comprometedores, como com pseudônimo, artigos contra a ditadura. Apaixonei-me por Márita, tornamo-nos amantes sem, porém, morar juntos. Passei a participar mais das reuniões, fazer palestras e panfletos. Meus artigos tornaram-se mais violentos. Seis anos se passaram. Deram uma batida no jornal e prenderam muitas pessoas. Algumas, torturadas, deram o meu nome verdadeiro. Fui preso. Confessei no interrogatório tudo o que fiz e escrevi. Mas eles queriam mais, os nomes dos companheiros. Como eu negasse, começou a tortura. Um horror! Na História da Humanidade, sempre o ser humano torturou outro ser humano. No início, as lutas foram por alimentos e territórios. Depois, vieram as lutas por simples conquistas, nas quais os vencedores tornavam os

vencidos escravos e os torturavam. Após, houve as cruzadas, as lutas das religiões, a Inquisição, os escravos na América, as guerras modernas e os campos de concentração. Depois, pela política, por ideal, foram tratadas com muita desumanidade pessoas que, certas ou erradas, queriam o que achavam o melhor para sua Pátria.

Fui torturado com outros companheiros, de forma brutal e cruel. Nada falei. Pensava em Márita e em sua filhinha, que eu amava como se fosse minha. Num sofrimento maior, desencarnei. Saí do corpo de forma violenta, tonto e vendo tudo confuso. Levantei-me para cair no canto da sala. Vi meus carrascos e meu corpo sentado, amarrado e sangrando. Escutei os comentários:

"Morreu a peste? Sujeito duro e idiota!"

"Morreu!" – disse um outro, escutando meu coração.

"Coloque com os outros, iremos enterrá-los nas valas."

Vi desamarrarem meu corpo e levá-lo para outro local. Confuso e com muitas dores, adormeci. Acordei mais confuso ainda.

"Ei companheiro, você morreu, acorde!"

Tentei tanto entender o que ele me dizia, como reconhecer o sujeito que me dirigiu a palavra.

"Será nova forma de tortura?" – pensei.

Mas não estava amarrado e não conhecia aquele homem. Ele, tentando ser simpático, disse:

"Venha, dê-me sua mão, ajudo você. Morreu! Você simplesmente morreu, como eu."

"Estranho!"

"Que nada! Logo você se acostuma."

Levantei-me com a ajuda dele. Levou-me para uma das celas. Lá vi com tristeza companheiros mutilados e gemendo.

"Vamos ficar aqui."

Ele me ajudou. Deu-me para beber um líquido que me tirou as dores, e me fez curativos.

"Engraçado" – disse – "você fala que morri, mas continuo machucado."

"É assim mesmo, você é igual a seu corpo."

Só quando fui estudar é que compreendi que me desligara do corpo, e pela falta de conhecimento continuei com todas as impressões da matéria, como dores, fome, frio etc.

Passei alguns dias deitado no chão da cela, vendo meus companheiros encarnados sofrendo. O sujeito, Emílio, cuidou de mim como lhe foi possível. Melhorei.

"Você já está bem, já é hora de passar a nos ajudar. Levante-se e venha conhecer os outros."

Pegou em minha mão, ajudou-me a levantar. Fomos andando, e me espantei ao atravessar com ele as grades e sair para o pátio.

"Como fez isto?!" – indaguei curioso.

"Somos agora almas do outro mundo, ou melhor, desencarnados. Temos lá algumas vantagens como atravessar, pela vontade, paredes e portas. Vou ensinar você a fazer isso. É fácil, aprende-se e pronto."[3]

No pátio havia um grupo de desencarnados. Alguns homens e mulheres em número menor.

"Clóvis, você aqui!" – exclamei.

Abracei comovido um deles. Era meu amigo, companheiro das nossas reuniões. Ele havia desaparecido e não conseguimos saber o que ocorrera com ele.

"Morri também!" – disse ele.

"Torturado?"

"Não, com um tiro."

Fez-se um silêncio de minutos, que foi quebrado por um deles.

"José Luiz, é o seguinte: estamos todos desencarnados e unidos. Aqui estamos tanto para ajudar os companheiros desencarnados doentes, perturbados ou enlouquecidos pelas maldades sofridas, e os amigos encarnados, como também para nos vingarmos de nossos carrascos."

---

3. Volitar e atravessar paredes são atividades fáceis para desencarnados, porém, necessita-se aprender. Infelizmente, não são só conhecimentos dos espíritos bons, todos podem fazer, bastando saber e ter principalmente consciência do seu estado de desencarnado. (N.A.E.)

"Podem passar anos, mas me vingarei. Nem que eu tenha de esperar que esses caras morram, eu me vingarei!" – disse Clóvis com ódio.

Sinceramente, não estava com vontade de me vingar, mas de ajudar os companheiros. Mas não disse nada, pois naquela hora parecia não ter outra escolha.

Preferi ajudar outros companheiros desencarnados que estavam perturbados e achavam que estavam ainda vivos no corpo físico. Para mim, eles estavam enlouquecidos de tantas dores e humilhações. Tentava também ajudar os encarnados.[4]

Meses se passaram e não vi resultado. Parecia que a situação piorava. Os carrascos pareciam mais nervosos e maus. Dos companheiros desencarnados só alguns melhoraram. Os pobres encarnados sofriam muito. Um dia perguntei ao nosso chefe:

"Clóvis, será que estamos ajudando mesmo? Será que para isso não seria necessário saber?"

"Não sei, José Luiz. Tenho pensado nisso. Mas podemos nos contentar planejando nossa vingança."

"Você não acha que eles colherão tudo o que plantam?"

"Pode ser. Mas me vingarei! Vingarei-me! Nem que Jesus me apareça, eu não perdôo! Não somos bandidos, nem marginais e fomos miseravelmente tratados assim por termos um ideal político, por não pensarmos como eles. Saberei planejar e organizar essa vingança, que não só atingirá os que cumprem ordens, mas também os que mandam."

"Você disse Jesus? Ele por acaso já esteve aqui?"

"Ele não, mas alguns que trabalham para Ele, sim. É só orar que um deles aparece."

Pensei muito no que ouvi. Não estava satisfeito ali, naquele lugar triste, vendo sofrimento e sofrendo. Afastei-me do grupo, fui para um

4. Para ajudar, necessita-se primeiro estar bem, e depois saber. Nenhum deles tinha condições para isso. Aos desencarnados ainda conseguem uma ajuda, ainda que precária, mas aos encarnados só os atrapalham mais. Mas vingar, obsedar, isso sim, conseguem, principalmente se suas vítimas vibram negativamente, igual, portanto. (N.A.E.)

canto do pátio e pus-me a orar as orações decoradas que sabia. Mas depois, com a oração saindo do coração, pedi ajuda e chorei.

"Quer ajuda? Está disposto a perdoar?"

"O senhor é Jesus?"

"Não, sou um desencarnado como você, porém tenho outra visão e entendimento."

"Perdôo todo mundo. Não quero vingança. Quero melhorar!"

Ele, então pegou em minhas mãos e volitamos. Senti um frio na barriga, mas amei voar.

Fui levado para um posto de socorro. Achei maravilhoso. Logo estava curado dos meus ferimentos, mas tive de fazer um tratamento psicológico, para que pudesse entender os traumas que ficaram em mim, pela tortura que sofri e por ter visto tantos companheiros mutilados.

Depois, fui encaminhado a uma colônia onde fui entender o plano espiritual e, depois, passei a ser útil pelo trabalho.

Soube de minha Márita. Ela conseguiu fugir com a filhinha, estava bem, casara-se de novo e tinha mais filhos.

Quando senti que era capaz de ajudar, pedi para auxiliar meus ex-companheiros. Voltei ao lugar em que estive quando desencarnei. Encontrei tudo mudado; ali estavam alguns espíritos que eu não conhecia. Fixando a mente neles, localizei-os. Receberam-me com alegria. Quando comecei a falar de mim, prestaram atenção no começo, mas logo se desinteressaram. Por mais que pedisse, implorasse, Clóvis e o grupo, grande nessa época, não me atenderam. Fizeram um núcleo no umbral onde promoviam um cerco cerrado aos que julgavam culpados. Infelizmente, não consegui convencer nenhum.

"José Luiz, será nosso amigo, se quiser continuar assim, porém não defenda esses miseráveis" – disse Clóvis.

"Não os estou defendendo, mas querendo o bem de vocês."

"Nosso bem é condenar os culpados."

Fui embora, mas não desisti, e sempre que posso vou até eles na tentativa de ajudá-los.

Aí está minha história. Gosto muito de literatura, amo o jornalismo, faço este curso para depois trabalhar com os encarnados. Vou tentar intuí-los na divulgação de artigos bons e bem feitos.

José Luiz quietou-se e foi a vez do professor Aureliano voltar a falar.

– Sua história é deveras interessante. Que exemplo bonito você nos deu, perdoando e não querendo vingar-se. Como também de tentar, mesmo passado tanto tempo, ajudar seus ex-companheiros. Se você tivesse lembrado de pedir de modo sincero como fez, ao desencarnar, teria sido socorrido antes.

– Será que eles não irão perdoar? – indagou Adelaide.

– Temos nosso livre-arbítrio – respondeu Aureliano. – Quem não perdoa sofre muito. Esperamos que um dia José Luiz faça-os entender, para que possam ser felizes. Agora, vamos ao trabalho. Escrevam sobre o que ouviram.

Todos escrevemos. Depois, cada um de nós leu, e Aureliano deu várias opiniões:

– Não é bom realçar episódios negativos.

– O seu está muito extenso.

– Poderia ser maior.

– Este pedaço não está bem. Assim fica melhor.

Vi o tanto que ele era rigoroso, e como ensinava bem. Entendi o que vinha ser a censura da casa. Há episódios que não se podem comentar. E que não são bons para serem relatados.

Depois de tantas observações, escrevemos de novo. Novamente foi lido. Aureliano chamou nossa atenção para algumas partes, mas elogiou o trabalho.

– Agora, pensem como o médium, ou como a pessoa encarnada que irão inspirar, que irá receber esta história.

– Acho que o médium, desconhecendo esta parte, não conseguirá captar – disse Ruth.

– Também acho – disse Aureliano. – Assim, terá de mudar este parágrafo.

Pensei bem no que os encarnados gostariam de ler. É uma história real, emocionante, mas teria que ser assim também para eles.

Pensei na tia Vera, ela iria captar tudo? Escrevi pela terceira vez. Percebi que todos voltaram aos seus escritos, reformulando-os.

Assim foram todas as aulas de redação. Era escrita a história, censurada por todos nós com a coordenação do mestre e, logo após, escrita da forma como o médium poderia receber. Um verdadeiro aprendizado!

Capítulo 6

A reunião

O curso transcorria tranqüilo, a professora Maria Adélia dava as aulas de literatura. Começou na parte histórica e acabou na atual. Deu atenção especial à literatura espírita e à espiritualista. Estudamos juntos as obras de Allan Kardec. Muito já tinha visto e lido sobre o Codificador da Doutrina Espírita, mas como foi agradável estudá-la com um grupo inteligente e com uma orientadora de grandes conhecimentos. Maria Adélia falava com tanto amor, que a matéria nos fascinava. Ter conhecimentos literários é importante para quem vai ou pretende trabalhar com a literatura.

Também nas aulas de Aureliano aprendemos todas as leis da censura da casa e passamos nós mesmos a criticar nossos trabalhos. Aprendi muito bem os três itens principais: escrever, o que escrever e para quem escrever.

Nesses dois anos, vim muitas vezes à Terra. Vinha sozinha, e visitei familiares e amigos. Também conheci outras colônias e muito

estive na minha querida Colônia São Sebastião. Fui a todas as colônias que se dedicam à literatura, como A Casa do Escritor, por diversos países da Terra. De fato, são parecidas, só que cada uma tem um toque especial na arquitetura do seu país. Em todas se fala o esperanto. É o idioma usado para a comunicação com visitantes de outros lugares. São encantadoras essas colônias! Aqui no plano espiritual muito se tem feito para que as boas obras progridam.

A Casa do Escritor é de fato movimentada. Gostava de passear por suas áreas e ver os detalhes de seus quadros, paredes e pisos. Mas de forma especial gostava de ficar nos pátios. Admirava com muito carinho as árvores e flores. As delicadas flores são de vários formatos e tamanhos, todas clarinhas, predominando as brancas. Passava horas admirando-as. Que perfeição nos seus contornos! Que maciez! Que beleza!

Mas o pátio oferece outro encanto. É um lugar onde todos se reúnem para conversar. Ali vemos encarnados, moradores da colônia e visitantes. Como é gostoso nos reunirmos em círculo e bater aquele "papo" edificante. São pessoas instruídas e amantes da arte, da literatura. Conheci muitas pessoas interessantes, e escritores famosos.

Conversadeira, lá estava, nas minhas horas de lazer, pelos pátios e quase sempre enturmada em alguma roda, e conversa vai... Mas havia preocupações também.

– É com muito penar que vejo a literatura ruim ganhando mercado! – disse um escritor conhecido dos encarnados, que me pediu para não citar seu nome, e explicou o porquê.

– Quando encarnado, tinha outras idéias que os familiares encarnados ainda conservam. Não quero que eles se melindrem por haver citado meu nome. Agora estou morto e acabado para eles.

Pensando nisso, cito neste livro poucos nomes, de preferência somente o primeiro. Porque poderia esquecer o de alguém, o que me parece injusto. Todos os que freqüentam esta casa são grandes para mim e maravilhosos. Mas, voltando à conversa, todos infelizmente concordaram com ele.

– Sabemos que há equipes de irmãos ignorantes, que tentam fazer o mal, esforçam-se mesmo para acabar com a boa literatura e

ajudam, incentivam a ruim. A leitura modifica os pensamentos, tanto para o bem como para o mal – disse o simpático senhor Rolando que, encarnado, foi um lutador fiel do livro espírita e continua ativamente ajudando à causa.

– A literatura edificante tem de ser cativante e interessante, para motivar os leitores a lerem cada vez mais – completou com sabedoria e simplicidade Júlio César, um escritor de talento.

– Não podemos desanimar nunca. Nosso trabalho tem de ser incessante – falou com alegria José.

– Mas estamos longe do ideal – acrescentou Rolando. – Muito se tem de fazer, e nossa ajuda é fundamental. Os encarnados necessitam de nosso auxílio. Não devemos negligenciar em nosso trabalho.

E a conversa ia longe. Que gostoso participar, ouvir conversas tão interessantes.

Gostava também de meditar nos bancos confortáveis que estão quase sempre embaixo das árvores floridas. Numa tarde em que meditava, aflorou em minha memória uma das conversas que tive com meu pai. "Filha" – disse-me ele –, "não deixe que somente o entusiasmo seja o motivo de seu trabalho. Cultive o amor pelo que faz, pois o entusiasmo é da mente e o amor é do coração, do sentimento. O que é da mente, é passageiro, mas o amor é eterno. Procure envolver com amor tudo aquilo que fizer com entusiasmo.

O cultivo da harmonia e fraternidade é o antídoto dos nossos conflitos psíquicos e até de dores materiais, pois eles provêm dos conflitos psicológicos.

A felicidade verdadeira só existe quando estamos desapegados de qualquer interesse particular. Nossa personalidade tem a impressão de que, neste estado isento de egoísmo, perdemos o interesse pela atividade; isto realmente acontece quando só temos como fim nossa satisfação ou nossos prazeres. Se procuramos ver, amar e sentir Deus nas suas manifestações, somos inundados por um contentamento puro e de alegria não maculada pelo desejo de satisfação própria. Para mim, isto é a real felicidade.

Para a maioria dos encarnados, felicidade é sinônimo de poder, seja mental ou material, satisfação, ociosidade e prazer.

Entretanto todos esses estados são cultivo de futuras dores que não tardarão a florescer.

Observando tantos encantos que o Pai criou, vislumbrei, como que numa compreensão simultânea, um pouco das dificuldades da vida humana, até que o homem se volte para viver como parte integrante do Universo. Quando esta integração for realidade constante, o ser humano viverá o oposto de todo este sofrimento."

Graças a Deus, eu estava vivendo o oposto.

Como já disse, A Casa do Escritor é móvel. Isto é, ela se locomove de acordo com as necessidades do momento. Ela pode estar um dia no Sul e, no dia seguinte, no Norte do Brasil. Como também estar na crosta, onde estão os postos de socorro, ou ir para esferas superiores, onde estão as colônias. É como se ela volitasse. Quem está dentro da colônia nada sente. Mas se for a um dos pátios externos, que a circundam, pode ver a viagem como se estivesse num avião. É muito interessante observar a colônia se locomovendo. Isso é feito pelas mentes dos diretores, ou da equipe de moradores daqui.

A primeira vez que vi, deliciei-me. É muito agradável, a casa parece deslizar tranqüila pelo espaço. É por isso que a encontramos por sua vibração. Ao ficarmos dias em excursões ou mesmo em outros trabalhos, se quisermos saber onde a colônia se encontra, basta mentalizá-la e seremos levados até ela.

– Vamos ter uma reunião no Norte! – exclamou um dos moradores. – Será uma reunião com encarnados.

Alegrei-me muito por estar de folga. Assim, fui ver a casa locomover-se e pude assistir à reunião. São promovidas muitas reuniões com encarnados, e seu movimento aumenta. É necessário organizar e marcar com os convidados os locais onde a casa deverá ir.

Esperei ansiosa pela reunião. Que agradável surpresa! A colônia parou sobre a cidade de Manaus. Era de tardinha e a reunião estava marcada para a noite, uma hora da madrugada. Os convidados seriam os encarnados da região e também alguns desencarnados. Todos trabalhavam na divulgação do livro espírita.

Às onze horas, um grupo saiu para buscar os convidados encarnados. O pátio da frente estava radioso, todo iluminado. Uma música suave e bonita se ouvia por toda a parte da frente. A reunião seria em um dos salões de porte médio, já que não viriam muitas pessoas.

Fiquei no pátio, curiosa, tanto observando como conversando. À meia-noite começaram a chegar os convidados. Os desencarnados normalmente chegam primeiro. Os encarnados que deixaram seu corpo dormindo, chegaram felizes. Uns, totalmente conscientes, cumprimentaram todos alegres, outros chegavam admirados, e alguns infelizmente ficaram um tanto alheios. Um dos moradores, que estava a meu lado, esclareceu:

– Vemos que nem todos estão amadurecidos igualmente. Muitos estão acostumados a estes encontros, outros, é a primeira vez que participam. Assim não podem estar igualmente conscientes e interessados.

No horário previsto, todos estavam presentes. Fomos orientados a nos dirigir para o salão. Depois de acomodados, foi feita uma prece muito bonita, e a palestra começou.

Qual não foi minha surpresa, quando levantou-se e ficou à nossa frente o doutor Adolfo Bezerra de Menezes, que cumprimentou a platéia sorrindo.

– Boa noite, caros irmãos! Que Jesus esteja presente em nossa reunião.

Falou, com sua voz sempre agradável, da necessidade de os encarnados estarem unidos e firmes no trabalho de divulgação da literatura espírita. Da necessidade que temos de ler e aprender através das boas obras. Disse conhecer as dificuldades existentes, mas que com boa vontade tudo se resolveria. Gracejou com os presentes. Sorrimos felizes. Como é bom ter conversas importantes com alegria. Foi aberto o espaço para perguntas. A platéia no começo se manifestou timidamente, mas depois muitos indagaram e o orador respondeu atenciosamente, magnificamente. Foi com pesar que escutamos:

– Está terminada a reunião!

Houve abraços de despedidas. Dois dos encarnados ficaram para uma reunião particular. Os moradores da casa se aproximaram dos

encarnados para levá-los novamente ao corpo, que estava adormecido. Esses encontros particulares são atendidos pelo diretor da casa. Se existem pedidos de ajuda são anotados e analisados imediatamente. O auxílio se inicia tendo em vista a possibilidade da casa. Se forem conselhos ou opiniões, o diretor com sapiência e paciência conversa com eles. Todos saem satisfeitos.

Alguns convidados desencarnados e alguns moradores ficaram por ali. Todos queriam continuar desfrutando a presença do glorioso médico, escritor e espírita brasileiro. Também fiquei e foi com contentamento que dele escutamos:

– Temos de incentivar as boas coisas, os fatos importantes. Dar ênfase a tudo o que é lindo. O entusiasmo faz parte da vida!

Aos poucos todos foram voltando aos seus afazeres. A reunião acabou. A casa ficou dois dias ali atendendo consultas, realizando ajuda. Depois foi transferida. Assisti a muitas reuniões,com proveito. E que proveito!

Depois de muitas reuniões, fui escalada para fazer parte da equipe encarregada de trazer e levar os encarnados convidados. O trabalho começa à tarde e, às vezes até pela manhã. Nas primeiras vezes, acompanhei Otacílio, um amigo já experiente que me explicou:

– Hoje vamos levar para a reunião, Suely, uma jovem que começa a dedicar-se à tarefa de divulgar livros espíritas.

Logo que a vi, simpatizei-me com ela. Acompanhamos seu trabalho material na parte da tarde.

– Suely trabalha muito – esclareceu Otacílio. – Aqui estamos para que tudo dê certo, para que sinta nossas vibrações, fique calma, possa dormir tranqüila e ser afastada do corpo físico com facilidade.

Ficamos perto dela. Tarefa agradável, pois ela é muito simpática. Tudo deu certo. Suely dormiu tranqüila. No horário marcado, Otacílio lhe deu um passe, ela se desprendeu fácil do corpo carnal, nos observou e sorriu. Otacílio lhe explicou:

– Suely, viemos buscá-la para uma reunião importante. Lembra-se? Comunicamos-lhe na semana passada.

– Lembro sim. Estou pronta. Podemos ir. Mas com que roupa devo ir? Não posso ir em trajes de dormir.

– Certamente, troque de roupa se acha necessário – disse Otacílio. – Esperaremos por você.

Saímos do quarto e Suely, rapidamente, trocou de roupa. Este fato é interessante, porque quando encarnada estava sempre a pensar com que roupa sairia do corpo. Normalmente pessoas boas, instruídas, vestem-se discretamente e saem com as roupas que costumam usar. Raramente temos convidados nas reuniões de A Casa do Escritor, com roupas de dormir. Suely era inexperiente, pois quem está acostumado a sair do corpo já plasma a roupa que quer usar, faz isto maquinalmente. O perispírito, nesse caso, veste-se de roupa plasmada, idealizada. Suely, ao se trocar, pegou uma cópia, criou pela vontade o duplo dela, trocou o pijama por outra roupa que lhe convinha. Não é agradável ver convidados com trajes de dormir. Quando o convidado está assim, quem vai buscá-lo, aconselha-o que se troque. Suely estava discreta, mas quis ir bem arrumada, porque para ela ia a um lugar importante, e tinha razão. Os que já estão acostumados a sair do corpo e ir a reuniões ou encontros com amigos, mudam de traje automaticamente. Alguns preferem só um tipo de roupa, outros, qualquer uma das que possuem. É comum ver, à noite, encarnados desprendidos pelo sono andando pela cidade, indo ao umbral, com vestes menores, seja com trajes de dormir, seja muito enfeitados. Infelizmente se sentem bem assim, vibram assim. Mas em lugares sérios, de estudo, todos se trajam bem e com discrição.

Demo-nos as mãos, Suely ficou no meio de nós dois, e volitamos até a colônia. Após a reunião, retornou conosco e, novamente com passes, a deixamos a sono solto.

Fui com Otacílio fazer convites para a próxima reunião, pois os mesmos são feitos dias antes. Volitamos até a região onde a reunião seria realizada e localizamos as pessoas a serem convidadas. Para que o encarnado não se assuste e não tema ser enganado, notifica-se antes o seu protetor, ou guia, um espírito em quem o convidado confie. Na hora do convite, esse espírito amigo fica junto de nós e também

quase sempre participa da tarefa do transporte, além das agradáveis reuniões. Esperamos o encarnado dormir e, desprendendo-o do corpo, conversamos com ele. É gostoso fazer convites. Os que já estão acostumados nos recebem com alegria, como acontece com um senhor que há tempos vende, divulga e ama os livros espíritas. Seleciona, com outros companheiros, livros que serão vendidos em bancas, clubes e feiras de sua cidade. O senhor José Antônio nos abraçou, sorrindo.

– Que convite agradável! Já sentia saudade das reuniões. Há tempos que não me vêm buscar. Temia ser esquecido. Quem conhece a colônia, sente falta, não é mesmo?

Para muitos convidados, o pessoal da casa só faz o convite, e eles vêm com companheiros desencarnados que trabalham com eles. Muitos encarnados que não são filiados, mas são amantes da literatura espírita, são em certas ocasiões convidados e ficam muito contentes com o que vêem e ouvem nas reuniões.

Mas nem tudo dá certo. Existem contratempos também. Como quando, ao buscar uma convidada, a encontramos com uma tremenda dor de dente que não a deixava dormir. Otacílio e eu tudo tentamos para ajudá-la. Conseguimos que a dor amenizasse e que dormisse, mas não foi possível retirá-la do corpo.

– Ela está agitada e cansada – disse meu companheiro. – Hoje não poderá ir. Ficará para uma próxima vez.

– Sentirá por não ter ido? – indaguei ao meu companheiro.

– Sim, todos amam muito esses encontros fraternos. Mas, quando acordar, poderá sentir somente uma leve impressão de que ia a um lugar agradável e não foi.

Às vezes, a dificuldade é outra. Como o caso de um dos convidados, cujo pai havia desencarnado e ele estava no velório. Também encontramos um convidado que fora a uma festa e não estava dormindo no horário marcado. Outro, havia bebido com os amigos.

– Não podemos levar ninguém com emanações de bebidas alcoólicas. Ele irá numa próxima vez.

Esse trabalho de equipe consiste também em determinadas ajudas após as reuniões. Às vezes, os convidados fazem apelos, pedem

opiniões e ajuda. São escaladas equipes que vão, logo que possível, até essas pessoas. As queixas maiores, quando fiz o curso foram: falta de poder econômico e ataque dos irmãos ignorantes.[5] Começávamos nosso trabalho indo até as pessoas e editoras, estudávamos a situação, tentávamos junto aos encarnados resolver os problemas. Tínhamos pedidos também para inspirar capas, folhetos ou como fazer o melhor livro. Também opinávamos se este ou aquele livro deveria ser editado. Livros que passam pela A Casa do Escritor, já são aprovados; outros, nem sempre. Quando surgem bons escritores não-filiados à casa, trata-se logo de convidá-los para se filiarem. Esse trabalho é gostoso.

Indaguei ao Otacílio:

– Sabe de algum convite da casa para filiação, que foi recusado?

– Sim, temos convites recusados. Tanto de escritores encarnados como de desencarnados. Muitos não querem seguir os regulamentos da casa e não se filiam. Temos recusas de médiuns psicógrafos, também pelos mesmos motivos. A causa principal é a pressa. Muitos não têm paciência para um treino maior e muito estudo. Nem todos os médiuns psicógrafos preparam-se para isso.

– Mesmo sem preparo eles escrevem? – indaguei.

– Sim, eles têm o livre-arbítrio. Infelizmente, seus trabalhos não saem como deveriam.

Fiz parte dessa equipe com muito gosto. Lembrando o que Antônio Carlos havia me falado, A Casa do Escritor é muito movimentada, e fazer parte dela é estar sempre alerta. A equipe fica pronta para acolher qualquer pedido de ajuda de seus filiados, atendendo chamados de companheiros que trabalham com bancas, editoras e feiras do livro espírita.

Foi um trabalho prazeroso e de muito aprendizado para mim.

---

5. Os ataques de irmãos ignorantes ou de espíritos que temporariamente seguem o caminho do mal, tentamos resolver de muitas maneiras, ou pelo menos procuramos suavizar essas pressões. Não posso descrever o que usamos ou o que fazemos. Mas o principal é incentivar os encarnados a vibrar melhor, para não entrar na mesma onda das vibrações deles. (N.A.E.)

Capítulo 7

Aprendendo sempre

Comecei, no decorrer do curso, a prestar mais atenção nas pessoas e estava sempre pensando: "O que será que houve para essa pessoa ser assim? Que fato terá ocorrido para ter essa conseqüência? Por que faz essa tarefa? Será que está reparando erros?". Comecei a ficar tal qual meu amigo Antônio Carlos, um colecionador de histórias. Foi com ele que comentei esse fato.

– Antônio Carlos, todos nós temos uma história. Tenho observado as pessoas e fico me indagando qual a causa que as levou a tal efeito. Tenho curiosidade, por exemplo, de saber qual foi a ação que levou tia Vera a ter esta reação: Ser médium psicógrafa. Terá alguma causa?

– São muitas as causas que levam, às vezes, à mesma reação. Nem todos os médiuns têm a faculdade pelo mesmo motivo. Alguns reparam erros, outros a têm como uma oportunidade de trabalho para o progresso. Médiuns psicógrafos não fogem à regra. Falando de sua

tia, ela repara erros. Por volta do ano de 1700, ela estava encarnada e dedicou-se à literatura. O espírito, que nesta encarnação é sua tia, há muito tempo ama escrever e ler, embora tenha abusado desse dom. Encarnada em 1700, na França, vestida no corpo físico de um homem, ela foi um escritor ateu. Incutiu em seus leitores a idéia de que Deus não existia e incentivou, com seus escritos, os prazeres mundanos. Desencarnou assassinado por um de seus inimigos. Sofreu muito. Teve outras encarnações, perdeu o dom de escrever, pelo abuso e pelo remorso. Muitas vezes, Patrícia, ao termos um dom, melhor dizendo, ao sabermos fazer algo e errarmos, sofremos e o remorso faz com que rejeitemos esse saber. Isto ocorreu. Ao pedir para reencarnar desta vez, vendo seu erro irreparado, preparou-se para construir o que destruiu no passado com sua escrita. Só que, agora, não faz por si mesma. É intermediária, escreve pensamentos alheios. Se outrora exaltou o materialismo, hoje prega o espiritualismo. Se tentou no passado negar a existência de Deus, hoje exalta o Criador com profundo Amor. Trabalha construindo, repara erros e faz o bem.

– Isto é ótimo! Em vez de sofrer por um erro, trabalha reparando!

– Quase sempre trabalhamos na área onde erramos. Mas esse fato não é regra geral. É a primeira vez que você trabalha com a literatura e não está reparando erros, é somente mais uma tarefa que lhe foi confiada. Por isso é que digo não ser regra geral. Muitos trabalhos são tarefas, oportunidades de aprender e crescer espiritualmente.

Meditei muito sobre o assunto e achei genial reparar erros trabalhando no bem, reformando-se interiormente para melhor.

Nossas aulas sempre foram muito interessantes. Várias histórias foram narradas para que escrevêssemos, como a de Maria da Penha.

– Faço este curso e depois farei outro que me preparará para, encarnada, ser médium – disse ela com seu jeito meigo. – Devo, então, psicografar. Sim, quero e pretendo ser uma boa médium psicógrafa.

– Você tem motivos para isso? – indagou Henrique.

– Sim. Na encarnação anterior falhei como médium, e quero voltar à tarefa, por isso me preparo para sentir-me mais forte e não

falhar. Narro a vocês minha história. Nasci em uma família simples e pobre; desde pequena tinha visões e escutava vozes. Minha avó era benzedeira e com ela aprendi a benzer logo na mocidade. Casei-me jovem e tive um filho atrás do outro. Nesse período, minhas faculdades mediúnicas ficaram adormecidas. Tive dezesseis filhos. Acho que é este motivo que leva as pessoas, logo que me conhecem, a sentirem meu carinho maternal, ou também porque sinto por todos um amor de mãe, explicando assim por que me chamam carinhosamente de mãe de todos. Graças a este amor não sofri tanto. Meu caçula estava com cinco anos, quando meu marido perdeu o pouco que tinha e ficamos na mais negra miséria. Passamos fome realmente. Tinha começado a sentir a mediunidade e fui a um centro espírita. Lá eles me aconselharam a trabalhar. Não me interessei, pois queria naquele momento arrumar uma forma de ganhar dinheiro. Ajudada, aconselhada por espíritos que não querem nos ver no trabalho edificante, aos quais dei ouvidos, achei uma maneira de ganhar dinheiro, usando de modo errado minha mediunidade. Passei então a ler sorte, benzer, tirar mau-olhado e quebranto. Fazia isso em minha casa, sempre cobrando. Para olhar a sorte, o futuro de uma pessoa, basta ter certa sensibilidade e aprender, para conseguir fazer. As pessoas que agem assim, em sua maioria, lêem o passado, o presente e o futuro de outra pessoa; usam, de alguma forma, ritual físico, para ler a aura do consulente. Poucas pessoas sabem fazer isso, e assim mesmo nem tudo pode ser revelado. Outros sabem um pouco e com esse pouco vão enganando, acertando muitas coisas, mas errando também. Para benzer e impressionar, fazia orações com ramos verdes e receitava algumas simpatias que minha avó me ensinara. Mas minha avó, embora pobre, nunca cobrou nada. Com esse dinheiro alimentei meus filhos. Os trabalhadores do centro espírita, a que fui algumas vezes, tentaram alertar-me dizendo que, se os bons espíritos me davam de comer, seria necessário eu dar também. Nossa situação econômica melhorou, meu marido acertou-se novamente e os filhos maiores passaram a trabalhar. Ganhei de um senhor espírita a coleção dos livros de Allan Kardec e também preciosos conselhos. Dizia-me

ele, bondosamente: "Não deves cobrar, procure um centro espírita e trabalhe para o bem. Dá de graça o que de graça recebeste."

Mas a vaidade de ter ajudado muitas pessoas e de ser citada como boa benzedeira e boa vidente me deixava orgulhosa. Não quis deixar o que fazia, para ir aprender em um centro espírita. Mas, apesar de cobrar, ajudei de fato muitas pessoas. Sabia tirar fluidos nocivos dos encarnados, fluidos que uma pessoa passa para outra como projeção de inveja, ciúme e ódio. Com orações e rituais, minha mente atuava resolvendo alguns problemas; era uma espécie de magnetizadora. Certamente nem todos os problemas eu solucionava e, quando havia espíritos com os encarnados, o que fazia era orar por eles. Achando que dinheiro seria sempre bem-vindo, cobrava normalmente. No começo justificava-me, dizendo que era para comprar alimentos para meus filhos, depois, porque sempre estava necessitada de comprar algo, mas sempre objetos supérfluos. O fato era que sempre tinha algo a fazer com o dinheiro em meu próprio benefício, dos meus filhos e dos meus netos. Só que me esqueci de fazer caridade. Eu, que passara pela pobreza, deixei de auxiliar outros que enfrentavam a miséria. Muitos podem fazer o que fiz, sem saber do erro enorme cometido. Mas eu soube, tive oportunidade de ser advertida, mas não dei atenção. Li os livros de Allan Kardec, pus a "carapuça" nos outros, ou seja, coloquei para outras pessoas as advertências dos livros, justificando-me. O fato é que não os entendi bem, mas era o suficiente para saber que não deveria cobrar e, sim, trabalhar com minha mediunidade num grupo sério, fazendo o bem. O que me consola é que não fiz o mal. Por muitos anos vivi assim, até que desencarnei. Como disse, não sofri demasiado por ter alguns fatores a meu favor, como ter pedido a oportunidade de crescer e reparar erros do passado, com a mediunidade. Porque, recordando a existência anterior, vi que tinha sido uma freira severa que perseguia, no convento, quem tivesse alguma mediunidade. Não se deve chorar pelo passado, só tirar lições para o futuro. Anseio por nova oportunidade e planejo reencarnar novamente e ser médium. Desta vez quero, pela psicografia, educar-me e tentar educar a muitos. Devo

ser pobre novamente e vencer a tentação de usar a mediunidade para ganho material.

Maria da Penha silenciou e deu um longo suspiro, mas logo sorriu, cheia de esperança. Sorrimos também. Não é porque se errou uma vez, que não se pode vencer no futuro.

– Maria da Penha, você vai saber ler a sorte de novo? – perguntou Ruth.

– Amiga, quando sabemos algo, esse conhecimento é nosso, seja ruim ou bom. Certamente poderei lembrar ou aprender facilmente. Mas não o farei por dinheiro, e meu desejo é mesmo não fazer isso. Se o futuro existisse para o conhecermos, cada um de nós saberia o próprio. Não vejo como fazer o bem que almejo, lendo a sorte. Não, Ruth, não quero repetir isso de novo.

– Você, Maria da Penha, na encarnação anterior preparou-se para reencarnar? – indagou Osvaldo.

– Sim, preparei-me, mas não muito, como estou me preparando agora. Tento, num esforço maior, fixar os ensinamentos na minha mente. Tenho muito medo de errar, mas possuo também muita confiança. Tenho um amigo que permanecerá desencarnado e me acompanhará; será meu guia, protetor, pessoa severa e boa que me ajudará na psicografia. Preparamo-nos para escrever obras lindas no futuro. Estas aulas de redação estão sendo muito importantes para mim, porque aprendo a narrar histórias para, no futuro, ser mais fácil escrevê-las.

Com curiosidade sadia, indaguei ao mestre Aureliano:

– Maria da Penha aprende a escrever histórias. Não seria importante também que ela aprendesse a fixar datas e nomes para que, quando encarnada, médium psicógrafa, tivesse facilidade de escrever estes itens?

– Sua pergunta, Patrícia, é bem interessante. Será que se Maria da Penha, que falhou anteriormente, tiver na próxima encarnação facilidade de receber, de psicografar datas e nomes não terá sua vaidade tentada? Não será um peso demasiado para seus ombros fracos? Poucos estão preparados para este evento. Que bom seria se

todos os desencarnados pudessem, por intermédio de encarnados, provar sua identidade com nomes e datas que o médium desconhece. Mas não seria para esses médiuns uma porta aberta à sua perdição? Não ficariam orgulhosos e vaidosos disso? De fato, se todos pudessem, como Chico Xavier, escrever nas mensagens datas e nomes que comprovam quem realmente é o evocado, seria ótimo para a credibilidade de muitos. Mas, como disse, é um pesado fardo que só ombros fortes agüentam sem se perder. Chico Xavier conseguiu isso com muitos anos de trabalho e estudo, e só depois de alcançar sua atual elevação espiritual. Escrever fatos é o bastante para começar, depois outros pormenores virão com o tempo. E, para quem quer crer, um pingo é letra.

– E você, Aureliano, não terá também uma história interessante? – perguntou Henrique, sorrindo.

Aureliano sorriu e, com seu jeito simples, falou:

– Sou um espírito milenar. Há muito descobri o gosto pela leitura, pela escrita. Na minha memória, lembro-me das primeiras encarnações na Terra, grafando desenhos na pedra. Também sempre gostei de ensinar o que sabia. Sou mestre de longa data. Nas andanças pela Terra, sempre nas minhas encarnações, aprendi a ler, escrever e fui apurando meu gosto pela literatura. Certamente tenho muitas histórias de amores, desafetos e vitórias a relatar. Nas últimas encarnações tentei procurar Deus nas diversas religiões. Encontrei-O dentro de mim mesmo. Estou há trezentos anos desencarnado e, neste período todo, dedico-me a ensinar. Quando esta casa foi criada, senti grande alegria ao vir para cá. Leciono dezesseis horas por dia, aqui e na colônia de estudo. O restante, oito horas, dedico à literatura que tanto amo. Ou seja, ajudando ex-alunos encarnados, lendo obras novas e procurando aprender para melhor ensinar.

– Não irá reencarnar, Aureliano? – quis saber Adelaide.

– Não tenho planos. Devo continuar ensinando no plano espiritual ainda por muito tempo. Preparar espíritos que têm necessidade de encarnar é meu objetivo.

– Essa sua tranqüilidade tem causa? – indaguei.

– Certamente, a da consciência tranqüila. Atualmente ao recordar o meu passado nada tenho para reparar. Se reencarnasse seria para progredir, mas faço esse progresso aqui mesmo. Aprendo muito, ensinando.

– Quando reencarnar, fará falta aqui – disse Ruth.

– Não! Ninguém é insubstituível. Digamos somente que estou bem encaixado no meu trabalho. E me alegro com sua carinhosa observação. Creio que, quanto mais forem os desencarnados a se prepararem para a encarnação, mais chance terão de progredir, de realizar boas tarefas. A Terra está necessitada de muita aprendizagem.

Minha admiração por Aureliano cresceu ainda mais. Como é agradável encontrar pessoas dispostas a passar aos outros tudo o que sabem. É fantástico ensinar!

Capítulo 8

A biblioteca

Um lugar em que gostava e gosto muito de ir é a biblioteca. A da Colônia A Casa do Escritor é realmente fantástica. Espaçosa, bem clarinha, com lindos lustres e janelas redondas, grandes, com alguns vidros coloridos, formando delicados desenhos em tom claro. Há muitas estantes, tudo é catalogado, muitas escrivaninhas para pesquisas e sofás confortáveis. Para achar o que se quer ler, temos o auxílio de um avançado aparelho parecido com o computador que se tem na Terra. Mas há também um bibliotecário à disposição para atender os leitores.

A coleção de livros antigos é encantadora. Em destaque estão a Bíblia e os Evangelhos, com traduções diferentes, grandes, pequenos, ilustrados, com desenhos dos apóstolos, que são maravilhosas obras de arte. Em todas as bibliotecas do plano espiritual, em destaque estão os Evangelhos e alguns livros importantes sobre os mesmos. Logo na

entrada, há uma estante com os livros de Allan Kardec, em francês e em português. A colônia dá muito valor a essas obras. Junto delas também encontramos a biografia do mestre francês e também dos principais companheiros e médiuns que o ajudaram. Há um livro que o próprio Kardec escreveu quando desencarnado, para as colônias de literatura em especial, falando de si próprio e de sua obra. O livro é pequeno e simples, e diz das dificuldades que encontrou durante seu trabalho, de suas dúvidas, dos esclarecimentos e de suas amizades.

– Que livro bonito! Poderia conter mais detalhes, não acha? – indaguei à bibliotecária. – Ele mesmo escreveu tão pouco de si mesmo.

– Mostra a simplicidade do nosso codificador. Temos aqui biografias suas bem mais extensas, escritas por outros companheiros. Acredito que Kardec ao fazer este livro quis exemplificar que ele também lutou com seus problemas e defeitos, que se esforçou para fazer seu trabalho, e que foram horas, dias e anos de luta para consegui-lo. Não foi um trabalho fácil nem o recebeu sem esforço. Mostra-nos que, se ele conseguiu, todos nós podemos também fazer algo de útil.

– Será que os encarnados poderão ler este livro um dia? – indaguei novamente.

– Não está nos planos divulgá-lo entre os encarnados. Este livro só se encontra nas bibliotecas de colônias de literatura. Certamente o emprestamos e muito. Todas as colônias que se dedicam à literatura edificante, como A Casa do Escritor, têm pelas obras de Kardec um carinho especial e um lugar de destaque.

Já havia visto, em outras colônias, bibliotecas e salas de vídeos bem maiores e mais bem equipadas que na A Casa do Escritor, mas nem por isso ela deixava de ser encantadora. Quando necessitávamos ou queríamos ler uma obra que não havia lá, pegávamos emprestado em outras colônias. O empréstimo é facílimo. Pedimos por um aparelho, que dá uma leve lembrança do fax, e em minutos recebemos a obra.

À direita da biblioteca estão os livros espíritas, todos bons e já editados para os encarnados. Também há obras escritas por desencarnados que os encarnados ainda desconhecem. Algumas muito importantes sobre os temas da Doutrina Espírita. Que gostoso ler! Na

colônia todos amam aprender, afinam-se com o gosto literário e têm um objetivo comum: divulgar e fazer boas obras.

A matéria dada por Maria Adélia exigia-nos muitas pesquisas e fazíamos muitos trabalhos. Nessas ocasiões, íamos os oito à biblioteca. Que satisfação! Passávamos horas lendo e nos informando. Fizemos lindos trabalhos.

Também ia muito à sala de vídeos. Revi muitas vezes as fitas da formação da Terra e dos principais acontecimentos do nosso planeta. O que gosto especialmente de ver é tudo que existe sobre Jesus. Foram gravados quando Ele estava encarnado. Podemos analisar os principais fatos acontecidos com Ele, todos os seus ensinos e parábolas. São encantadoras e seus dizeres são maravilhosos. A primeira vez que vi Jesus, chorei o tempo todo. Ainda agora, que já perdi a conta das vezes que O vi, emociono-me, em certos pedaços, e choro. Também gosto de assistir aos vídeos que temos sobre Allan Kardec. Ele trabalhando com sua equipe, tanto a encarnada quanto a desencarnada. Organizando *O Livro dos Espíritos* e *O Evangelho Segundo o Espiritismo*. Para aqueles que gostam de aprender, lugares assim são deveras atraentes.

Ia muito às reuniões da casa. A colônia recebe visitas de moradores de outras casas e de diversos países. Trocam-se muitas idéias. Recebem-se também muitas pessoas importantes da literatura, tanto dos que estão encarnados, como dos desencarnados. Quase todos filiados à casa. De modo especial, encantei-me com os escritores espíritas: Emmanuel, André Luiz e Joanna de Ângelis. André Luiz, sempre que possível, brindava a casa com suas palestras instrutivas e cativantes. Foi uma alegria imensa ouvir Emmanuel num encontro com todos os filiados do Centro-Leste.

É um prazer ver encarnados escritores e médiuns, em reuniões de incentivos e esclarecimentos. Para muitos, a casa é como uma fonte de energia e força, onde se beneficiam, se restauram e mais: recebem o apoio espiritual que necessitam. Porque, às vezes, os encarnados passam por períodos difíceis e precisam do carinho dos amigos, para não desanimarem.

Gosto muito de indagar, de saber, e assim procurava sempre a companhia dos que poderiam me ensinar. Conversava bastante com o simpático e instruído diretor da casa. Assim soube de tudo o que queria.

– Senhor diretor, fale-me um pouco da casa, do seu trabalho e dos filiados.

– Patrícia – disse ele sempre gentil –, amo este lar e temos nos esforçado bastante para que a nossa tarefa dê frutos. Seus objetivos, seus trabalhos são maravilhosos. Temos prestado muita atenção em todos os que trabalham com a literatura espírita. Nossa lista de filiados é grande. Todos os que divulgam, vendem, editam e escrevem para a literatura edificante têm nossa assistência. Se por dois anos contínuos fazem esse trabalho, são filiados à casa.

– Se uma pessoa trabalhar nesse setor um determinado tempo e abandonar, continua filiado?

– Tudo faremos para incentivá-la a não abandonar ou a voltar. Mas ela, sendo livre, certamente pode abandonar a tarefa começada. Se depois de muita insistência de nossa parte ela desistir realmente, é estudada a causa que a levou a essa atitude. Porque, às vezes, existem justificativas, como doenças ou algumas dificuldades sérias. Nesse caso, continua filiado. Mas, se não houver motivo, pode ser desligado, mas terá sempre em seu favor o trabalho já realizado.

– Ao desencarnarem, os filiados recebem alguma ajuda especial? – indaguei novamente.

– Aqueles que ajudam a boa literatura, costumam ler também e aprendem muito. A maioria, com algumas raras exceções, aproveita o que lê para o bem de si mesmo. Faz por merecer ser socorrido após a desencarnação. Fazendo-se merecedor, recebe ajuda, sim. Quando prevemos a desencarnação de um filiado, nossa equipe vai ajudá-lo nos últimos dias, em seu desligamento, e o conduz para uma colônia de socorro de sua preferência ou do espaço espiritual de sua cidade material. Pode ser levado também para postos de socorro. Depois dessa ajuda, cabe a eles continuarem no local para o qual foram transportados ou não. Todos temos o livre-arbítrio de querer ou não o socorro. É difícil

um caso em que o filiado não aceite a nossa ajuda. Como disse, para si faz, quem lê, divulga, vende, ou até escreve boas obras.

– Já aconteceu de um filiado não merecer essa ajuda? – perguntei curiosa.

– Infelizmente, sim. Mas, graças à bondade do Pai, é raríssimo o fato. Mesmo assim, ele é vigiado por nós e, quando possível, socorrido.

– Já ocorreu de espíritos ignorantes tentarem vingar-se de espíritos filiados, quando estão desencarnados recentemente? Este vingar que digo – expliquei – sei que não tem razão de ser. Mas já ouvi muito por aí esses irmãos xingarem, blasfemarem, rogarem pragas; o que quero saber é se aconteceu de eles desejarem vingar-se dos que fazem o bem.

– Sua pergunta, Patrícia, é muito interessante. Esses espíritos, infelizmente, têm ciúme do esforço que fazem muitos irmãos que caminham para o progresso e fazem o bem. Eles falam, mas fazer é outra história. Não conseguem. Só conseguirão se essa pessoa se descuidar e vibrar como eles, assim mesmo terão oportunidades de receber sempre ajuda e conselhos dos bons. Realmente, escutamos muito esses irmãos falarem assim, porque, às vezes, o bem que se faz pode atrapalhar uma maldade desses espíritos. Em nosso trabalho, um bom livro são sementes boas que têm frutificado em muitos corações. E isso pode incomodar. Mas, respondendo diretamente à sua pergunta, não podem. Primeiro, porque já disse que nossos filiados recebem assistência e, quando desencarnam, os vingativos nem podem chegar perto. É justo que o trabalhador do bem receba seu salário na hora da desencarnação. Quem fez bons amigos trabalhando para o bem, fez amigos fiéis que o ajudam quando necessário. Quanto às maldições e pragas deles contra os bons, a eles retornam por não encontrarem ressonância.

– Aqui não existem recém-desencarnados? Não se pode trazê-los para cá?

– Não, aqui é lugar para os que estão totalmente adaptados ao plano espiritual. Mesmo para os justos, a desencarnação traz

necessidade de uma recuperação e descanso. Nem que seja breve sua adaptação à vida espiritual, deve ser feita em local próprio. Por isso, são levados à colônia de socorro. Muitos, após um período, podem escolher o que irão fazer depois. Há também os que foram filiados, quando encarnados, e que depois preferem outras formas de atividade.

– Pode-se filiar depois de desencarnado?

Indaguei e ri. Não havia acontecido esse fato comigo? Mas, já que fizera a pergunta, o amável senhor respondeu, gentil.

– Certamente. Você, Patrícia, se filiou agora. Quando encarnada, embora gostasse da boa literatura e dos livros espíritas, não chegou a trabalhar com eles para merecer uma filiação. Isso acontece bastante. Muitos não tiveram a oportunidade de se filiar quando encarnados e o fazem depois. Aproveito para lhe dizer que é um prazer tê-la conosco, mesmo sabendo que será por pouco tempo. Conheço seus planos e a incentivo. Devemos sempre lutar e nos esforçar para conseguir o que queremos.

– Tenho visto aqui encarnados não filiados em reuniões. Por quê?

– São todos amantes da boa leitura. Aqui vêm porque se afinam com a casa e com seus moradores. Vêm receber incentivos. Esse fato acontece raramente. Nossa preocupação é com os filiados.

– Pode acontecer de, em certas situações, os filiados receberem remuneração material?

– Sim. Temos editoras que são o ganha-pão de famílias. Há empregados de bancas e livrarias, que recebem seu salário para sobreviver. Infelizmente, os que fazem só pelo salário, fazem como se fosse apenas um trabalho como outro qualquer, esses não são filiados. Os que trabalham com amor, embora tenham a remuneração que necessitam, filiam-se.

– Na A Casa do Escritor estão filiados só os médiuns psicógrafos? E os outros?

O diretor viu com graça minha pergunta.

– Todos os que fazem o bem, se filiam ao bem. Todos os que fazem o bem, têm possibilidades de se tornarem bons. De fato, a casa

trata da parte literária, dos médiuns psicógrafos. Mas os outros médiuns têm também sua proteção. Para começar, quem faz o bem, para si faz. Quem faz por merecer, conquista seu bom lugar. Os outros médiuns ativos, os que trabalham para o bem, deles mesmos e de outros, têm sempre amigos bons a lhes prestarem a ajuda necessária. Têm também o carinho de todo o centro espírita que freqüentam. Está em projeto a formação de uma colônia de apoio a todos os médiuns. Será uma casa móvel como esta, que volitará sobre o Brasil, incentivando todos os médiuns a estudarem e serem úteis no bem.

Não me dei por satisfeita, havia muitas perguntas para fazer. Temi ser inoportuna. Mas amável como sempre ele me incentivou a indagar.

– Pergunte o que quiser, Patrícia, responderei como me for possível.

Não me fiz de rogada e continuei.

– O que acontece com os que vendem bons livros, mas vendem os ruins também?

– Procuramos incentivá-los a ficar só com os bons. Embora o que se entenda por ruim, possa ser classificado de várias formas. Devemos analisar de que tipo é a literatura ruim que se vende. Podem ser ruins os livros de péssimo gosto e que não dizem nada de bom, nem de mau. Agora, se forem obras que incentivam o crime, os vícios, as drogas, o sexo, estas são nocivas. Se a pessoa não atender nosso pedido de ficar só com as boas obras, não pode ser filiada.

– Pode um encarnado pedir a um escritor desencarnado que trabalhe com ele?

– Pedir pode, mas para ser atendido tem de ser analisado o seu pedido. Teria esse encarnado condições de ser um instrumento? É médium psicógrafo? Se for, é estudioso? É paciente e perseverante para treinar e afiar sua capacidade? Se as respostas forem positivas, ainda temos que levar em conta se o espírito que pede, está disponível e quer. Agora, se o pedido é para qualquer escritor desencarnado, é mais fácil atendê-lo. São poucos os bons escritores conhecidos dos homens, mas muitos os conhecidos de Deus.

Agradeci a esse amigo por tamanha delicadeza em responder a tantas perguntas. Sempre fui grata às pessoas que bondosamente respondiam as minhas indagações, em minha ânsia de aprender cada vez mais. E era sempre um enorme prazer participar de tão agradáveis conversas.

Naquela tarde estava eufórica, porque íamos receber uma visita importante para mim, embora todas as visitas que a casa recebe sejam importantes, e não se faça distinção entre seus convidados. Mas sempre admirei o visitante daquela tarde, Francisco Cândido Xavier, pela sua dedicação à literatura espírita. Foram horas e horas de trabalho, renúncia e esforço para conseguir escrever tantos livros. Lembrei-me de um dos comentários que Antônio Carlos faz sempre: "O médium é parceiro do escritor. Podemos dizer que escrevem em dupla."

Fiquei a esperá-lo no pátio da frente. Veio com Emmanuel. Fiquei maravilhada.

– Não está tão velho! Parece tão saudável!

Antônio Carlos, que estava a meu lado, sorriu de minhas exclamações.

– Patrícia, nosso perispírito demonstra o que somos na realidade. Às vezes, uma pessoa má tem o físico lindo, mas seu perispírito é feio. E pode ocorrer o contrário. Não que seja o perispírito totalmente diferente do corpo carnal, mas a harmonia e a bondade dão a perfeição. O desequilíbrio e a maldade desarmonizam, deformando. Você olha o Chico e o reconhece, sente que é ele. Sabe que seu corpo está desgastado pelo tempo e pelas doenças, mas seu perispírito, não. Ele é bonito pela harmonia e simplicidade de que é portador. Realmente parece mais jovem. Seu espírito, com o entendimento, irradia ao perispírito saúde e alegria de missão cumprida. Você já viu muitos desencarnados que têm no perispírito fortes reflexos de doenças, velhice e necessidades. Outros, logo que desencarnam, pelo entendimento e merecimento, já têm seu perispírito harmonizado. E, outros ainda, mesmo encarnados, já são desprendidos dessas necessidades. Têm a saúde espiritual porque cultivam o verdadeiro, o eterno, a vivência do bem, do espírito.

Logo que ele chegou, muitos o cumprimentaram. Tentei aproximar-me. Acanhada, fiquei observando-o de perto. Ele andava, eu andava atrás. Para todos tinha uma palavra carinhosa e uma memória incrível, indagava sobre fatos e sobre amigos comuns.

Num momento em que ficou sozinho, criei coragem e me aproximei. Deu-me a mão, para um cumprimento, e me olhou com muito carinho. Disse-lhe:

– Obrigada, Chico, por você não ter desistido de sua tarefa e ter, junto a tantos escritores, nos legado livros maravilhosos. Particularmente, esses livros muito me ajudaram e ajudam tantas pessoas.

Ele sorriu e indagou:

"Faz algum curso na casa?"

– Sim, estou me preparando para ditar aos encarnados.

"Você, então, acha que fiz algo de bom? Que faço?"

– Acho, sim.

"Faça então como fiz!"

Passou a mão delicadamente pelos meus cabelos e, sorrindo, concluiu:

"Que os bons exemplos sejam seus objetivos. Que o Pai a abençoe!"

Emocionei-me tanto que senti os olhos lagrimarem. Outros companheiros se aproximaram e ele sempre atencioso voltou-se para lhes dar atenção.

Todos fomos convidados a ouvir uma palestra. Humberto foi o orador. Como sempre, o assunto foi a literatura. Falou das dificuldades em se fazerem bons livros. Que atualmente muitos bons escritores estavam desencarnados. E que nem todos podiam usar da psicografia por falta de bons médiuns, de instrumentos que fossem dedicados e corretos. Para fazer bons livros é necessário coragem. Materialmente está difícil e infelizmente se vende pouco. Mas terminou incentivando todos ao bom ânimo e ao trabalho incessante. Não discursou muito. Após convidou Chico a falar. Sorrindo sempre, o conhecido espírita e médium levantou-se e, diante de todos, disse poucas palavras.

"Irmãos, que Jesus esteja em nossos corações! O que Humberto disse veio muito a calhar nos acontecimentos atuais. Necessitamos de bons escritores encarnados e de médiuns que aceitem a tarefa fiel de intermediários. Médiuns sem vaidade, que trabalhem com boa vontade e que não tenham pressa de editar, logo que comecem a psicografia. Há necessidade de se fazer um treino, e de estudar a Doutrina e as obras de Kardec. Que não fiquem com medo de fazer, nem com desânimo. Nem pensem que não vale a pena. Este trabalho não dará frutos materiais, mas, sim, espirituais. Reunidos aqui, pensemos na necessidade de trabalhar sempre. Se estiverem encarnados, que se voltem ao estudo com seriedade e dedicação. Nada se faz de um dia para o outro. Aos desencarnados, incentivo-os a encarnarem e a se dedicarem, no plano físico, à literatura espírita edificante. E que também se preparem para ser médiuns psicógrafos."

Fez uma pausa e um dos ouvintes indagou:

– Chico, acabei um curso que me preparou para ser médium psicógrafo, quando estiver encarnado. Tenho medo de perder-me, acho que não serei capaz de dedicar-me tanto, de renunciar aos prazeres da matéria para dedicar-me ao treino, ao trabalho, aos livros. Que me diz? Sei que sua existência encarnada não tem sido fácil.

"Também não é difícil. Não me sacrifiquei. Quando se faz o que se ama, tudo é mais fácil, é nosso prazer. Fui e sou muito feliz. Ganhei mais do que imaginava. A tranqüilidade e a paz que sinto são altíssima recompensa. A amizade de que sou portador, não tem preço. Ame, tente amar mais, e irá fazer o que planeja. Ame e tudo ficará mais fácil."

A reunião acabou com uma linda prece.

Foi uma noite memorável.

Capítulo 9
No umbral

Foram inúmeras as excursões que fizemos ao umbral, em grupo ou sozinhos, com a finalidade de auxiliar e, também, colecionar histórias que iríamos escrever nas aulas de redação.

Depois de tanto tempo desencarnada, acostumei-me com o umbral, não tinha mais medo nem me parecia um lugar horrível, como achei nas primeiras vezes que estive lá. O medo não tem razão de ser, quando entendemos que lá estão nossos irmãos. É um lugar feio, é uma das conseqüências da vivência errada do ser humano. E, pelas minhas recordações, já havia sido meu lar provisório em existências anteriores.

Conversas com grupos de lá são difíceis. Ou eles nos atacam ou querem que façamos parte da equipe deles. Assim, dirigíamo-nos aos isolados ou agrupados pelo sofrimento. Chegávamos com educação e oferecíamos ajuda de modo sutil. Por exemplo:

– Você deseja que o ajude a sentar-se aqui? Quer água? Dê-me sua mão para sair daí.

Porque, senão, querem logo coisas impossíveis: que os ajudemos a se vingar, a ficar perto dos encarnados, a se tornarem fortes para serem maiores etc. Mas encontramos sempre os carentes de ajuda e dificilmente, nessas excursões, não voltávamos com muitos socorridos que encaminhávamos ao posto de socorro mais próximo.

Quando sozinha, sempre dei preferência aos que me pareciam sofredores e mais humildes. Deles me aproximava e começava a conversar; facilmente lia seus pensamentos e ficava sabendo da vida deles. Isso não era feito só pela história que escreveria, mas também para ajudar. Como uma vez em que encontrei uma mocinha presa numa caverna. Tirei-a de lá e fomos nos sentar em uma pedra, a uma pequena distância do lugar em que estava presa.

– Por que está presa? Não quer me falar de você? – disse, mostrando-lhe amizade e dando-lhe água fluidificada que trazia comigo. Tomou a água com a ânsia dos sedentos, olhou-me demoradamente e indagou:

– Quem é você? Tirou-me da caverna, não teme meu carrasco?

Falava bem, mostrando ser instruída. Estava com os cabelos desalinhados, armados, que vinham até o ombro. Magra e com as roupas em farrapos. Tinha alguns machucados.

– Não tenho medo. Deixe-me passar esta água em seus ferimentos.

Ela deixou, submissa. Passei e, com a força da minha mente, fui curando-a.

– Puxa! Você é espetacular! Está me curando!

Quase todos seus ferimentos fecharam.

– Você não quer conversar comigo?

– Desencarnei há doze anos, aos trinta e sete anos. Logo que deixei o corpo morto, esse carrasco me pegou e me prendeu. Foi, e é horrível!

– Que fez a ele para mantê-la assim? – indaguei.

– Nada de mais. Quando encarnados fomos amantes, mas ele era casado. Resolvi abandoná-lo, mas ele não se conformou e começou

a beber. Culpa-me por muitas coisas ruins que lhe aconteceram. Ama-me e me odeia; prendeu-me por ciúme e por não amá-lo.

Bem, se eu não tivesse lido seus pensamentos e soubesse só uma parte da história, a que ela me contou, pensaria ser este fato algo tremendamente injusto. Mas, por aqui, não há injustiça. Socorristas estão sempre pelo umbral, ajudando os que estão prontos a vibrar de maneira diferente.

A história que li nos pensamentos dela foi outra. Ela era volúvel e má, conseguiu conquistar um homem casado, bom esposo e ótimo pai. Acabou com tudo o que ele tinha financeiramente e queria que ele abandonasse a família. Ele não quis e largou dela. Ela planejou vingar-se. Até que um dia conseguiu envenenar a água da família dele. A caçulinha de três anos desencarnou envenenada. Outra filha de cinco anos ficou com a laringe e a língua danificadas, e quase não conseguiu mais falar. Ele, a esposa e outro filho sofreram pequenas intoxicações. Desconfiaram dela, mas não tiveram como provar. Sua esposa o acusou por isso e foi embora com os dois filhos para a casa de seus pais. Ele pôs-se a beber e virou um farrapo humano. Quis voltar para ela, que não o quis, pois ele não tinha mais nada. Para ter dinheiro, foi roubar e acabou preso, desencarnando na prisão. Ela ainda cometeu muitos outros erros. Ele, o carrasco, como o chamava, esperou que ela desencarnasse para vingar-se.

– Você não contou toda sua história – disse-lhe. – Não lhe pesa na consciência a morte de um inocente? Por que envenenou a água da família dele?

– Como sabe disso? É bruxa? Lê o pensamento? Está aqui para me acusar? – Levantou-se e respondeu enérgica, deixando cair a máscara de humildade.

Respondi calmamente:

– Não, só tento ajudá-la. Mas, para que possa auxiliá-la, deve arrepender-se dos seus erros e repará-los.

– Está louca? Nunca repararei nada. Fiz e está feito! Mereceram! Não quero conselhos. Você me é desagradável. Odeio você! Odeio todos!

Saiu correndo. Não fui atrás. O umbral, por enquanto era o melhor lar para ela. Talvez seu carrasco não mais a encontrasse. Ele também necessitaria reconhecer sua parte na culpa, pois traiu a esposa e se uniu a quem não prestava. Também deveria perdoar e tentar reparar sua falta com os membros de sua família. Ela era fingida, queria piedade sem mudar sua forma de pensar. Espíritos assim num local de socorro só aprontam confusões. Por isso os socorristas do umbral têm de saber a quem socorrer.

Uma outra vez, vi um senhor não muito velho, mas com os cabelos quase todos grisalhos. Estava sujo e com as roupas em farrapos. Usava uma bengala e arrastava a perna esquerda, que estava inchadíssima e cheia de feridas.

– Bom dia! Como vai o senhor? – indaguei gentilmente.

Ele parou, sentou-se numa pedra e me convidou com a mão a fazer o mesmo, respondendo:

– Bom dia! Estou bem mal. A perna me dói horrivelmente. Tinha a ferida quando encarnado e agora, mesmo com meu corpo morto, ainda sofro com ela.

– Por que ela está assim, ferida e inchada? – indaguei.

– Porque Deus assim quer.

Enquanto falava, li seus pensamentos. Vi que ele desde jovem, embora sadio, esmolava. Fingia-se de doente, enfaixava a perna para provocar pena nas pessoas. Muitas vezes, chegou a cortar, ele mesmo, a perna para que os ferimentos fossem autênticos. Desencarnou devido a esses machucados, que infeccionaram. Quando viu que o observava, deixou de ser educado.

– Quem é você, minha jovem? Alguma boboca que vem me dar sermões? Dizer que devo perdoar, pedir perdão? Não faço nada disso! Nada tenho a pedir perdão.

– Nem por pedir esmolas, fingindo-se doente?

– Ora, ora! As pessoas me deram esmolas porque quiseram. A perna é minha e uso-a como quero. Pedia esmolas em nome de Deus. E cadê Ele?

Levantou-se e com dificuldade foi andando e arrastando a perna. Levantei-me também para tentar dialogar com ele.

– Vê se não me amola!

Cuspiu-me. Foi andando blasfemando, dizendo que nada fizera de errado. Achando que no momento era inútil tentar ajudá-lo, voltei, deixando-o ir não sei para onde. Devo explicar que a cuspida que ele deu não me atingiu. Depois que estudamos e aprendemos como viver no plano espiritual, objetos de irmãos com vibrações inferiores não nos atingem.

– Ai... Ai...

Escutei um dia, em uma das minhas visitas pelo umbral. Parei para ver de onde vinham tão doloridos ais. Achei. Vinham de uma lama. Deitado no barro um espírito gemia tristemente. Peguei-o pela mão e retirei-o da lama. Vi que se tratava de uma mulher. Estava nua, toda suja e cheirando mal.

– Não me olhe, estou sem roupa – disse ela com dificuldade.

Tirei da minha mochila um lençol e enrolei-a. Todas as vezes que íamos ao umbral, levávamos nossa mochila nas costas. Nela, havia alguns apetrechos que sempre utilizamos, como lençóis, água, alimentos, lanternas, cordas etc.

– Tão limpo! Sujou-o todo.

– Não faz mal. Quer água?

– Limpa? Quero sim.

Peguei a água e joguei um pouco sobre seu rosto e mãos limpando-os um pouco, depois dei para que bebesse. Bebeu com avidez, devolveu-me o cantil e tentou sorrir, mas acabou fazendo uma careta.

– Obrigada!

– Por que você está aqui? Você não se lembra de Deus? De orar?

– Não senhora. Não posso orar, sou pecadora. Meu lugar é na lama. Acho que devo voltar.

– Espere um pouco. Converse primeiro comigo.

– A senhora não se importa? Sou pecadora!

– Não me importo. Está com fome? Coma este pão.

Ofereci-lhe um pão, que pegou depressa e pôs-se a comê-lo. Coloquei minha mão em suas costas e ajudei-a, sem que percebesse, a

andar até uma pedra para que pudéssemos sentar. Enquanto comia, li seus pensamentos. Quando acabou de comer, agradeceu novamente.

– Não quer me contar o que houve com você? – indaguei.

Olhou-me tristemente, e agora mais refeita, falou:

– Era adolescente quando comecei a namorar e fui para a cama com ele. Mas ele não queria nada sério. Foi embora, arrumei outro, mais outro. Meu pai descobriu e me expulsou de casa dizendo: "Vai embora maldita! Vai para a lama, que é o seu lugar". Temi sua ira e pedi: Pai, pelo amor de Deus, não me expulse! "Não pronuncie o nome de Deus, você não pode, não deve, é impura demais." Fui para a prostituição. Meu pai logo veio a falecer de desgosto. Então, nunca mais rezei ou falei o nome desse aí, que você me perguntou.

– Deus?

– Sim, não sou digna e, como meu pai falou, vim para a lama. Penso que aqui é o meu lugar.

– Não se arrependeu do que fez?

– Arrepender como?

– Se tivesse que voltar atrás, agiria diferente?

– Não sei... Não sei... Que fiz de errado? Cada um não nasce com o seu destino marcado?

Estava sendo sincera, acreditava que tinha nascido para ser uma prostituta. O que não é verdade. Ninguém reencarna para errar. Apiedei-me.

– Venha comigo. Você irá aprender muitas coisas. Por exemplo, que Deus é amor e quer bem a todos os Seus filhos. Você é filha Dele. Não se envergonhe em pronunciar Seu nome. Orar lhe fará bem. Não, minha irmã, a lama não é lugar para ninguém. Venha comigo!

– Será que devo mesmo? Meu pai ficará zangado.

– Não, seu pai não ficará. Você necessita de auxílio.

Levei-a para um posto de socorro lá perto, eu mesma a limpei, cortei seu cabelo, suas unhas, alimentei-a e a deixei dormindo. Fui muitas vezes visitá-la. Era obediente, mas no começo, mesmo gostando demais de ficar no posto, queria voltar para a lama, onde dizia ser seu lugar. Foi com dificuldade que pronunciou o nome de Deus

e reaprendeu a orar. Muito tem de aprender. Foi com alegria que um dia, ao visitá-la, encontrei-a ajudando na limpeza.

Muitos fatos vemos no umbral que nos comovem, mas nem sempre a aparência de mártir é real. Muitos presos que soltamos, em vez de nos agradecerem, odeiam-nos e dizem blasfêmias. Quando vemos escravos, a vontade que nos dá é de soltá-los, mas quase sempre são escravos por afinidade com seus algozes. Soltos, mostram a revolta e querem que os ajudemos a vingarem-se. Sabemos que esses, infelizmente, são os mais necessitados, mas pouco podemos fazer. Levar espíritos revoltados para um socorro é imprudente. Só se pode dar auxílio aos que querem ser auxiliados. Mas, mesmo se não podemos socorrê-los, ao conversar e dar-lhes conselhos, lançamos uma semente e quem sabe um dia florescerá, como arrependimento e vontade de mudar.

O umbral nos leva a meditar na imensa bondade do Pai, que nos deu um local provisório para morar. Aprendi a amar o umbral e tudo que há nele, especialmente aqueles meus irmãos que ali vivem.

Capítulo 10

Trabalhando com a equipe

A casa amanheceu em festa. Muito mais flores e convidados deram-lhe um brilho todo especial. Um dos moradores ia reencarnar. Isso mesmo! Fausto, um ativo trabalhador da casa, ia vestir um corpo carnal. Estava no pátio recebendo abraços, incentivos e votos de êxito. Participei da festa, embora o conhecesse há pouco tempo. Ele é simpático, inteligente e muito sorridente. Estava contente com a demonstração de carinho, embora, às vezes, leve preocupação brilhasse em seus olhos.

Ficou o dia todo rodeado de amigos, passei a fazer parte da roda, e o escutávamos com prazer.

– Meus futuros pais são filiados da casa. Donos de uma pequena editora espírita, lutam para mantê-la e ampliá-la. Terei uma irmã e um irmão, ambos lindos e amigos. Vou reencarnar esperançoso!

– Conseguirá vencer, amigo! – disse-lhe um dos companheiros. – Conseguirá fazer o que planeja!

– Preparei-me muito. Fiz cursos, trabalhei aproveitando todo o meu tempo. Sinto deixar a casa, amo-a tanto. Mas será por tempo determinado. A ela voltarei, se Deus quiser. Vou confiando na ajuda de muitos amigos. Continuo filiado à casa. Espero fazer tudo o que planejei e contribuir, encarnado, em prol da boa literatura.

Antônio Carlos estava conosco, e afastei-me com ele alguns passos do grupo, para perguntar:

– Ele continuará filiado à casa?

– Sim.

– E se ele vier a falhar, encarnado, o que acontecerá? Ele preparou-se para se dedicar à literatura espírita, e se as dificuldades o levarem a outras atividades, continuará filiado?

– Quando criança e adolescente, receberá nossa atenção como filiado que é. Na fase adulta, os cuidados serão redobrados. Terá apoio e incentivo para fazer o que lhe cabe por escolha. Mas ele terá seu livre-arbítrio, poderá se envolver em outras atividades e não fazer o que se propôs. Depois de muitas tentativas de nossa parte para chamá-lo à realidade, se ele recusar, a casa retirará sua ajuda. Mas ficará sempre como amigo. Porque ele os fez. Quanto à filiação, no caso dele, que muito trabalhou pela casa, ficará cancelada, mas poderá voltar quando quiser.

– Isso já ocorreu? Alguma filiação foi cancelada?

– Infelizmente, sim.

– Acho que é porque nem todos se preparam para reencarnar, não é?

– Sim. Infelizmente não acontece com mais freqüência do que deveria ser. A preparação se dá com uma pequena parte. Vemos milhares de reencarnações ocorrerem todos os dias e uma pequena fração somente recebe preparo. Lembro-lhe que o livre-arbítrio é respeitado. O desencarnado também tem sua vontade. A reencarnação é oportunidade para todos. Quem gosta de aprender, o faz encarnado ou desencarnado. Esse preparo inclui estudos, dedicação e nem todos estão dispostos a isso. Patrícia, mesmo espíritos com dom literário não aceitam o ensino da casa. Tanto que vemos vários escritores talentosos escrevendo muitas barbaridades.

– Antônio Carlos, outro dia conversei com um visitante desencarnado que está em outra colônia estudando e trabalhando. Veio aqui conhecer e inscrever-se em cursos da casa. Disse-me que cometeu muitos erros no campo literário. Que se via num terreno só de plantações ruins. Plantou muitas coisas más. A colheita o incomodou. Pensou: se me dedicar só à colheita, não terei tempo para mais nada. Mas os ensinos que recebeu no plano espiritual o incentivaram. Não precisaria necessariamente colher da plantação ruim. Pelo trabalho no bem, ele poderia limpar seu terreno e plantar boa semente. E evitar a colheita ruim. O que acha disso?

– O que você pensa que sua tia Vera e eu fazemos? Pelo trabalho estamos "roçando" a plantação ruim. Mas pelo trabalho, realmente. E, mesmo assim, ferimo-nos tantas vezes com os espinhos. Se fizermos o trabalho todo, evitaremos a má colheita. Nos pedaços limpos, já plantamos a boa semente que germina. A boa planta nasce com amor e nos sustentará na luta com sua colheita bendita. Patrícia, se todos trocassem a colheita ruim pelo trabalho no bem, pela transformação interior para melhor, a colheita de dores e sofrimentos sumiria da Terra.

Voltamos nossa atenção ao Fausto, que recebeu amigos o dia todo numa demonstração de confraternização e carinho. À noite, ele partiu, ia para o Departamento de Reencarnação, numa colônia de socorro. Partiu feliz e confiante. Desejei ardentemente que tivesse êxito em seus propósitos.

Durante o tempo em que estive na A Casa do Escritor, vi algumas reencarnações. Todos com muitos incentivos e esperando realmente que cumprissem o que planejaram.

A equipe fora chamada para dar assistência na desencarnação de um dos filiados. Fui, feliz.

O amigo prestes a desencarnar estava doente, hospitalizado. Já há alguns dias um companheiro da casa o acompanhava, também estava com ele o companheiro, desencarnado, de muitos anos de trabalho. Chegamos ao local e fomos cumprimentados pelos amigos desencarnados. Agora éramos cinco. Nosso companheiro que há dias estava com ele nos informou:

– Nosso amigo piora. Sente a desencarnação e está tranqüilo. Nestes dias eu o intuí para que deixasse seus assuntos em ordem. Atendeu-me, organizou papéis, tudo o que um encarnado tem que deixar certo para facilitar a vida dos familiares.

– Tem dores? – indaguei.

– Sim, tem tido. Mas não reclama.

– Ele não poderia ficar mais tempo? – indaguei novamente. – Faz um trabalho tão bonito e não está velho.

– Ele mesmo, antes de reencarnar, marcou o tempo de sua desencarnação. Está indo na data certa. De fato, fez um trabalho lindo, isso justifica nossa presença ao seu lado.

Não tardou a ter outra crise. Familiares encarnados e o médico atenderam-no solícitos. Nosso trabalho de desligamento começou tão logo seu coração parou. Ele adormeceu, nada sentiu ou viu. Horas depois, nós o levamos para uma colônia de socorro e o deixamos bem instalado num quarto. Ali, a equipe da colônia, do hospital, cuidaria dele. Seu companheiro[6] iria ficar com ele e acompanhá-lo nos primeiros passos como desencarnado.

– Quando estiver bem irá para A Casa do Escritor? – indaguei.

– Dependerá de sua vontade, mas este amigo é amante da literatura, creio que continuará a trabalhar com ela.

– Que bonita a desencarnação de pessoas vitoriosas em suas tarefas! De pessoas boas! – exclamei.

Mas tivemos o caso de um filiado que não queria a desencarnação. Estava revoltado com os familiares e com os assuntos financeiros. Cumpriu pela metade a tarefa a que se propusera. Sua desencarnação foi mais dolorosa, porque se esforçou para não se desligar. Mas o corpo morre e o espírito tem que abandoná-lo. Fizemos com que adormecesse com passes e o desligamos. Foi, depois, levado para um posto de socorro. Cabia a ele aceitar ou não o socorro oferecido.

– Se ele não aceitar? – indaguei a um dos meus companheiros de equipe.

---

6. Guia, protetor, o desencarnado que trabalhou com ele na tarefa do bem. (N.A.E.)

– Poderá voltar para o lado da família ou vagar. Mas como fez muitos amigos, tanto encarnados como desencarnados, não ficará desprotegido. Os amigos encarnados pedirão por ele e os desencarnados irão até ele oferecer ajuda. Ele é uma boa pessoa, inteligente, saberá definir o que lhe é bom.

Curiosa, indaguei ao meu companheiro:

– Flávio, muitos dos filiados são ativos em outras áreas também. Muitos, além de se dedicarem com carinho ao livro espírita, são médiuns trabalhadores em centros espíritas. Outros trabalham em áreas sociais. Quando desencarnarem, quem virá ajudá-los?

– Como é bom fazer e ter amigos. E ter quem nos ajude nesse momento importante, que é a desencarnação. Isso ocorre realmente. Há filiados que trabalham ativos em outras áreas. Bem, quanto a quem irá ajudá-los na desencarnação, dependerá dele e do seu companheiro desencarnado. O importante é ter perto bons amigos na hora do desligamento. Depois ele escolherá a atividade que irá cultivar.

Fomos chamados para auxiliar na desencarnação de uma filiada diferente. Não era espírita. Por muitos anos, dedicou-se à boa literatura, a infantil, e com muito carinho. Sempre se esforçou para passar nos seus livros a boa moral. Como teve uma religião que não explica o que seja a morte do corpo, temia a desencarnação e isso dificultou nosso trabalho. Por dias, ficamos a acalmá-la com passes. Desencarnou tranqüila e foi levada para uma colônia. Certamente iria estranhar, mas como era inteligente e boa, acreditávamos que logo estaria bem. Quanto à sua ida à A Casa do Escritor, se quisesse, demoraria, porque antes necessitaria aprender muito e adaptar-se à nova vida.

A equipe da casa estava sempre alerta aos pedidos de ajuda a quem lida com livros espíritas. Com carinho especial auxiliam feiras, bancas e editoras.

Iria acontecer uma Feira do Livro Espírita importante. Era a primeira que o grupo realizava. Fomos convidados a participar, para incentivar e protegê-los, porque a equipe do umbral, da região, estava furiosa com o evento e prometia tumultuar o local. Mas tudo deu certo. Durante a feira, uma equipe da casa ficou o tempo todo nas

barracas, e foi um sucesso. Os irmãos do umbral bem que observaram de longe. Foram convidados a aproximar-se para ver melhor. Uns vieram, mas a maioria foi embora ou ficou olhando de longe. Os que vieram, olharam os livros e conversaram, muitos pediram socorro. No final, os organizadores da feira ficaram felizes e nós também. A Feira do Livro Espírita é sempre uma distribuição de bens, de ajuda e de instrução, que leva muitos a procurar caminhar rumo ao progresso.

Vou também muito ao centro espírita que minha família freqüenta. Que grande aprendizado é para o desencarnado trabalhar num centro espírita. Com os problemas diários que surgem, a ajuda é constante tanto a encarnados como a desencarnados necessitados.

Artur, companheiro desencarnado de trabalho, de meu pai, é meu grande amigo. Está sempre sorrindo, é muito instruído e inteligente. Gosto de vê-lo em atividades no centro espírita. Representa para mim um exemplo a ser seguido. É querido por todos. Há tempo observava-o e pensava: "Será que Artur tem uma história interessante? Que acontecimentos o teriam levado a ser tão dedicado?"

Numa tarde em que o centro espírita estava com pouco movimento, e isso acontece raramente, os trabalhadores conversavam no pátio. Cheguei ao salão onde se realizavam os encontros de encarnados e desencarnados. Entrei devagarinho e vi Artur diante de um quadro que retrata o Mestre Jesus. Estava distraído, encantado, seu rosto sereno irradiava harmonia e amor.

– Oi, Artur, atrapalho?

– Não, menina Patrícia. Deseja algo? – disse sorrindo e olhando para mim.

– Lindo quadro! Ama muito Jesus, não é?

– Sim.

– Teria ocorrido com você um fato especial para amá-Lo assim?

– Só por ter nos deixado tantos ensinamentos maravilhosos, seria o bastante para que todos O amássemos. Mas você tem razão, existe algo particular entre Jesus e mim.

– Posso saber que fato é este? – perguntei.

Sentei numa cadeira, convidando-o com a mão a sentar-se a meu lado. Ele o fez.

– Você está me saindo uma caçadora de histórias...

Rimos.

– Há muito tempo, Patrícia, fui um espírito rebelde, zombava de tudo e de todos, só pensava em prazeres e em mim, da forma mais egoísta possível. Era terrível, encarnado, e horroroso, quando desencarnado. Uma vez, desencarnado, uni-me a um grupo de espíritos afins, formamos uma legião para obsediar uma pessoa. Tudo estava bem para nós, que judiávamos do pobre encarnado numa farra. Devo dizer que, para ser obsediado, o encarnado vibrava igual a nós, e tudo o que sofria tinha como conseqüência uma má colheita. Tudo corria bem, quando nos vimos numa enrascada. Senti-me preso, sem poder me mover, e assim também todos os outros companheiros. Só ouvíamos e víamos o que acontecia. Uma força maior, muito grande, nos prendera. Estávamos cercados por várias pessoas, umas encarnadas e outras desencarnadas. Mas essa força que nos prendia, fazia-nos tremer e, ao mesmo tempo, nos maravilhava, vinha de um encarnado. Esse homem fenomenal colocou a mão sobre a pessoa que obsediávamos, e disse: "Tua fé te salvou!" Olhei para o encarnado e vi uma imagem humana de rara beleza e tranqüilidade. Nunca vira pessoa assim. "É Jesus!" – disse um dos encarnados que o acompanhava. "É Ele, Jesus, o Nazareno, que curou este homem!" Jesus me olhou com profundo amor e não me condenou: amou-me. Seu olhar meigo e bondoso me olhando é um fato nunca esquecido. Fomos afastados de perto daquele obsediado, por uma equipe desencarnada, e levados para um posto de socorro. Lá, orientaram-nos para o bem. Mas éramos livres para ficar ou não. Se voltássemos, estávamos proibidos de nos aproximar do ex-obsediado. A maioria ficou; e eu fiquei também e fiz um voto de me modificar. Nunca esqueci que por momentos vi Jesus. Esse encontro ficou forte em mim. Depois de um preparo, reencarnei. Não foi fácil a minha luta. Tinha muitos vícios e maus costumes, com uma colheita bem amarga. Reencarnei muitas, muitas vezes, nestes quase dois mil anos, sempre procurando melhorar. A imagem do meu encontro com

Jesus vinha de modo vago, quando estava encarnado. Sempre, na carne, gostei de olhar imagens, quadros do Mestre Nazareno; tinha sempre uma saudade sem entender o porquê. Quando desencarnado, lembrava-me do ocorrido, e este fato sempre me deu forças para melhorar e progredir. Nosso encontro marcou-me muito, tanto que memorizo e a cena, com todos os detalhes, me vem à memória. Posso ainda sentir seu olhar de amor. Nessas minhas romagens pela Terra, fui sacerdote católico, pastor protestante, sempre tentando seguir Jesus. Muitas vezes me enganei. Mas, nas recentes encarnações, melhorei realmente, e na última é que encontrei a Doutrina Espírita e entendi melhor os ensinamentos do Mestre Jesus. Tento, Patrícia, somente seguir seu exemplo. Amo meu trabalho junto aos nossos irmãos que estão nas trevas da ignorância, que temporariamente estão entrelaçados no erro, com o mesmo amor com que Jesus me olhou por segundos.

Abracei-o. Não conseguimos falar mais nada. Entendi. Todos nós temos nossa história e, quem sabe, um fato particular que nos leva ao amor.

Capítulo 11

Excursões

Fizemos muitas excursões a várias colônias, e uma que me encantou de modo especial, por parecer com A Casa do Escritor, foi a colônia que se dedica à Música e à Pintura. É lindíssima, móvel, tem também muitos filiados por todo o Brasil. Seu trabalho assemelha-se ao nosso. Tentam auxiliar sempre os que se dedicam à arte musical e à pintura. É rodeada por lindíssimas árvores e flores. Por toda a colônia vemos quadros famosos, cópias ou originais. Há muitos salões dedicados à música. A biblioteca e as salas de vídeos são sobre os assuntos com que se trabalha na colônia. Fomos brindados com lindas músicas, num dos seus salões, e foi emocionante ter visto lindos quadros.

Em todas essas colônias, como também nas de estudo, fala-se muito o esperanto. É muito agradável: o som das palavras é suave e harmonioso. Aqui se incentiva bastante a aprendizagem dessa fabulosa língua.

Partimos para ver na Terra o trabalho de encarnados, com a literatura. Ou seja, tudo o que se escreve. Assombramo-nos com o número de revistas de fofocas e eróticas, com sua quantidade e preços altos. Fomos visitar suas editoras, lugares de trabalho como outro qualquer. São sempre visitados por uma equipe da A Casa do Escritor, como a nossa, com os oito alunos e Maria Adélia. Depois de examinarmos tudo, passamos a observar os que lá trabalham. Pessoas normais, outras inteligentes, que ali estavam pelo salário. Algumas, sendo influenciadas por espíritos bons ou maus. Muitos espíritos bons ali trabalham, como ia tentar fazer nosso companheiro José Luiz; procuram intuir as pessoas para que escrevam artigos bons. Outros espíritos, maus, ali permaneciam para guardar o território, que de fato era mais deles do que nosso. Costumam intuí-los a escrever mais fofocas e maledicências. Nenhum deles obsedia por esse motivo, só tentam intuí-los. Tudo estava calmo. Nessas revistas, que têm como objetivo assuntos banais, nosso trabalho é difícil, às vezes, impossível. Tanto que a maioria das visitas são apenas de reconhecimento e aprendizagem. Para que pudéssemos observar mais, Maria Adélia se fez visível à equipe de trevosos que ali estava. Eram espíritos maus, porém instruídos. Logo um deles veio conversar com ela.

– Olá, boneca! O que quer? Deseja ficar conosco? Você é uma beleza!

Mais três a cercaram, e todos se puseram a examiná-la, rindo.

– Estou só observando o local – respondeu nossa instrutora. – O que fazem aqui?

– Podemos dizer que trabalhamos aqui. Veja esta matéria, foi inspirada por mim – disse um deles com orgulho, mostrando uma reportagem. Era uma matéria muito erótica. Maria Adélia deu uma olhada.

– Mas consta só o nome do encarnado na reportagem – disse ela.

– Isto é que incomoda! Mas não faz mal. O prazer é o mesmo.

– Tem chefe? Obedecem alguém? – indagou Maria Adélia.

– Você é intrometida! Pergunta demais. Temos, sim, uma organização. Se você quiser fazer parte, podemos dar um jeito, uma ajuda.

Sabe escrever? Digo, fazer reportagens? Você tem cara de inteligente. Só que está muito mal vestida. Parece beata!

– Sei escrever, sim. O trabalho é difícil?

– Aqui é bem fácil. A parte difícil é quando somos mandados a atrapalhar pessoas que fazem outro tipo de escrita. A literatura espírita, por exemplo.

– Vejo tão pouco coisas que dizem ser boas no mercado, por que se preocupam com isso?

Quem respondia era um deles, o mais orgulhoso e arrogante.

– Vejo que a menina entende disso. É verdade, mas há os teimosos que escrevem tentando ensinar a boa moral.

– Venha cá, me dá um abraço – disse um outro tentando agarrar Maria Adélia.

Minha mestra se fez invisível a eles.

– Sumiu a garota. Que pena! – disse o que ia abraçá-la.

– Ou ela não gostou de você, ou deve ser uma abelhuda do Cordeiro. Não sei o que veio fazer aqui – resmungou um outro.

Assim, de forma parecida, fomos a muitas editoras e encontramos sempre um espírito bom que lá trabalha. Se eles acham difícil atrapalhar os bons, nós achamos difícil ajudar esses encarnados. Alguns até querem mudar, mas os objetivos desses escritos são outros, e é o que dá vendagem, infelizmente. Vivem do comércio.

– Essas pessoas estão se comprometendo com esse trabalho? – indagou Osvaldo à Maria Adélia.

– Tudo o que fazemos, destruindo, cabe-nos a reconstrução. Mas depende de cada caso. Algumas pessoas aqui estão pelo salário, outros gostam do que fazem. Aquele que grafa seus pensamentos em escritos ruins que venham prejudicar a outros, é responsável por eles. Mas a maioria são escritos de péssimo gosto somente, não faz mal nem bem. Lembro a vocês que essa literatura existe porque tem quem a consome. Fazem e vendem.

Vimos uma pessoa, um escritor, escrevendo fatos ruins. Estava obsediado por uma entidade horrível. Notamos que a entidade o influenciava de forma bem acentuada, fazendo-o escrever besteiras,

melhor dizendo, de forma ruim. Novamente, Maria Adélia fez-se visível ao obsessor para conversar, para que pudéssemos entender alguns fatos.

– Oi – disse Maria Adélia.

– Olá.

– Você está trabalhando com ele?

– Estou, o que você tem com isso?

– Nada. Só que acho que ele escreve tão mal!

Diante desta observação, ele sorriu satisfeito. Ficou mais amável.

– Você acha? Que bom!

– Pensei que ia zangar-se, vejo-os trabalhando juntos.

– É para isso que estou aqui. Para fazer ele trabalhar mal, escrever besteira que ninguém editará.

– Vinga-se, por acaso?

– Sim. Quem é você? Pergunta demais.

– Sou só uma pessoa que gosta de ler. Estava passando e li a bobeira que ele escreveu. Só isto. Adoro histórias. Fiquei curiosa. Como pode você um cara tão inteligente, pois vê-se logo que é um intelectual, ficar perto deste boboca.

Riu contente e respondeu.

– Você tem razão. Sou inteligente e instruído. Escrevo muito bem. Quero que ele se afunde. Merece!

– Não quer me dizer o que houve? Você fala tão bem!

Maria Adélia, lendo os pensamentos dele, viu que era vaidoso, incentivou-o para que falasse, para que pudéssemos ouvi-lo e tentar ajudá-lo.

– Está bem. Vou falar só porque você soube reconhecer que sou inteligente. Sou filho único e minha mãe viúva deu um duro danado para que fosse estudar. Meu sonho era ser jornalista, ou escritor famoso. Tinha um amigo com os mesmos desejos. Um dia, apareceu uma oportunidade: um jornal fez um concurso e o vencedor iria ter um emprego de jornalista. Entusiasmado, fiz uma matéria genial. Este cara também. No dia de entregar, minha mãe ficou doente e pedi a ele que entregasse minha matéria. Confiei. Mamãe

melhorou e esperamos aflitos o resultado. Ele ganhou. Alegrei-me por ele. Mas, ao ver a matéria que ele apresentou, estremeci. Era a que eu havia escrito. Só com algumas pequenas modificações. Fui até o jornal e constatei que minha matéria, a com o meu nome, não fora entregue. Ele me enganou. Pegou a minha e a entregou como se fosse dele. Odiei-o. Fui atrás dele tirar satisfações. Recebeu-me com ironias. Disse-me que foram suas modificações que o fizeram ganhar o concurso. Riu de mim por confiar nele. Não tinha como provar sua culpa. Louco de raiva, avancei sobre ele e brigamos de murros e socos. Fomos separados, e ele foi embora rindo. Entrei num bar e bebi. Não estava acostumado a beber e embriaguei-me fácil, saí para a rua, fui atropelado e desencarnei. Minha mãe sofreu muito, e eu vaguei sem rumo por anos, culpando-o por todos os sofrimentos. Minha mãe desencarnou, mas os bons a levaram, e não pude nem falar com ela. Um dia soube que, no umbral, havia uma escola para aprender a vingar-se. Fui até lá, contei minha história e fui aceito. Aprendi fácil. Agora vingo-me desse safado. Ele não terá mais glória, porque faço com que escreva só porcaria. Alegro-me com seu desespero, ao ver rejeitados seus trabalhos. Então, garota, vê como tenho razões?

– Você não sofre aqui? Não gosta do ex-amigo e fica perto dele dia e noite. Não seria melhor ir para um bom lugar, talvez junto de sua mãezinha? – disse Maria Adélia risonha e gentil.

– Qual é “meu”? Por não gostar dele é que estou aqui, para vingar. Quanto à minha mãe, ela que venha para perto de mim.

– Por que você não analisa os acontecimentos de outra forma? Pela lei das reencarnações, você teria que desencarnar jovem. Por má colheita, teria que sofrer uma traição.

– Você começa a me enfurecer. Sei bem que já vivi outras existências, meus erros do passado pouco me importam e acho que não têm nada a ver com o que passo. O que importa para mim é o que faço no momento. Vingo-me dele, porque ele merece. Pensa que ele é bom? Nada faz que sirva, e só pensa nele. Por que você está me falando isso? Veio aqui defendê-lo? É melhor sair daqui. Fora! Saia depressa!

Falou aos gritos, ameaçando-a com a mão. Maria Adélia saiu, saímos. Nossa instrutora explicou.

– Como vê, fazemos mal a nós mesmos, quando prejudicamos alguém. Esse obsessor foi ao umbral, em lugares denominados escolas, aprender a vampirizar e a obsediar. Muitos são os núcleos de ódio.

– Será que a mãe dele não vela por ele? – indagou Carlos Alberto.

– Acredito que sim. Mas, enquanto ele estiver tão endurecido, ela não poderá ajudá-lo. Não viemos aqui para socorrê-lo. Mas sim, ver como se processa uma obsessão com um literato. Esse fato que vimos é minoria e também um acontecimento de vingança particular. Muitas obsessões nesse ramo são para escrever exaltando erros. Aqui ninguém pediu ajuda, não nos cabe intrometermos. Esse encarnado é frio, calculista e egoísta.

– Leva-nos a crer que essa obsessão não é de todo ruim para ele – disse Adelaide.

– Obsessão não é bom para ninguém. O obsessor perde tempo, e o mal que faz a ele mesmo se reverte. O obsediado pode odiar cada vez mais. O encarnado com esses defeitos vibra como o desencarnado e por isso torna-se alvo mais fácil da obsessão. Ele, não conseguindo escrever mais nada de bom, no sentido literário, terá um castigo ao seu orgulho. Vamos desejar que ele aprenda a lição.

– Se fosse uma pessoa religiosa, que orasse e fosse bom, o desencarnado poderia obsediá-lo? – indagou Carlos Alberto.

– Ele errou com o desencarnado. Traiu o amigo, roubando-lhe a matéria. Mas para todos os erros há perdão, quando o errado pede com sinceridade. Ele tem que sentir que, se voltasse o tempo, não faria o que fez novamente. Só pedir perdão é fácil demais. Há ainda a necessidade de reparar. Nesse caso, ele, o encarnado, arrependido, pediria perdão ao ex-amigo. Mas, respondendo a sua pergunta: Se ele tivesse se tornado bom e orasse com fé e sinceridade, dificultaria a perseguição. Se orasse com fé e sinceridade, orações de coração, ficaria bem difícil obsediá-lo. Nesse caso, já teria sido socorrido por alguma equipe de socorro.

Fomos ver algumas pessoas que escrevem, inspiradas por espíritos trevosos. O encarnado imprudente quase sempre está à procura de glória e fama, e esses desencarnados querem propagar seus objetivos, que são levar a Terra mais ainda ao caos, e mais pessoas à perdição. Mas quero deixar claro que a culpa é de ambos. Todos temos nosso livre-arbítrio que é respeitado. Esses desencarnados quase sempre cuidam do encarnado, fazendo-lhe favores e desfrutando juntos os prazeres. Digo prazeres, porque das dores o desencarnado não quer nem saber, o encarnado que se vire.

Não há um núcleo, no umbral, que cuide especialmente da literatura; em todas as cidades umbralinas há bibliotecas, algumas bem organizadas. Revistas e livros obscenos são manchetes lá.

Fomos a uma dessas cidades, a uma festa promovida para homenagear um escritor encarnado. Disfarçamo-nos e lá chegamos os dez: nós, os oito alunos, mais os dois instrutores. O salão da festa estava enfeitado com bandeirinhas, e por toda a parede havia quadros obscenos. Tudo muito colorido. O encarnado homenageado, que fora afastado do corpo enquanto dormia, ora parecia um tanto alheio, ora mais consciente.[7]

– Estes livros que vemos aqui são cópias dos livros e artigos dele, que são editados na Terra. São cópias plasmadas – explicou Aureliano.

Uma música alta se ouvia; eram músicas quase todas eróticas, algumas conhecidas dos encarnados, outras não. Não fomos percebidos no meio da multidão, e pudemos observar tudo. Muitos encarnados estavam presentes como convidados. Conversavam e gargalhavam muito. Depois de termos andado por lá e visto tudo o que desejávamos para nosso conhecimento, fomos embora.

– Esse encarnado sabe que está sendo usado? – indagou Henrique.

– Acredito que não, é muito orgulhoso e vaidoso para desconfiar. Deixo bem claro que nem todos os escritores escrevem

7. O desencarnado que ajudava a escrever estava perto do escritor todo orgulhoso, dando também autógrafos. (N.A.E.)

inspirados, sejam obras boas ou ruins. Muitos têm talento e fazem isso sozinhos. Os que são inspirados, têm de ter também dom para escrever, se não fosse assim, o desencarnado não conseguiria fazer o trabalho sozinho.

– Quanto a esse escritor que vimos no umbral, o que acontecerá com ele quando desencarnar? – indagou Maria da Penha.

– Isso dependerá de como estiver sua vibração no momento. Se desencarnasse agora, iria para o umbral, pois está vibrando com ele. Mas estamos sempre mudando, e esperamos que ele mude para melhor. É uma pessoa de talento. Já estivemos incentivando-o a escrever boas obras. No momento, prefere continuar fazendo o que vimos.

Aureliano fez uma pausa e completou emocionado:

– "Vigiai e orai" disse-nos sabiamente Jesus, e prudentes são aqueles que assim procedem.

Capítulo 12

Fatos interessantes

Aprendi muito tomando parte nas conversas pelos pátios. Eram conversações sadias e cheias de conhecimentos. Grupos afins, estudiosos e amantes da boa literatura. Quase todos ali estavam por amar os livros, mas havia algumas exceções. Não que esses, que eram exceções, não amassem a literatura, mas ali estavam também por outra finalidade ou por motivos diferentes da maioria.

– Patrícia – disse Marcelo –, sou uma dessas exceções. Gostava e gosto muito de ler. Tentei aprender a escrever, mas não deu, estou desistindo.

– Por quê? – indaguei.

– Queria aprender por amor. Não por amor à literatura, mas a uma pessoa. Amo muito uma mulher, estamos juntos há muitas encarnações. Faz cinco anos que desencarnei e ela ainda está encarnada; fomos casados por trinta e dois anos. Vivemos felizes e unidos.

Tenho saudades dela, aqui, e ela lá, de mim. Quando ela desencarnar estaremos juntos; demorará ainda alguns anos e, enquanto a espero, tento aprender e ser útil. Vim aqui estudar, porque ela gosta muito de poesias e reclamava por eu não conseguir escrever nenhuma para ela. Pensando em agradá-la, quis vir aqui, para que, quando estivéssemos encarnados, pudesse fazer-lhe belas poesias. Mas vi logo que este estudo não é para banalidades românticas. Não devo ocupar assim meu tempo, nem o lugar de outros.

– Marcelo, como sabe que estarão juntos, você e ela, na próxima encarnação?

– Não temos porque nos separar. Não erramos, não temos carma negativo a quitar. Temos um pelo outro um amor sincero, somos companheiros de progresso.

Conversamos mais um pouco e ele se despediu.

– Até breve, amiga! Desejo-lhe êxito nos seus planos. Devo partir logo.

Marcelo saiu, fiquei pensando no que me disse e querendo saber mais detalhes. Foi uma felicidade encontrar o diretor e, após os cumprimentos, demonstrei vontade de fazer algumas perguntas.

– Patrícia, pergunte o que quiser, responderei como puder – disse sorrindo.

– Conversava com Marcelo, que se despediu. Abandonou o curso? – indaguei, sorrindo, e contente por achar alguém para me esclarecer.

– Abandonar não é o termo certo. Não irá concluí-lo por não ter vocação, dom para escrever, ou mesmo interesse sincero.

– A Casa do Escritor não sabia desse detalhe ao inscrevê-lo?

– Sim, sabíamos. Tanto que o colocamos como excedente no seu curso. Aceitamos sua presença, porque estava entusiasmado dizendo querer muito. Costumamos aceitar casos assim, como esse de Marcelo. Alguns, ao nos procurar, dizem desejar cursá-lo e que estão realizando seus sonhos. Sabendo-se da possibilidade de não concluírem o curso, colocamo-los como candidatos a mais na sala de aula, para não ocuparem o lugar de outro. Mas, no decorrer do estudo, alguns podem

concluí-lo com êxito e outros, logo que o curso começa, vêem por si mesmos que estão deslocados, que não são capazes de completá-lo e pedem para sair. Patrícia, se não aceitarmos suas inscrições, poderemos estar recusando um desses que acabam por concluí-lo e que poderão vir a ser ótimos escritores e trabalhadores da casa. Também poderemos estar impedindo alguém de estudar e ser útil neste campo. Marcelo queria aprender para fins particulares, ou seja, agradar o espírito que ama. Este nosso plano, que envolve trabalhos de tantos, só pode dar certo para fins úteis a muitas pessoas.

– Ele me disse que na próxima encarnação encontrará e ficará junto de sua amada. Isto é mesmo possível?

– Sim, os dois estão unidos e caminhando para o progresso. São dois espíritos abnegados que cuidaram com amor por muitos anos de um asilo de idosos, com muita honestidade, caridade e paciência. Não tem por que, se é da vontade deles, separá-los. Certamente quando forem reencarnar combinarão para se encontrar e ficar juntos.

– Existem muitos casos como o dele? De pessoas que combinam ficar juntas?

– Existem, sim, mas não são a maioria. Nem todas as pessoas estão juntas por afinidades de sentimentos sinceros. Tenho visto muitos casais que, encarnados, são exemplos de carinho e de ajuda mútua. São casais como Marcelo e sua amada. Não precisam ser exatamente bondosos como eles foram. Se não for por aprendizado ter de separá-los, ficam juntos como é da vontade deles.

– Ele me disse que são almas gêmeas.

– Patrícia, almas gêmeas é uma expressão, um modo romântico para designar pessoas afins. Mesmo irmãos gêmeos na carne podem ser bem diferentes; costumamos dizer que espíritos afins são aqueles que combinam, têm os mesmos gostos e ideais e que às vezes estão juntos há muitas encarnações. Tanto podem ser bons ou maus. Devemos amar cada vez mais a todos, tentando nos educar moralmente, progredir e ajudar o maior número de pessoas a progredir também para o bem. Amar todos como irmãos é evoluir. E não se deve ter esse amor a número limitado de pessoas.

– O que você me diz do que estão fazendo algumas pessoas casadas, encarnadas, que se separam, dizendo que encontraram em outra pessoa sua cara-metade e querem ficar juntos?

– Na carne, deveriam levar a instituição do matrimônio mais a sério, não se casando sem pensar nem se separando sem pensar duas vezes. Principalmente tendo filhos. Os casais deveriam se conhecer melhor, casar conscientes do que seja viver juntos. Uma vez casados, tudo deve ser feito para que a união dure. A desculpa dada, de ter encontrado sua outra metade não é válida. Mesmo que tenha acontecido esse fato não se deve construir a própria felicidade sobre a infelicidade de outras pessoas, principalmente a dos filhos, que são sempre os que mais sofrem com os erros dos pais.

Agradeci ao meu simpático amigo, diretor da casa, pois estava sempre a indagar e ele sempre gentilmente me atendendo.

Numa tarde, estudava no pátio embaixo de uma árvore frondosa, cheia de flores perfumadas e brancas.

– Bom dia! – cumprimentou-me um senhor, em esperanto. – Posso sentar-me aqui?

– Bom dia! Fique à vontade.

– Tenho que ler este livro e resumi-lo.

Sorri ao meu companheiro dando-lhe as boas-vindas; respondi também em esperanto; gostamos de conversar nesse idioma. O livro que trazia consigo, era *Renúncia*, de Emmanuel, psicografado por Francisco Cândido Xavier. Leu algumas páginas em silêncio, depois voltou a conversar comigo.

– Chamo-me Norberto. E você?

– Patrícia.

Conversamos sobre cursos, falei o que fazia e por quê.

– Eu – disse ele – preparo-me para escrever aos encarnados. Logo que o curso terminar e iniciar outro, irei fazê-lo. Por enquanto, estou lendo a literatura brasileira, principalmente a espírita, e aprendo a língua portuguesa. Venho de um país da Europa. Vivi lá na última encarnação, onde fui escritor. Redigi sob a orientação de um espírito muito querido, que, desencarnado, me intuía a escrever.

Agora, estou desencarnado e ele encarnado no Brasil, por isso vim estudar aqui.

– Gosta daqui? – indaguei.

– Sim, muito. O Brasil é muito bonito. Mas o que mais encanta é a literatura espírita, ela é farta e rica. Não só quero intuir meu amigo, mas também trabalhar junto ao meu país de origem, motivando-os a traduzirem as obras espíritas, para instruir meu povo.

– Você disse "meu país", "meu povo". Você ainda separa. Não sente a Terra por moradia?

– Estou chegando lá, sorriu. Foi uma forma de dizer. Corrijo-me: quero levar a literatura espírita para todos os outros países da Terra. Como este livro que estou lendo. Para melhor aprender a língua portuguesa, estou fazendo trabalhos assim, leio livros e resumo em português. Aprendo duas vezes, porque as lições que estes livros nos dão são encantadoras.

– Que tal falarmos em português? – disse-lhe. – Leia e o corrigirei.

Assim fizemos, ele leu e eu ia lhe ensinando a pronúncia. A língua portuguesa é de fato muito difícil. Mas nosso amigo estava com vontade e aprendeu.

Uma vez, ao sair do teatro encontrei Laura; já a conhecia, mas foi a primeira vez que trocamos confidências.

– Sabe, Patrícia, matriculei-me no curso de preparação para ditar aos encarnados. Enquanto espero, estou tendo aulas de português e literatura. Gosto muito desta colônia, amo-a mesmo. Mas encontro dificuldades, não gosto de ler nem de escrever.

– E por que faz este curso, então? – indaguei curiosa.

Laura é moça, desencarnou aos vinte e cinco anos, é muito bonita. É morena clara, cabelos negros, longos e olhos azuis sombreados por longos cílios.

– Quando encarnada namorei um escritor, vivemos juntos alguns anos. Fui a musa inspiradora dele. Ele só escreveu e escreve bobeira. Quero aprender para tentar intuí-lo.

– É melhor fazer o que gosta, Laura; só quando amamos fazemos bem feito.

Despedimo-nos. Dois meses depois, ela me procurou para despedir-se.

– Vou embora, Patrícia. Não consigo progredir em meus estudos. Gosto mesmo é de lidar com crianças. Volto muito feliz para minha tarefa de cuidar dos nenês no educandário da Colônia Amor Divino, de onde vim.

– Irá deixar seu escritor?

– Bem, a equipe da casa irá visitá-lo e oferecer-lhe ajuda, se ele aceitar. Um espírito competente e com talento irá fazer o que eu almejava. Se ele não quiser, pelo menos tentamos. Acho que eu não conseguiria ajudá-lo sozinha.

– Boa sorte, Laura!

– Obrigada!

Uma tarde estava no pátio da frente e vi o diretor conversando com um senhor. Meu amigo me chamou e me apresentou.

– Este é José, e esteve conosco alguns meses, agora volta à sua colônia de origem.

Após os cumprimentos, o diretor convidou José a falar de seu problema.

– Desencarnei em um acidente. Tinha alguns conhecimentos espíritas, mas não o suficiente para ter-me libertado do fascínio material. Mas não posso queixar-me, logo estava bem. Fui estudar e trabalhar. Desejando ditar aos encarnados, vim para tentar fazer o curso, mas desisto.

– E por quê? – indaguei.

– Não gosto nem de ler, nem de escrever. Desisto por achar tudo muito difícil.

– Por que desejou fazê-lo? – perguntei novamente.

– Minha esposa é médium psicógrafa, embora não se interesse em trabalhar com seu dom. Queria estudar para tentar fazer com que ela trabalhasse com sua mediunidade e fosse útil. Fico pensando o que será dela, quando desencarnar e vier com o seu talento enterrado. Não produziu, não multiplicou. Mas, como o diretor me dizia, todos temos o livre-arbítrio.

– Mas ela não tem um orientador desencarnado? – indaguei curiosa.

– Já teve. Um espírito bondoso e instruído tentou por muitas vezes ajudá-la no seu trabalho, mas ela desiste sempre, arrumando desculpas. Como esse espírito é laborioso, afastou-se e foi trabalhar com outra pessoa. Mas, se ela quiser voltar ao trabalho, poderá atrair um outro espírito capaz e instruído para ajudá-la. Isso também vai depender de sua intenção, porque nem estudar nem ler ela quer.

José se despediu e se afastou. O diretor me disse ainda:

– Nenhum dos dois têm vontade firme. Tanto que se ele quisesse e se esforçasse conseguiria estudar. Ler é um hábito adquirido. Aprenderia a escrever o suficiente, se quisesse, para treiná-la. Quanto à esposa, é pena que deixe de fazê-lo.

Outra que conheci, quando se despedia, foi Florinda. É moça ainda. Este moça ou idosa a que me refiro, é o aspecto, quase sempre de como desencarnou. É bonita e simples. Depois das apresentações, me disse:

– Não quero escrever, não tenho dom, não sei. Também não gosto de estudar. Queria só fazer parte da equipe da casa.

– Por que seu desejo de trabalhar na equipe? – indaguei.

– Acho lindo os livros, admiro quem gosta de ler. Queria incentivar as pessoas a lerem bons livros. Só assim poderia salvar muitas pessoas com a boa leitura. Mas não deu certo. Os professores são gentis, mas não me interesso. Acho que vou estudar na colônia de socorro e trabalhar com equipes de socorro.

Desejando votos carinhosos de êxito, despedimo-nos. Mas indaguei ao professor Aureliano, que estava a par dos problemas dela:

– Por que, Aureliano, Florinda não pôde ficar conosco?

– Para fazer parte da equipe da A Casa do Escritor, é preciso ter preparo e conhecimentos. Infelizmente nosso trabalho é com intelectuais. Como ajudar sem que seja? Como incentivar a boa leitura, se não lê?

Pensei muito nesse fato. Só damos o que temos, só ensinamos o que sabemos, só podemos incentivar outros a fazer, se fizermos.

Mas, num ponto, Florinda tem razão, a boa leitura ajuda a muitos; ah, como ajuda!

No final de uma palestra, Ana declamou uma linda poesia de sua autoria. Encantou a todos. Quando terminou a reunião, ficamos conversando e Ana estava presente. Ela já estudou em nossa colônia, e atualmente faz parte do grupo de organizadores da casa. Encarnada, foi uma excelente poetisa. Escreveu com muito talento obras belíssimas.

– Ana – indagou uma companheira –, você teve dificuldades em escrever quando encarnada?

– Para escrever, não. Sempre amei a poesia. Mas para editar, sim. Anos atrás o preconceito contra a mulher era grande. Usei até um pseudônimo. Mas valeu lutar pelo que amo.

– O que você faz atualmente? – indagou outro companheiro.

– Estudo poesias e as escrevo. Trabalho junto com a equipe da casa. Logo, no ano vindouro, também lecionarei em cursos aqui.

– Você irá reencarnar logo? – perguntou um senhor.

– Certamente, daqui a alguns anos voltarei à carne e pretendo ser escritora e poetisa. Espero exaltar as belezas do Criador, nos meus escritos.

Um companheiro me disse baixinho:

– Ana é muito culta e instruída. Fez os cursos da casa todos de uma só vez, mas só para tê-los concluídos, porque sabia tudo que eles ofereceram. Será uma sábia instrutora.

Na A Casa do Escritor só vemos adultos, uns mais jovens outros mais idosos. Raramente vemos crianças freqüentando os cursos. Elas, sim, enfeitam a casa, quando vêm em excursões, que são verdadeiro aprendizado.

A primeira vez que vi uma criança ali, estranhei. O diretor me apresentou.

– Esta é Rosângela, nossa companheira de aprendizado.

Nosso diretor afastou-se e ficamos conversando.

– Patrícia, desencarnei há um bom tempo. Fui levada para um educandário. Amo lidar com crianças, sentir-me criança. Logo estava

ótima. Por estudos de outras existências, tenho uma inteligência desenvolvida. Encarnada, era excepcional, de QI elevado. Nessa época em que me achava recolhida no educandário, um grupo de três garotos estava com problemas de adaptação. Comecei a conversar com eles e os ajudei. E meu trabalho por anos ficou sendo esse. Muitas vezes, uma criança ajuda mais outra criança do que um adulto. Estudei, trabalhei e não mudei meu perispírito. Porque, se quisesse, poderia crescer, tornar-me jovem ou adulta. Prefiro ficar assim. Sempre gostei de escrever, interessei-me em aprender e aqui estou pronta a começar logo a estudar. Pretendo escrever histórias para crianças. Histórias com enredo interessante, que distraia e eduque. E nada como uma criança escrever para outra criança. Assim, sinto que às vezes sou adulta e, às vezes, criança. É com esta minha parte infantil, que quero escrever para muitas crianças.

– Pretende escrever desencarnada ou encarnada?

– Quero fazer os dois. Quero, se possível, ditar pela psicografia. Depois reencarnar e ser uma escritora.

– Você se sente bem? É feliz?

– Muito! Sou realmente muito feliz!

Aqui nosso livre-arbítrio é respeitado. Rosângela tem realmente muito talento.

Osvaldo, nosso companheiro de curso, narrando sua história à classe, disse que veio para a casa por amor à sua noiva.

– Estava noivo com casamento marcado, quando desencarnei em um acidente. Era católico, mas a família de minha noiva era espírita. E foram eles que me ajudaram. Fui socorrido, aceitei a desencarnação e logo estava bem. Minha ex-noiva tinha um parente que psicografava. Fui evocado e gostei demais de escrever. Assim, sempre estava dando notícias à minha noiva e à minha família, que depois virou Espírita. Fui convidado a estudar para aprender como é a vida no mundo espiritual. E o tempo passou, e eu a escrever. Para melhor fazê-lo e impressionar minha amada, me inscrevi no curso e agora o concluo. Só que muita coisa mudou. Passei a amar a literatura e a querer dedicar-me a ela com carinho. Atualmente, mensagens particulares escrevo só para a

família, e isso raramente. Minha ex-noiva casou-se e está muito bem. Aprendo aqui, e o médium lá, treinamos e quem sabe editaremos mais tarde. Como vê, vim à casa por um fato particular e aqui aprendi a pensar em fazer o bem a mais pessoas, com a facilidade que tenho para me exprimir.

– Você, quando reencarnar, vai querer se dedicar à literatura?

– Isso são planos para um futuro mais remoto. Quero, sim, ser um escritor encarnado. Afinal, trabalhar com a literatura é muito agradável, e ser útil por meio dela é prazeroso!

Capítulo 13

Meu pai

Nos últimos seis meses de curso, comecei a escrever os rascunhos que iria logo mais ditar à minha tia Vera e que depois se transformariam em livros. Senti, em certas partes, algumas dificuldades e dúvidas. Como sempre, nessas ocasiões, buscava ajuda de amigos, mas de forma especial ia até meu pai, para receber suas opiniões sábias e seus ensinamentos profundos e valiosos.

Um dia conversando sobre esse assunto com Antônio Carlos, ele disse:

– Patrícia, muitos se enganam ao achar que só os desencarnados podem orientar e ensinar. O saber é do espírito ativo que trabalha e estuda, que pode tanto estar encarnado quanto desencarnado. Aquele que sabe, é porque aprendeu. E para aprender não poupou esforços. Para que existem tantos cursos que preparam para a reencarnação? É verdade que o encarnado não se lembra de tudo o que aprendeu,

mas fica em sua memória mais do que se imagina. Logo, nas primeiras leituras e estudos, a recordação vem como aprendizado rápido e fácil. Depois, existem tantos cursos para encarnados e tantos livros fantásticos, que só não aprende os que não querem. Assim, encontramos muitos encarnados com tantos conhecimentos, que superam os de muitos desencarnados, até, às vezes, estes que com ele trabalham.

Antônio Carlos tem razão, meu pai é um estudioso há muitas encarnações. Tem muitos conhecimentos e é a ele que recorro quase sempre para resolver uma questão mais difícil.

José Carlos Braghini, meu pai na última existência, é uma pessoa que respeito e amo. Não é médium. Mas nem por isso torna impossível nosso intercâmbio. Todos nós temos nossa sensibilidade que pode ser apurada com o exercício da mente, de estudos e até mesmo de trabalhos que envolvam a mediunidade.

Meu pai medita muito. Nessas meditações, em que quase sempre está com a mente voltada para um dos ensinamentos do Mestre Jesus, sempre que posso fico perto. E seus pensamentos vêm até mim. Escuto enlevada suas conclusões, tal como fazia quando encarnada.

– Pai, papai, como o senhor escreveria sobre este assunto?

Digo-lhe de mente a mente. Raramente não pode me atender. Nem mesmo sabendo ele por que, muda suas reflexões e começa a pensar no assunto sugerido. Eu, rapidinho, tomo nota. Quantas sugestões preciosas!

Esse fato é bem possível. Não pensem os encarnados que só os que têm mediunidade, podem se comunicar com seus entes queridos desencarnados. O amor é um laço forte. Põe forte nisso. Às vezes é atado com nó. Mas pode prejudicar os que amamos. O amor que une, tem que ter o entendimento, e existir sem egoísmo. Temos que desejar sempre aos que amamos felicidade e que eles estejam bem, melhores do que nós. Senão, pode acontecer de o nó ser tão forte, que torna prisioneiros os que amamos. Como fazem muitos encarnados aos seus ternos desencarnados. Em vez de ajudá-los a enfrentar a nova existência, choram, reclamam, desesperam-se, chamando-os para perto de si, fazendo mal aos que amam.

Nós, os desencarnados, sentimos muito os pensamentos dos que nos amam. Muito se fala na obsessão de desencarnados a encarnados, mas temos que falar também que muitas vezes é o encarnado que não deixa o desencarnado seguir seu caminho. Ata-o com nó e não quer abrir mão de sua presença, embora nem sinta direito essa presença, pelo estado de vibração, que diferencia o encarnado do desencarnado.

Como é bom quando nossos entes queridos entendem e nos ajudam. Como é triste sofrer com o sofrimento deles. Presenciei muitos companheiros desencarnados desesperarem-se com a agonia dos seus entes queridos encarnados. Chegando às vezes a se perturbarem com os chamamentos deles. Como é bom ter conhecimentos espíritas! Como é confortador desencarnar com esses conhecimentos!

Nós, os desencarnados, podemos nos comunicar com quem amamos, sejam eles médiuns ou não. Se for médium é mais fácil. Se não, pode ser pelo afastamento do corpo, durante o sono, ou pelas conversas através do pensamento. Infelizmente, quase sempre o encarnado não percebe. Mas, se aprende a sentir pelo amor, confiando, sente nossa presença, sim. Para que esse intercâmbio seja bom, tem que ser uma conversa edificante e agradável. O desencarnado precisa estar bem, consciente do seu estado. E o encarnado, consciente do que seja a desencarnação, compreender para ajudar sempre. Se uma das partes estiver perturbada, seja pela dor, desespero, ou inconformação, isso não é bom para nenhuma delas. Pode ser até prejudicial ao desencarnado, principalmente se o encarnado estiver revoltado. Se ambos estão bem, é maravilhoso.

Assim, sempre estou com meus entes queridos, com a mamãe, meus irmãos, amigos e meu pai.

Fui ensinada por meu pai a ver tudo como realmente é, não como queríamos que fosse. A nossa mente quase sempre só se interessa por aquilo em que toca, pela sensação e prazer dos sentidos. Por esta razão, não chegamos a compreender e a viver os ensinamentos do magistral Nazareno, ou de outros grandes homens que passaram pela Terra. Tudo o que se repete, torna-se para nós enfadonho e sem motivação. Nesse sentido, a atuação é a sustentação da vida. A onipresença de

Deus é algo sutil e não relacionada aos sentidos. Por isso nos passa despercebida, e perdemos a oportunidade de participar com Deus do seu concerto universal.

Como é comum na vivência física, em muitas ocasiões, éramos envolvidos por vibrações negativas e, como é natural, sentíamos. Mas sabíamos que, com uma simples mentalização de meu pai, aquelas vibrações poderiam ser dissolvidas. Mas também, de antemão, sabíamos da sua resposta: "Já os ensinei, façam vocês, não quero que continuem a ser mendigos espirituais. Façam por si mesmos." Aparentemente nos deixava sozinhos, mas, na sua falsa ausência de socorro, estava vigilante e, em pouco tempo, estávamos livres da atuação negativa.

Assim é sempre meu pai: bondoso e sábio, tentando sempre educar todos os que o rodeiam. Muitos espíritos do astral inferior o chamam de Feiticeiro, pelo seu passado, em outras existências, e o depreciando por ser um estudioso das verdades eternas.

Meu pai não é pessoa de pedir por qualquer coisa. Ensinou-nos que precisamos agir sempre com perseverança e convicção por aquilo que queremos. Atuar sempre com total ausência de ódio ou revolta, mesmo quando estamos sendo acuados. Que precisamos transformar e não destruir.

Um dia, quando estava ao seu lado, perguntou-me:

"Patrícia, minha filha, gosta da Colônia A Casa do Escritor? Lá é lindo?"

– Já vi colônias mais bonitas.

Respondi, pensando que realmente já vira colônias muito mais encantadoras. Meu pai me respondeu:

"Quando no mundo físico, a maioria de nós não tem condições de avaliar o quanto se está condicionado a resultados. A beleza, por exemplo. Quando é que achamos algo belo? Quando esse algo está ligado ao extraordinário e nos leva a sentir que, se o possuírmos, passamos a ser mais importantes ou poderosos. Quando você visitou a Colônia Triângulo, Rosa e Cruz, sentiu uma emoção indescritível, pois é extraordinário o visual, algo incomum. Para os desavisados, esta

sensação de poder e beleza é tão incomum e poderosa, que poderá levá-los a se perder no orgulho e na vaidade.

Quando você deparou com a visão da Colônia A Casa do Escritor, estranhou pela diferença entre uma e outra. Mas, filha, veja a manifestação de Deus tanto no extraordinário como também no simples e necessário. Essa casa, que é seu lar no momento, é absolutamente necessária, pois se encontram ali espíritos que se dedicam ao aperfeiçoamento psicológico dos homens. Neste mister, a simplicidade não é só necessária mas realmente imprescindível, pois no seu interior o homem precisa se assemelhar a Deus, que é realmente profundamente simples.

A beleza que encanta os olhos em muitas ocasiões é passageira. A beleza do simples, mas necessário para a sustentação da maioria, é sempre pura e eterna.

A beleza da manifestação de Deus está justamente no contraste dos opostos. A beleza que encanta os olhos e a mente não está dissociada da simplicidade daqueles que, por estarem integrados e serem melhores, são agentes atuantes do movimento de evolução de seus irmãos em humanidade. Sentem alegria em ser o que são, não necessitam de ostentação. Não quero dizer que os integrantes da Colônia Triângulo, Rosa e Cruz fazem ostentação, mas, sim, que nos mostram com simplicidade as possibilidades de criatividade do ser humano na sua vida externa.

Nessa casa estão os que trabalham no burilamento do ser interno do homem.

E, agora, Patrícia, o que me responde? A Casa do Escritor é linda?"

– Sim, é realmente encantadora! – respondi, beijando-lhe a testa.

Como vimos, ajuda-se sempre quando queremos, estejamos encarnados ou desencarnados. E a ajuda dos que amamos, nos é muito valiosa. Principalmente nós que, pela desencarnação, nos defrontamos com um mundo diferente que desconhecemos. A ajuda dos encarnados que amamos é sempre de muita importância.

Capítulo 14

A história de Loreta

Tinha de fazer uma redação, uma história para que pudesse apresentar à classe. Já havia feito três, e não saíram ao meu gosto. Um colega pediu-me que fosse a uma colônia para ele. Fui lhe fazer o favor com alegria. Essa colônia é muito bonita. Passando por uma praça, não pude deixar de parar, para olhar um enorme chafariz de pedras azuis. Encantador! Sentei num dos bancos confortáveis da praça e fiquei a admirá-la. De repente, percebi perto de mim uma moça, também embebida com os encantos do chafariz. Observei-a. Linda, lindíssima. Loura, olhos azul-esverdeados, sombreados por longos cílios, traços perfeitos e harmoniosos, pele moreno-clara, delicada e tímida.

Sentindo-se observada, olhou-me e me cumprimentou.

– Oi, sou Loreta.

– Oi, sou Patrícia. Como está? Desculpe-me por observá-la. Achei-a tão linda!

– Está preocupada com alguma coisa? – indagou delicadamente.

– Tenho que fazer uma redação para apresentar amanhã à minha classe. Não fiz nada de bom. Procuro uma boa história. Você sabe alguma, que seja interessante para me contar?

Loreta sorriu, seu sorriso é encantador.

– Se tiver tempo, falarei para você de minha vida.

– Se você pudesse me fazer esse favor, agradeceria – falei animada.

Sentei-me mais perto dela e esperei ansiosa pelo relato.

– Sou filha de pais separados. Quando criança, raramente via meu pai, e depois não o vi mais. Tinha só um irmão, mais velho do que eu, e que aos treze anos saiu de casa e não se soube mais dele. Minha mãe casou-se novamente, e meu padrasto, até então, era razoável e trabalhador.

Logo que comecei a entender, percebi que minha beleza física muito me atrapalhava. Tive poucas amigas, as meninas tinham ciúme de mim, porque os coleguinhas da escola queriam me namorar. Não gostava dos garotos, porque eles sempre me diziam gracinhas. Quando estava com onze para doze anos, os problemas se agravaram. Estava tornando-me uma bela mocinha. Meu padrasto começou a me cobiçar. Foi horrível, tinha medo dele e ficava sempre trancada em meu quarto. Evitava ficar a sós com ele. Mas ele me olhava muito, minha mãe desconfiou do esposo e achou que eu atrapalhava.

Nessa época, não tinha nenhuma amiga, acabara os quatro primeiros anos da escola e não estudava mais, só ajudava minha mãe nos trabalhos de casa. Tinha cada vez mais medo do meu padrasto. Minha mãe achou uma solução, arrumou para mim um internato, onde estudaria e trabalharia no colégio.

Gostei de lá, era calmo e me entusiasmei em estudar. Tinha um quarto bem pequeno, mas fiquei contente por ser só meu. Os anos se passaram, não saía do colégio para nada, nem nas férias. Minha mãe raramente me visitava. Sentia-me muito só e trabalhava muito, tive poucas amigas, a maioria não queria amizade com uma moça tão bela e que trabalhava para se manter. Tudo corria bem, até que veio,

transferida de outro colégio, uma freira, e meu sossego acabou. Começou a assediar-me. No começo não entendi bem o que ela queria, pois eu era inocente. Clarinha, uma das poucas amigas que tive, colega de internato, me alertou. Comecei a fugir dessa freira e tive depois de ser clara e dizer que não queria o que me propunha. Ela começou a me perseguir, sobrecarregando-me de trabalho. Fiquei desesperada, não tinha a quem recorrer, estava com dezesseis anos.

Clarinha me ajudou, arrumou-me um emprego de balconista numa loja de sua tia, onde poderia morar nos fundos do estabelecimento. Fiquei triste por parar de estudar, mas era uma solução. Minha mãe não me queria em casa, e eu não tinha para onde ir, não podia ficar mais no colégio.

Saí de lá e fui trabalhar com dona Mara, a tia de Clarinha. Ela era uma solteirona muito boa, que me empregou, deixando que morasse no quarto dos fundos. Gostei do lugar e do emprego, deu certo. Passei um tempo tranqüila.

Mas minha beleza era um atrativo tanto para a loja, quanto para muitos homens que me diziam galanteios, uns grosseiros, outros mais por brincadeira. Ao saberem que era só e uma simples empregada, fui alvo de muita cobiça.

Conheci Geraldo, quando entrou na loja para comprar um presente para sua irmã. Era tímido, educado e respeitador. Voltou outras vezes para conversarmos. Não se referiu a minha beleza, parecia até que não me achava bonita. Convidou-me para sair, foi um passeio agradável. Ao seu lado sentia-me segura. Achava-o diferente dos outros, não me fez nenhuma proposta. Começamos a namorar e logo após noivamos. Não tinha certeza de amá-lo, mas, pensando estar segura com ele, aceitei casar-me. Tinha dezoito anos.

Casamo-nos e fomos morar numa casinha nos fundos da casa de sua irmã. Geraldo só tinha essa irmã como parente. Chamava-se Dulce e era boa e amável. Tornamo-nos amigas.

Sentia-me tão feliz em ter meu cantinho! Nossa casinha era linda e acolhedora. Mas, para minha surpresa, Geraldo modificou-se, não me deixou trabalhar mais e tinha por mim um ciúme incontrolável.

Prendeu-me dentro de casa. Raramente saía e, quando o fazia, era com ele e quase sempre, quando voltávamos, havia brigas. Muitas vezes me surrou, sem que nada houvesse feito de errado. Depois ele sempre se arrependia, pedia perdão, e eu o perdoava. Sofri muito, porque ninguém podia me olhar. Mesmo vestindo-me simplesmente, sem nenhum enfeite, era alvo dos olhares masculinos, e isso o deixava louco de ciúme. Para evitar brigas, preferia mesmo não sair de casa.

Estava com vinte e três anos. Tivemos dois filhos, um casal, e estava grávida de três meses. Um dia meu menino, o mais velho, estava febril. Geraldo quase sempre chegava em casa às seis e meia da tarde, porém às vezes se atrasava. Esses atrasos eram porque ele fazia as compras da casa. Minha cunhada estava viajando e o menino piorava. Resolvi ir à farmácia, perto de casa, buscar um remédio.

A farmácia já estava fechada, o proprietário, pessoa boa, morava nos fundos. Era um viúvo de meia-idade. Recebeu-me gentilmente, pediu-me que entrasse, pois ia pegar o remédio. Tive medo, pois, se Geraldo soubesse que entrara na casa dele, ia me surrar. Mas, pensei, ele não vai saber, não tem nada demais comprar um remédio para o filho doente.

Mas Geraldo chegou e, na frente da casa, foi surpreendido por uma vizinha fofoqueira, invejosa e maliciosa, que só para atiçar ciúmes nele, comentou:

"Geraldo, Loreta não está, foi à farmácia. Vi-a entrar na casa do proprietário. Você sabe, é viúvo e bem bonito. A esta hora, a farmácia está fechada, não sei o que ela está fazendo lá."

Meu marido nem respondeu e foi verificar. Estava muito nervoso, foi entrando sem bater. Quando chegou à sala, o farmacêutico estava me entregando o remédio. Não existiu nenhuma má intenção de nossa parte. Geraldo só andava armado. Costume que eu recriminava, mas ele dizia que era para evitar assaltos. Ao nos ver perto um do outro, sem indagar, sem ao menos confirmar qualquer suspeita, tirou o revólver e descarregou-o em nós dois. Os ferimentos que recebemos nos fizeram desencarnar na hora.

Senti o impacto, uma dor forte no peito, uma sensação tão horrível, que pensei ter desmaiado de dor, porque não vi mais nada.

Acordei numa enfermaria e julguei estar num hospital de encarnados. Mas estava num posto de auxílio, no plano espiritual. Estava magoada com a atitude do meu esposo e não quis conversar com ninguém; nem com os gentis enfermeiros desejei manter um diálogo. Mas estranhei logo, não vi meus ferimentos. Tinha certeza que fora ferida, preocupei-me com a criança que esperava. Indaguei à enfermeira:

"O que aconteceu com meu nenê?"

"A senhora o perdeu por causa dos ferimentos."

"Onde estão meus ferimentos?"

"Nós os curamos, mas não pense neles, senão podem voltar."

Achei tudo bem estranho. Naquele dia, à tarde, uma das enfermeiras fez uma linda oração, que me comoveu até as lágrimas, mas que me levou a pensar muito. Achei que algo diferente acontecera comigo. Novamente perguntei à enfermeira:

"O que aconteceu comigo? Morri com os ferimentos?"

"Seu corpo morreu, vive em espírito."

Bondosamente ela me explicou que desencarnei, estava socorrida etc...

Chorei muito e reclamei:

"Tudo o que me aconteceu, foi por ser bonita. Se fosse feia, Geraldo não ia ter ciúme de mim. Não me mataria só pelo fato de ter ido comprar remédios."

Ao recordar dos remédios, lembrei-me do filho doente, quis vê-lo, quis ir para casa. Fui aconselhada pela enfermeira a não desejar ir. Ela, carinhosamente, disse que ele havia sarado, que eles estavam bem com a minha cunhada. Não acreditei e desejei ir ardentemente para casa e fui impulsionada pela minha vontade.[8] Quando vi, estava na minha ex-casa. Mas tudo era diferente, outro casal morava ali. Fui à casa de Dulce e encontrei meus filhos. Minha cunhada e o marido eram pessoas boas, tinham três filhos moços

8. Quando um espírito socorrido em postos quer ir ardentemente para junto dos seus encarnados queridos, sua vontade forte o impulsiona, isto é, ele volta sem saber como ocorreu. (N.A.E.)

e ficaram cuidando dos meus dois filhos. Foi com alegria que os vi bem e amados por estes dois amigos bondosos.

Ali soube que Geraldo fora preso em flagrante, estava numa prisão e, como todos diziam, não sairia de lá tão cedo.

Sabia que estava desencarnada, mas resolvi ficar ali e não sair para nada. Estava acostumada, era muito caseira e fiquei, como que escondida. Evitava todos os encarnados, temendo que eles me vissem ou me sentissem. Os ferimentos apareceram, eram quatro, dois no peito, um no braço e outro no ombro esquerdo. Doíam muito e às vezes sangravam. Isto muito me incomodava.[9]

Mas meus fluidos não estavam fazendo bem à Dulce e à família. Via-os inquietos, queixando-se. Não julguei ser eu a causa. Dulce tinha alguns conhecimentos espíritas e resolveu ir ao centro espírita. Achei certo e fiquei a cuidar da casa. Estava quieta num canto, quando vi dois desencarnados me pegarem pelo braço e me levarem. Assustei-me, mas a viagem foi rápida, em segundos estávamos no Centro Espírita onde Dulce fora.[10]

Colocaram-me perto de uma senhora e de um senhor, ambos encarnados. Ele foi conversar comigo.[11] Explicou-me bem minha condição, fazendo-me ver que fazia mal aos que estavam em casa. Estranhei, não queria fazer mal a ninguém, ainda mais aos que amava. O encarnado que conversava comigo disse que isso é comum e que os desencarnados que voltam sem preparo para perto dos que amam fazem mal a eles.[12] Disse com bondade da necessidade que tinha de voltar ao plano espiritual. Revoltei-me e me recusei ir para o hospital, para o mundo espiritual. Mas prometi não voltar para a casa de Dulce.

---

9. O espírito saindo sem permissão e sem entendimento pode sentir os reflexos das suas doenças ou ferimentos como aconteceu com nossa amiga. (N.A.E.)

10. Como Dulce foi pedir ajuda, dois trabalhadores do centro espírita foram à casa dela verificar o que estava acontecendo. Ao encontrar Loreta, eles a levaram à casa espirita, para receber orientação. (N.A.E.)

11. Recebeu doutrinação pela incorporação. (N.A.E.)

12. Fluidos de espíritos sem compreensão prejudicam os familiares. (N.A.E.)

Com meu livre-arbítrio respeitado, saí do centro espírita e pus-me a vagar pelo bairro. Fui parar numa praça onde descansei num canto. Senti fome, só então percebi que o orientador do centro espírita tinha razão, alimentava-me junto com os familiares.[13]

De repente, um menino derrubou um sorvete e corri para pegá-lo.

"É meu!"

Uma desencarnada, senhora idosa e feia, me bateu com força na mão.[14] Voltei para onde estava e chorei.

A senhora me observou curiosa e se aproximou.

"Você está sofrendo?"

"Estou, a senhora não está?"

"Ora, ora, há anos sofro e nem ligo mais. Pode tomar o sorvete, dou a você. Fale o que se passa que talvez possa ajudá-la. Chamo-me Lalá. E você?"

"Loreta" – respondi.

Tomei o sorvete, Lalá sentou-se perto de mim e contei toda minha vida para ela.

"Sua beleza foi sua perdição – comentou. – Você se vingou desse Geraldo?"

"Vingar?"

"Ora, não seja burra, o cara mata seu corpo jovem e belo, você é inocente e vai deixar por isso mesmo? Se quiser, ajudo você a se vingar."

"Nem sei se quero, ou o que quero, ou faço."

"Se quiser ficar comigo, cuido de você."

"Quero."

Dois desencarnados mal-encarados, espíritos ociosos passaram por ali e mexeram comigo, tentaram me agarrar. Lalá, para meu alívio, os enfrentou e os pôs para correr.

---

13. Só está livre das necessidades de encarnado o desencarnado que compreende e aprende a viver como tal. No caso de Loreta, ela se alimentava dos fluidos vitais dos alimentos. (N.A.E.)

14. Um desencarnado pode bater e acariciar outro desencarnado. São da mesma matéria. Sentem-se mutuamente. (N.A.E.)

"Tenho medo, minha beleza me atrapalha até desencarnada. Obrigada, você foi corajosa. Não pensei que desencarnados fossem mexer comigo."

"Depende dos desencarnados. Os bons não fazem isso, nem encarnados nem desencarnados. Os maus fazem mesmo. Mas como é engraçada a vida. Uns querendo ser bonitos, e a outros a beleza incomoda. Você é bonita realmente. Conheço esses dois, são ruins mesmo, se eu não estivesse aqui... Você quer ficar feia?"

"Quero."

"Vou maquiá-la. Venha comigo até minha casa, lá tenho os apetrechos."

Lalá foi comigo até a sua ex-casa terrena; seu marido casara com outra e ela odiava a esposa dele. Após conhecer a casa, Lalá começou a me maquiar. Ela me enfeiou, sujou, descabelou, tingiu a pele de preto-azulado. Maquiou-me a boca, tornando-a torta e grande e fez uma horrível cicatriz na face esquerda.

Ela plasmou o material que usou na maquiagem.

Ao olhar no espelho, levei um susto, estava bem feia, mas sentia-me tranqüila, nenhum desencarnado vadio me olharia mais com cobiça.

"Então, está contente agora?" – indagou.

"Estou horrível! Você é uma artista!"

Fiquei a vagar com Lalá, íamos passear, pois ela sabia onde podíamos ir, alimentávamo-nos na ex-casa dela, vampirizando a sua rival. Lalá sabia que fazia mal a ela e estava ali por esse motivo.

Não fui mais à casa de Dulce e via meus filhos só de longe. Saber que estavam bem, deixava-me tranqüila.

Um dia, Lalá insistiu tanto que fomos ver o Geraldo, na prisão. Um espírito que guardava a porta nos barrou. Lalá lhe explicou que queríamos fazer uma visita a Geraldo de...[15]

15. Em prisões, delegacias, penitenciárias, existem equipes de trabalhadores do bem, que dão assistência tanto aos encarnados como aos desencarnados que ficam ali. Porém, espíritos maus ali vão também, uns para se vingar, outros, como este guarda, tomam conta da portaria, por não terem algo mais interessante a fazer, ou mesmo por gosto, até podendo ser a mando de alguma organização do umbral. (N.A.E.)

"São parentes?"

"Sim" – respondeu Lalá.

"Esse moço é bem comportado, recebe sempre a visita da mãe desencarnada. Venham, levo vocês para vê-lo."

Não gostei do que vi, tanto os encarnados quanto os desencarnados vibravam negativamente, o ambiente era horrível. Logo estávamos na cela de Geraldo, que lia um livro.

Lalá, ao contrário, estava gostando, passeava à vontade. Logo que o viu, avançou sobre ele xingando-o.

"Assassino! Covarde!"

Geraldo parou de ler, sentiu-se mal e ficou nervoso. Um companheiro lhe perguntou o que tinha.

"Não sei" – Geraldo respondeu triste. – "Acho que vou enlouquecer, sou um ordinário, matei minha esposa inocente e um homem honrado."

"Já sei sua história. Esquece!" – disse-lhe o companheiro.

"Não posso, o remorso me mata, sofro muito. Se pudesse pedir perdão a ela, ajoelharia aos seus pés."

Tive dó dele, fora sempre infeliz, agora sofria mais do que eu. Então, falei à minha amiga:

"Acho, Lalá, que não preciso me vingar. Geraldo já sofre muito. Vamos embora, aqui é horrível!"

Ao sair da prisão, dois espíritos horríveis nos pegaram. Esperneamos, lutamos, mas eles eram mais fortes e não conseguimos nos soltar. Fomos levadas para uma caverna no umbral, o local era horrível, sujo e fétido, fomos colocadas num canto. Não estávamos sozinhas, espíritos horríveis agrupavam-se. Apavorei-me. A cena que vi, era pior que um filme de horror.

Lalá me disse baixinho:

"Loreta, procure não conversar, só fale quando for indagada e use a inteligência para se sair bem. Vamos nos separar, fuja logo que puder, que vou tratar também de sair daqui."

"Onde estamos?"

"Na zona inferior, no umbral, somos prisioneiras".

"Zona inferior, o que é isso? Somos prisioneiras de quem?"

"Zona inferior é o mesmo que inferno. Somos prisioneiras deles, dos que moram aqui. Não sei ao certo por que nos prenderam. Acho que é para nos tornar escravas. Quando eles necessitam de quem faça o trabalho para eles, aprisionam os que vagam para servi-los."

"Vai me deixar sozinha?" – falei com medo. "Foi você que me colocou nessa situação."

"Ingrata! Ajudo-a e você me trata assim."

Lalá sumiu.

Fiquei sentada num canto sem coragem de sair do lugar. Senti um medo horrível e me arrependi por não ter seguido os conselhos que me deram no centro espírita e por não ter ficado no posto de socorro. Não consegui saber por quanto tempo fiquei ali; o local estava na penumbra, clareava-o só uma pequena tocha fincada na parede. Meus ferimentos doíam muito e sentia fome e sede. Acho que depois de dois ou três dias vieram me buscar. Um sujeito horroroso me pegou pelo braço e me levou a uma outra caverna tão horrível quanto a primeira, só que estava mais clara e enfeitada por inúmeras caveiras. Num trono estava sentado um homem que me olhou observando, gelei. Mas, seguindo o conselho de Lalá, tentei ficar calma e pensei: "Se este cara está no trono é porque pensa ser rei ou algo parecido, devo me dirigir a ele como quer." Ajoelhei na frente do trono e abaixei a cabeça. O sujeito que me trouxe, disse alto:

"Chefe, pegamos esta quando saía da penitenciária, foi visitar um detento."

"O que estava fazendo lá, ó infeliz?"

Sua voz parecia um trovão, grossa e forte, respondi com voz trêmula.

"Senhor, fui dar uma lição no maldito que me matou."

"Vingança, então? Adoro os que se vingam. Não me meto em vinganças particulares. Vingue-se como quiser, é seu direito. Deixe-a ir, é tão feia que enoja vê-la!" – falou, fazendo uma careta de nojo.

Levantei-me, o sujeito foi andando na frente e eu atrás, atravessamos outras cavernas e saímos.

"Vai, infeliz!" – disse meu acompanhante.

Ele voltou. Fiquei sozinha. O local estava escuro, uma pesada névoa me impedia de ver onde estava. Sentia-me perdida, mas, mesmo assim, andei, pois queria afastar-me dali com medo de ser presa novamente. Estava cansada, com dores, fome, frio e sede. Às vezes, via outros desencarnados a gemer, eram tão horríveis que me davam medo. Apavorada, continuei a andar.

"Vem por aqui, filha."

Senti alguém pegar meu braço e andamos por minutos. Logo vi uma claridade, mais alguns passos e estava na cidade. Soltei-me num puxão e corri.[16]

Era noite, andei até a praça, tomei da água do chafariz.[17] Deitei-me na grama, procurei descansar. Dormi e acordei com a luz do sol. Fitei-me nas águas do chafariz, estava horrível. Aquela sujeira e a maquiagem me incomodavam, mas sabia que era preferível. Se não estivesse assim, não teria saído do umbral. Bonita, seria cobiçada por algum deles. Sentia-me muito sozinha, minha única amiga era Lalá, estranha amiga, mas era minha companheira. Fui procurá-la no seu ex-lar e achei-a.

"Como saiu?" – ela quis saber.

"Acharam-me feia. E você?"

"Sou esperta, conheço tudo por lá. Venha alimentar-se. Depois levo-a para ver seus filhos."

Como prometeu, Lalá me levou para ver meus filhos. Chegando lá, Dulce conversava na calçada com uma vizinha:

"Dona Ivone, desde que fui ao centro espírita, tudo melhorou aqui em casa, meus sobrinhos estão bem, com saúde e não choram mais. Meu marido e eu os amamos como se fossem nossos. Eu me sinto bem e com saúde. Acho que Loreta entendeu que estava nos prejudicando e foi embora. Que Deus a ajude!"

16. Um socorrista a ajudou, certamente. Se ela não corresse, ele poderia tê-la auxiliado melhor. (N.A.E.)

17. Certamente da parte fluídica da água. (N.A.E.)

Emocionei-me, vi meus filhos de longe, eles estavam brincando. Peguei na mão de Lalá e fomos embora.

"Meus filhos, Lalá, já sofreram demais. Não posso prejudicá-los, nem a Dulce, ela e o marido cuidam bem deles."

"Por causa do Geraldo é que estão órfãos!"

"Não quero me vingar, que me importa ele? Sofre mais que eu! Não quero nem visitá-lo, é perigoso. Fomos presas lá."

"Você diz que ele sofre; e você, não? Só que ele é culpado e você inocente! Afinal o que é que você quer? É muito bonita e só me atrapalha. Não a quero mais perto de mim. Estou com muitos planos e você não faz parte deles. Adeus!"

Lalá foi embora, voltei à praça e pus-me a chorar. Chorei tanto que as lágrimas me lavaram o rosto.

"Que estranho! Você parece fantasiada de feia! Venha cá, boneca, vou lavá-la" – disse um desencarnado, mal encarado, pegando-me pelo braço.

Tive que lutar com ele. Quando me largou, saí correndo e me escondi, ele ficou xingando. Quando vi que ele foi embora, voltei e me fitei nas águas do chafariz, estava com a maquiagem danificada, e aparecia uma parte bonita do meu rosto. Pensei e resmunguei:

"Meu Deus! Se fico bonita de novo não sei o que acontecerá comigo. Odeio ser bonita! Na Terra, entre os encarnados, não há lugar para mortos do corpo. Acho que tenho de ir para um lugar próprio. Necessito de ajuda, mas ajuda mesmo. Acho que vou naquele centro espírita, lá me trataram tão bem, talvez possam me ajudar."

Senti vergonha de pedir ajuda, depois de tê-la recusado e ter sido mal-educada. Mas o medo e a vontade de ser socorrida foram maiores e fui. Temi encontrar-me com desencarnados arruaceiros. Era dia e o centro espírita estava fechado. Bati na porta e aguardei. Uma pessoa desencarnada de aspecto agradável me atendeu.[18]

---

18. Em quase todos os centros espíritas, juntamente com a construção material, há uma construção da mesma matéria de que são feitas as colônias, cidades espirituais. A trabalhadora abriu a porta dessa construção e Loreta, com a ajuda dela, atravessou a porta material. (N.A.E.)

"Por favor, pelo amor de Deus me socorre, necessito de ajuda" – disse a chorar.

"Entre, sente aqui e tome isto.[19] Você sofreu muito para entender e pedir ajuda. Vamos ajudá-la. Logo a levaremos para um hospital."

Senti-me melhor, pois ali sentia proteção. De fato, logo me levaram para um hospital em um posto de socorro. Desta vez, foi diferente, fui obediente e logo me recuperei. Quando fiquei boa, passei a aprender e a trabalhar.

Loreta calou-se. Suspiramos juntas e sorrimos. Perguntei:

– E Geraldo e seus filhos?

– Meus filhos estão bem, já estão mocinhos. Geraldo ainda está na prisão. Tenho ido vê-los quando tenho permissão.

– E o farmacêutico?

– Ele foi socorrido. Pessoa boa, aceitou o socorro e está muito bem, e tentando ajudar o Geraldo.

– E Lalá?

– A esposa de seu ex-marido foi a um centro espírita buscar ajuda, e está recebendo orientação e socorro; está bem em outra colônia. Patrícia, há muitas encarnações tenho sido vaidosa. Já fui casada com o espírito, que é Geraldo nesta, e o traí muitas vezes, fazendo-o sofrer muito por ciúme.

Calamos e meditamos. Mas logo lembrei que tinha de escrever a redação. Despedi-me de minha amiga.

– Loreta, tenho que ir. Obrigada!

Loreta sorriu, de fato é belíssima, uma da mais perfeitas belezas humanas que já vi.

---

19. Deu-lhe água fluidificada. (N.A.E.)

Capítulo 15

No término

No final deste curso, em meio à emoção e à euforia pelo objetivo alcançado, um novo sentimento começou a tomar conta de mim. Não estaria esse sentimento ligado à vitória e à conquista. Era um sentimento de plenitude, um prazer imenso de "viver", sentir em plenos poros da alma o amor que Deus tem pelo homem e por tudo o que é seu. Como sempre, não pude deixar de me lembrar das recomendações de meu pai, que muitas vezes não cheguei a compreender. Em certa ocasião, já desencarnada, e com imensas oportunidades de conhecer e estudar o que almejo fazer, ele me disse: "Patrícia, devemos buscar o conhecimento sem cessar e com todo empenho, mas ele não deve ser tido como fim e sim como meio. Pois arquivos mentais são coisas do passado e Deus não está no passado nem no futuro, Deus é atemporal. No seu tempo, o importante é viver a vida pela vida, o amar, o viver pela própria beleza do viver este imenso, infinito e amoroso Deus".

Naquele momento estava sendo agraciada, sentia-me parte una com o Pai. Feliz de ser o que era, ansiava profundamente atualizar todos os meus talentos para que, nesta ação, pudesse demonstrar todo o meu amor e carinho por aquele que é o Criador e Pai de todos nós.

Como o tempo corre depressa quando estamos felizes! O curso já acabava e pensávamos em planos para o futuro. Cada um de nós, com muito entusiasmo, planejava o que faria depois. Todos animados com as novas tarefas e contentes com o trabalho pela frente. Eu também fazia planos com muito carinho. Já havia escrito os livros que iria ditar à médium. Livros esses feitos com cuidado e muito amor, trabalho que os orientadores da casa aprovaram. Logo minha tia e eu trabalharíamos juntas. Tudo o que começa tem continuidade e término. Iria, por tempo determinado, trabalhar com a literatura, ditando minha vivência aos encarnados. Planejei também o que faria após este trabalho. Vou continuar a estudar em colônias de estudo. Mas meus conhecimentos não vão ficar sem dar frutos. Serei também instrutora, darei cursos. Isto é o que desejo e sonho. E querer, desencarnada, é quase sempre poder, principalmente para o espírito que pensa em progredir e ser útil. Eu quero e muito.

O trabalho de ditar os livros, faço-o em horas diárias. Digo trabalhar, sim, porque todos os que exercem uma atividade intelectual, mental ou material estão trabalhando. E foi uma tarefa que fiz, fizemos com muito gosto. Não só trabalhava, quando ditava e a médium escrevia. Ficava com ela mais horas, enquanto ela fazia as tarefas diárias de dona-de-casa; conversávamos mentalmente, falando de fatos, de trechos que iríamos escrever à tarde. E não foi um ditado somente. No mínimo, foi escrito três vezes cada capítulo, e alguns pedaços muitas vezes mais. Tudo isso tentando fazer o melhor possível. Nessa ocasião, tive também o encargo de cuidar dela, da médium, de sua casa e família.

Mas tive muito tempo livre e não ficava ociosa. Ia muito ao meu lar terreno, ao centro espírita, às colônias onde tenho amigos. Fiz parte da equipe de ajuda a filiados na A Casa do Escritor. Meu cantinho continuou lá. Freqüentava as reuniões tão agradáveis que a casa promove. Conversava nos seus pátios, onde o entusiasmo é constante.

Visitávamos muito as bancas do livro espírita por todo o Brasil, e também ajudávamos, sempre que solicitados, as editoras, os revendedores e alguns leitores. Muitas pessoas, quando lêem, pedem ajuda ao escritor, ao médium, se o livro é psicografado. Essas ajudas são particulares e quase sempre os pedidos nos chegam por meio de orações. Dificilmente o médium ou o escritor encarnado pode ajudar, nem sempre o escritor desencarnado pode ir no momento em seu auxílio. Mas a equipe vai, estuda, analisa o problema e, na medida do possível, a ajuda é realizada. Claro que não se pode fazer tudo o que nos pedem. Na maioria das vezes, cabe ao encarnado resolver o problema. Mas só o fato de a equipe visitá-lo, o pedinte recebe fluidos salutares, bons, de entusiasmo e ânimo.

Nesse tempo, participei de várias reencarnações de filiados. Muitos moradores que se preparavam há tempos, decidiram encarnar e continuar a tarefa na carne. Houve também desencarnações esperadas, que mereceram nossa ajuda. Muitos voltaram vitoriosos, outros cumpriram pela metade aquilo a que se propuseram.

Muitas e muitas vezes, fomos aos filiados encarnados dar força e entusiasmo nos trabalhos desenvolvidos. Se espíritos maus os desanimam, cabe a nós animá-los. Porém, o encarnado tem seu livre-arbítrio e escuta quem quer.

Foi um trabalho proveitoso, no qual aprendi muito.

Certamente, quando eu partir, meu cantinho será ocupado, por isso tratei de deixá-lo como antes de ocupá-lo.

Mas, voltando ao término do curso, fizemos planos e pela bondade do Pai tudo deu certo, a euforia era grande. Não terminamos o curso como começamos. Nossos conhecimentos aumentaram, tornamo-nos mais capazes e amadurecidos. Não houve festa, mas uma reunião em que amigos e moradores da casa estavam presentes. Convidei muitos amigos e – que surpresa agradável! – quase todos compareceram. Frederico me presenteou com um lindo ramalhete de rosas azuis. Antônio Carlos, meu maior incentivador, não escondia seu contentamento. Vovó e amigos da Colônia São Sebastião foram também me cumprimentar. Amigos da Casa do Saber, do centro

espírita, enfim, muitos ali estavam para me desejar êxito no trabalho que eu iniciara. Não achava fácil ditar aos encarnados, mas dois anos de estudo me davam um pouquinho de confiança. Nós oito, os formandos, estávamos felizes e emocionados, pois nesse tempo juntos tornamo-nos realmente amigos.

– A tarde parece diferente! – exclamou Ruth. – Talvez, se fosse em outro dia, não notaríamos a diferença. Mas como é hoje o término do nosso curso, sinto-a diferente. Acho que é porque estou muito feliz!

Ruth iria tentar, tanto como eu, ditar aos encarnados.

– Estou pronta para escrever. Mas o encarnado estará? – disse com um sorriso.

– Confie e trabalhe! – respondi.

Ruth estava pronta, era ótima em redação, fez o curso com louvor. Mas preocupava-se com a médium que iria servir de intermediária; ela estava desanimada e não perseverava nos treinos necessários. Todos nós tínhamos consciência das dificuldades que encontraríamos. Nada se realiza facilmente. Mas o entusiasmo em construir, em realizar, era forte em nós.

Com todos reunidos no salão principal, enfeitado com muitas flores, a reunião começou com uma prece agradecendo a oportunidade que o Criador nos dera.

O diretor da casa, que estava no cargo há dois meses, porque, como já foi dito, a direção faz rodízio, agradeceu a presença de todos e incentivou-nos ao estudo, para que pudéssemos cada vez mais ajudar com sabedoria.

Também ouvimos Aureliano e Maria Adélia, esses dois mestres competentes e estudiosos, que nos cumprimentaram, motivando-nos a seguir sempre em frente e não parar diante das dificuldades.

André Luiz veio nos apadrinhar. Abraçou um por um os que concluíram o curso, dizendo palavras de carinho e incentivo. Brindou-nos com suas palavras.

– Caros convidados e caros companheiros! Uma nova tarefa os espera, e não pensem que não terão dificuldades a vencer. Dificuldades

solucionadas são degraus que subimos no progresso. Façam seus trabalhos com entusiasmo e carinho. Insistam e realizem! Que seria de nós, se Jesus não tivesse encarnado? Se ele, achando que seria inútil e que não valeria o esforço, não tivesse se revestido do corpo físico para nos ensinar? Como estaríamos sem seus ensinos fabulosos? Não nos igualamos ao Mestre, mas exemplifiquemos a sua conduta. Vamos fazer o que nos compete, mesmo que seja uma obra considerada pequena, porque é fazendo que um dia poderemos dizer: Está feito! Sintamos sempre na tarefa realizada a oportunidade que recebemos para progredir, fazer e realizar! Que todos consigam!

Palmas se ouviram pelo salão. Fomos abraçados e abraçamos. A alegria era única. Grata, guardei os acontecimentos na memória e no coração. Sentia-me sempre e cada vez mais feliz!

Fim

Ao terminar a leitura deste livro, talvez você tenha ficado com algumas dúvidas e perguntas a fazer, o que é um bom sinal. Sinal de que está em busca de explicações para a vida. Todas as respostas que você precisa estão nas Obras Básicas de Allan Kardec.

Se você gostou deste livro, o que acha de fazer com que outras pessoas venham a conhecê-lo também? Poderia comentá-lo com aquelas do seu relacionamento, dar de presente a alguém que talvez esteja precisando ou até mesmo emprestar àquele que não tem condições de comprá-lo. O importante é a divulgação da boa leitura, principalmente a da literatura espírita. Entre nessa corrente!